백석 시, 백 편

백석 시, 백 편

한국 시의 독보적 개성, 백석 깊이 읽기

초판 1쇄 발행 2023년 8월 16일
초판 3쇄 발행 2025년 2월 14일

지은이 | 이숭원

펴낸곳 | (주)태학사
등록 | 제406-2020-000008호
주소 | 경기도 파주시 광인사길 217
전화 | 031-955-7580
전송 | 031-955-0910
전자우편 | thspub@daum.net
홈페이지 | www.thaehaksa.com

편집 | 조윤형 여미숙 김태훈
마케팅 | 김민선
경영지원 | 김영지

값 19,500원
ISBN 979-11-6810-187-6 03810

책임편집 | 조윤형
표지디자인 | 캠프
본문디자인 | 이영아

백석 시, 백 편

한국 시의 독보적 개성, 백석 깊이 읽기

이숭원

태학사

백석 시의 올바른 이해를 위하여

  백석은 한국 시에서 가장 개성이 강한 작품을 남긴 시인이다. 1935년 8월 첫 작품을 발표한 때부터 해방공간에 이르기까지 그가 발표한 일련의 작품들은, 토속적인 고향의 모습과 고향을 잃고 떠도는 연약한 자아의 내면 풍경을 자신만의 독자적인 어법으로 표현했다. 주관적 감정 토로를 절제하고 외부적 관찰자의 시선을 취하면서도 은연중 감정의 물기를 실어 내는 그의 독특한 화법은 풍속과 인정과 말이 어우러진 생생한 삶의 축도를 뚜렷한 영상으로 재현했다.

  우리는 백석의 시를 통해 이 시기 사람들이 보여 준 삶의 실상을 역사책이니 소설책 이상으로 실감 나게 체감하게 된다. 그는 남북이 하나되어 살던 지난 시대에 북방 언어와 북방 정서로 시를 썼다. 다른 어느 시에서도 볼 수 없는 이 독특한 특성으로 인해 그의 시는 우리에게 지난 시대의 기억을 이어 주는 중요한 고리 역할을 한다. 낯선 토착어 구사로 접근이 어려워 보이는 백석의 시에 힘써 다가가야 할 이유가 여기에 있다.

  백석은 평북 지방의 토착어를 기반으로 고유한 의성어와 의태어를 폭넓게 구사하여 독특한 운율감을 창조했다. 세련된 도시 감각을 의도적으로 배제하고 향촌의 투박한 어투를 되살린 그는 토속적인 구어를 시의 중심부로 끌어올려 세련된 도시어와 동렬에 놓인 시어로 활용하였을 뿐만 아니라, 그것을 시의 주제와 밀착시킴으로써 한국인 고유의 원형적 삶을 복원하고자 했다.

백석은 자기 삶이 더욱 가혹한 상태로 기울고 세상과의 소외감이 깊어 갈수록 자신의 고고한 마음자리를 더욱 굳건히 지키려고 애썼다. 근대 문명의 시각에서 보자면 누추하고 비속하게 보이는 장면들을 펼쳐 내면서 근대의 물결 속에 사라져 가는 토착 세계의 정경을 사실적으로 그려 냈으며, 물질 숭배 의식이 확대되는 시기에 고립을 축복으로 전환하는 '소외의 미학'을 실현하고자 했다. 세상과 거리를 두고 고고한 마음의 자리를 유지하면서 과거의 시간에서 위안을 얻고 격리된 공간에서 안식을 얻는 전례 없이 독특한 이 '소외의 미학'은 소중한 것이 모두 사라진 공백의 시대를 버텨 가게 한 백석의 정신적 준거였다.

이러한 백석의 시를 새로운 독자들과 함께 깊이 읽어갈 수 있다는 것은 보람찬 일이다. 주제와 언어와 형식 면에서 그의 시는 풍부한 해석의 가능성을 넓게 열어 놓고 있다. 이런 점에서 그의 시는 무한한 해석의 광맥을 내장한 보물 창고라 할 수 있다. 독자의 폭이 확대되어 다양한 해석의 길이 더 넓게 열리기를 기대한다.

이 책의 원본인 『백석을 만나다』를 낸 것은 2008년 2월의 일이다. 분단 이전까지의 백석 시를 모두 해설했기에 '백석 시 전편 해설'이라는 부제를 달았다. 2007년이 연구년이어서 이러한 작업이 가능했고, 나이도 50대 초반이라 체력도 뒷받침되었다. 출판된 해에 문화관광부 우수 학술도서로 선정되었고 독자들의 호응도 있어서 몇 쇄를 간행했다. 그로부터 15년의 세월이 흘러 이 책은 절판이 되었다. 세월이 흐르면서 새로운 사실이 조명되어 시어 풀이와 작품 해석에 수정하고 싶은 부분이 있어서 개정판을 내고 싶었지만, 몇 군데 수정 사항을 반영하기 위해 이 두꺼운 책을 새로 내기는 어려웠다. 혼자 고민하던 중 마침 출판사에서 현대어 정본과 해설 부분을 중심으로 새로운 개정판을 내면 어떻겠느냐는 제안이 왔다. 애정이 담긴 책이라 출판사의 제안을 기꺼이 수락했다.

백석에 대한 관심은 석사 논문 쓰던 1979년부터 있었고, 1983년에 개별 논문을 처음 발표했다. 그때는 납월북 문인에 대한 해금이 있기 전이라 백석에 대한 논문을 쓰는 일도 조심스러웠다. 해금 조치 이후 백석에 관한 연구가 활발하게 전개되었다. 2006년에 『원본 백석 시집』 주해서를 내고 『백석 시의 심층적 탐구』를 출간했지만, 또 다른 의욕이 솟구쳐 『백석을 만나다』를 기획했다. 책의 집필과 교정에 이르는 전 과정이 매우 험난했다. 그 책의 서문에, 자정을 넘기며 해설을 고치고 또 고치다가 몸이 녹초가 되었을 때 "육신이 흐느적흐느적하도록 피로했을 때만 정신이 은화처럼 맑소"라는 이상의 글귀가 떠올랐다고 적었다. 그것이 하나의 추억으로 떠오른다.

현재 백석은 대학원 학생들이 가장 많이 연구하는 시인이자 현역 시인들이 가장 좋아하는 시인으로 첫손가락에 꼽힌다. 그의 드라마틱한 삶이 소설과 연극과 뮤지컬로 소개되어 대중들에게도 이름이 널리 알려졌다. 40년 전 조심스럽게 백석론을 쓸 때와는 너무 달라진 분위기에 경이감을 느낀다. 이런 점 때문에 그의 시가 대중들에게 제대로 이해되기를 바라는 마음이 더욱 커졌다. 일반 독자 대상의 교양서로 개편한다는 출판사의 취지에 공감한 것도 그 때문이다.

이 책은 교양서의 성격을 살려『백석을 만나다』에 어렵게 입력했던 원본은 수록하지 않고 현대어 정본만 제시하고 작품을 해설했다. '현대어 정본'은『백석을 만나다』를 낼 때 처음 사용한 용어인데 이제는 비슷한 성격의 다른 서적에서도 이 용어를 사용할 정도로 일반화되었다. '현대어 정본'은 일반인이 이해할 수 있도록 현대어 표기법으로 교정한 작품을 의미한다. 백석의 시는 방언이나 변형된 구어가 많이 나오고 원본의 띄어쓰기도 일정하지 않아서 원본 그대로 읽기에는 어려움이 많다. 현대어 정본으로 읽으면 일반 독자들도 어느 정도 그 뜻을 파악할 수 있을 것이다.『백석을 만나다』에서 현대어 정본 작성의 원칙을 다음과 같이 밝혔다.

(1) 띄어쓰기와 표기는 현행 한글 맞춤법의 규정을 따랐다.

(2) 시어는 국립국어원에서 편찬한『표준국어대사전』에 등재된 어휘를 기준으로 교정했다. 비표준어나 잘못된 말은 등재된 말로 대치하되, 대치하기 어려운 토착어, 예를 들어 '갈부던'이나 '즘퍼리' 같은 말은 원본대로 적었다. 이 경우 '갈부던'은 '갈부전'으로, '즘퍼리'는 '즌퍼리'로 교정이 가능하지만 그렇게 교정해도 현대인이 그 뜻을 알기 어려우므로 그대로 두고 주해를 통해 뜻을 파악하도록 했다.

(3) 한자는 꼭 필요한 경우에만 병기하고 그 뜻을 알 수 있는 한자는 한글로 바꾸었다.

(4) 음절 수와 음감을 고려하여 비표준어를 그대로 둔 곳은 주를 달아 이유를 밝혔다.

시어 주석과 작품 해설도 가능한 한 쉽게 하려고 여러 부분을 수정
했다. 이전의 책이 백석 시의 원전 비평에 가까운 학술서의 성격이 강했
다면, 이번의 책은 독자에게 백석 시를 안내하는 해설서라고 할 수 있다.
이 책을 통해 독자들이 백석의 시에 더 가까이 다가가기를 기대한다.

개정판을 내도록 지원해 준 태학사 김연우 대표와 편집과 교정에
애를 쓴 조윤형 주간에게 감사드린다. 오랜 벗 지현구 회장의 후의에도
감사의 마음을 전한다. 우리의 시인 백석을 사랑하는 많은 사람들에게
이 책을 바친다.

2023년 7월 5일

이숭원 李崇源

차례

시집 『사슴』 이후 발표 작품

시집『사슴』이전 발표 작품

정주성定州城*

산턱 원두막은 비었나 불빛이 외롭다

헝겊 심지에 아주까리기름의

쪼는 소리가 들리는 듯하다

잠자리 조을던**무너진 성터

반딧불이 난다 파란 혼魂들 같다

어데서 말 있는 듯이 커다란 산새 한 마리가

어두운 골짜기로 난다

헐리다 남은 성문이

하늘빛같이 훤하다

날이 밝으면 또 메기수염의 늙은이가

청배를 팔러 올 것이다

—『조선일보』, 1935. 8. 30.

---

* 시집 이전의 발표작으로 시집에 수록된 작품은 시집 수록 부분에서 다룬다. 그러나 이 작품은
첫 발표작이므로 여기서 다룬다.
** 표준어는 '졸던'이나 음절 수와 어감을 고려하여 그대로 적는다. 이하 유사한 표기도 같은 원
칙을 적용한다.

- **쪼는**: 졸아드는. '조는'의 경음화된 표기.
- **어데서 말 있는 듯이**: 어디선가 사람의 말소리가 나는 듯이.
- **메기수염**: 메기의 수염처럼 몇 오라기만 양쪽으로 길게 기른 수염.
- **청배**: 토종 배의 한 종류로 일찍 익고 빛이 푸르다.

백석이 지면에 발표한 첫 시 작품이다. 발표 당시 작품 끝에 '8월 24일'이라는 날짜를 제시했다. 정주성은 백석의 고향 정주에 남아 있는 성으로, 19세기에 일어난 홍경래의 난 때 반란군이 관군에 맞서 마지막 항전을 벌였던 곳이다. 홍경래와 정주가 직접적인 관계는 없지만 반란군이 최후로 집결했던 곳이기 때문에 그 이후 정주성에 대한 보수는 이루어지지 않고 퇴락한 모습 그대로 남아 있었던 것 같다. "헐리다 남은 성문"이라는 구절이 정주성의 이러한 사정을 간명하게 나타내고 있다.

산턱에 원두막이 있고 원두막엔 사람이 없는지 불빛만 외롭게 비치고 있다. 발표 지면의 창작 시점에서도 확인되는바 계절은 여름이다. 열매가 익어 가는 여름이면 사람들은 원두막에 불을 밝히고 과수원이나 채소밭을 지킨다. 불이 켜져 있는 것으로 보아 원두막을 지키던 사람은 잠시 어디로 간 것 같다. "헝겊 심지"는 아주까리기름을 담은 등불의 심지로 헝겊을 사용했다는 뜻이다. "쪼는"은 수분의 양이 줄어드는 상태를 뜻하는 말이다. 그러니까 이 대목은 텅 빈 원두막에 불빛만 비치는 적막한 정경과 심지에 기름이 타는 소리까지 들릴 것 같은 심야의 고요함을 표현한 것이다.

　2연은 낮의 정경이 밤의 정경으로 이어지면서 적막하면서도 신비롭고 또 불안스럽기도 한 정주성의 미묘한 분위기를 나타냈다. 정주성 주변은 사람이 별로 오가지 않는 외딴 곳이어서 낮에는 잠자리가 앉아서 졸고 밤에는 반딧불만 날아다닐 정도로 한가롭다. 반딧불의 모습을 "파란 혼들 같다"라고 했는데, 죽은 사람들의 넋이 파란 불빛을 달고 날아다닌다고 생각하면, 그 장면은 무언가 불길한 느낌을 전달한다. 반딧불 외에는 아무런 움직임이 없다가 갑자기 무엇에 놀랐는지 커다란 산새 한 마리가 어두운 골짜기로 날아간다. "어데서 말 있는 듯이"의 해석이 문제인데, '말'을 사람들의 두런거리는 말소리로 보고, "어디선가 소리가 나는 듯이"의 뜻으로 해석한다. 워낙 고요하고 아무런 움직임이 없는 상태이기 때문에 산새가 갑자기 어두운 골짜기로 날아가는 것도 큰 움직임으로 느껴지고 그 모습 역시 불길한 장면으로 보인다. 요컨대 밤의 정주성은 사람의 그림자라고는 찾아 볼 수 없고 죽은 혼들만 난무하는 괴괴한 퇴락의 공간으로 제시되고 있다.

　2연의 "무너진 성터"는 3연에서 "헐리다 남은 성문"으로 바뀐다. 헐리다 남은 성문이 하늘빛같이 훤하다고 한 것은 어떤 희망을 암시하고자 한 것이 아니다. 성문이 거의 다 헐린 상태가 되어 문으로서의 구실을 못하게 되었고 결과적으로 하늘이 훤히 보이는 지경에 이르렀음을 표현한 것이다. 어쩌면 새벽이 다가와 하늘빛이 부옇게 밝아 보이는 것을 표현한 것일 수도 있는데, 그렇다 하더라도 그것이 성문의 퇴락함을 나타낸 것이라는 점은 바뀌지 않는다.

청배를 팔러 오는 메기수염의 늙은이는 어떤 사람일까? 청배는 푸른빛이 도는 배로, 여름이 지나기 전 조금 일찍 수확한다. 개량종이 아니라 토종 배이기 때문에 즐기는 사람은 많지 않다. 메기수염을 기른 늙은이는 일견 고집스러워 보이기도 하고, 우스꽝스러워 보이기도 할 것이다. 자기 자신은 멋있어 보인다고 기른 수염이지만 남이 보기에는 어색해 보이는 그런 모습이다. 그러니까 사람들이 별로 사지 않는 청배를 팔려고 날마다 마을에 나오는 고집 세고 세상 물정 모르는 사람, 일종의 시대착오적인 인물이다. 퇴락한 정주성의 아침을 장식하는 사람은 바로 그렇게 시대의 뒷전으로 밀려가는 구시대의 유민遺民인 것이다.

이렇게 해석하면 백석은 자기 고향에 있는 정주성을 어느 정도 부정적으로 바라보고 있고 거기서 더 나아가 고향 자체를 퇴락의 공간으로 인식하고 있다는 결론에 이른다. 이처럼 적막한 모습을 지니고 있는 정주성을 시로 표현했다는 것은 고향에 대한 연민과 향수가 백석에게 남아 있다는 사실을 반증한다. 적막하고 불길한 정경이지만 그 공간에 대한 환멸의 감정이나 강한 부정의 태도는 보이지 않는다. 퇴락하여 구시대의 유물로 주저앉아 가지만 가슴 한편에 아련한 추억으로 남아 있는 고향의 모습을 있는 그대로 보여 준 것이다. 사랑할 수도 포기할 수도 없는 고향에 대한 연민과 향수, 그 이중적 심리가 이 작품을 쓰게 한 동인이자 『사슴』 시편을 쓰게 한 심리적 동인이었을 것이다.

산지山地*

갈부던 같은 약수터의 산 거리
여인숙이 다래나무 지팡이와 같이 많다

시냇물이 버러지 소리를 하며 흐르고
대낮이라도 산 옆에서는
승냥이가 개울물 흐르듯 운다

소와 말은 도로 산으로 돌아갔다
염소만이 아직 된비가 오면 산 개울에 놓인 다리를 건너 인가 근
처로 뛰어온다

벼랑턱의 어두운 그늘에 아침이면
부엉이가 무거웁게 날아온다
낮이 되면 더 무거웁게 날아가 버린다

산 너머 시오리+五里서 나무뒝치 차고 싸리신 신고 산비에 촉촉

*   시집 『사슴』에 「삼방三防」으로 개작하여 수록했다.

이 젖어서 약물을 받으러 오는 산 아이도 있다

아비가 앓는가 보다
다래 먹고 앓는가 보다

아랫마을에서는 아기 무당이 작두를 타며 굿을 하는 때가 많다

-『조광』 1권 1호, 1935. 11.

- **갈부던**: 갈부전. '부전'은 색 헝겊을 알록달록하게 맞대어 만든 여자아이들의 노리개다. '부전나비'라는 나비 명칭에 대해 나비 학자 석주명은 "부전이란 사진틀 같은 것을 걸 때 아래에 끼우는 작은 방석의 역할을 하는 삼각형의 색채 있는 장식물"이라고 했다. 조개로 부전을 만든 것을 '조개부전'이라고 하니, '갈부전'은 갈잎으로 만든 부전임을 알 수 있다.
- **된비**: 거세게 내리는 비. 매섭게 부는 바람을 '된바람'이라고 한다.
- **벼랑턱**: 벼랑에 경사가 져서 내려오다가 조금 두두룩한 곳. '산턱'은 사전에 등재되어 있다.
- **나무뒝치**: 나무의 속을 파서 뒤웅박처럼 만든 것. '뒝치'는 '뒤웅박'의 평북 방언.
- **싸리신**: 싸리 줄기와 껍질로 엮은 신.

깊은 산중에 약수터가 있다. 시집에 「삼방三防」이라는 제목으로 수

록되어, 시의 배경이 함경남도 안변군(현재는 강원도 세포군 삼방리)에 있는 삼방약수임을 알 수 있다. 약수터 주변의 산길이 좁고 몇 갈래로 갈라져 있는 것을 갈부전에 비유했다. 깊은 산중인데도 유명한 약수 터라 사람들이 많이 오가기 때문에 여인숙이 많이 들어서 있다. 지팡 이가 많은 것으로 보아 노인과 병약자들이 많이 오는 것도 짐작할 수 있다. 이 시 1연의 두 행은 약수터의 토속적인 정경을 간략하면서도 압축적으로 드러낸다. 장황한 서술이나 묘사를 배제하는 백석의 독특 한 창작 방법, 생략과 압축의 미학을 확인할 수 있다.

시냇물이 벌레 소리를 내며 흐른다고 했고 승냥이는 개울물 흐르 듯 운다고 했다. 정지용은 「장수산 2」(『문장』, 1939. 3.)에서 "물소리 귀 뚜리처럼 喞喞(즉즉)하놋다"라고 표현한 바 있다. 정지용은 얼음 밑으 로 흐르는 희미한 물소리를 그렇게 표현한 것인데, 시냇물 소리를 벌 레 소리에 비유한 것은 백석이 더 앞섰다. 그리고 "버러지 소리"가 주 는 느낌은 귀뚜라미 소리처럼 그렇게 작은 것이 아니다. 벌레 소리가 시냇물 소리로 전이되고 그것이 다시 승냥이 울음소리로 이어지는 청각 심상의 變換 과정이 이채롭다. 사람들이 오가는 산길인데 대낮 에도 승냥이가 운다는 것은 산지의 신비감과 으슥한 느낌을 동시에 전달한다. 벼랑턱의 어두운 그늘에 부엉이가 무겁게 날아왔다가 무겁 게 날아간다는 것도 음산한 느낌을 전달한다.

이런 어둡고 무거운 정경이 제시된 다음에 약수를 받으러 오는 아 이가 등장한다. 시오리 길을 걸어서 약수를 받으러 오는 산골 아이의 모습이 "나무뒝치"를 차고 "싸리신"을 신은 것으로 되어 있어 문명의 혜택에서 멀리 떨어진 산지의 생활상을 알려 준다. 화자는 그 아이가 먼 곳에서 여기까지 온 것은 앓고 있는 아버지의 약물을 받기 위해서라고 추측한다. 약수를 먹어도 병이 낫지 않으면 무당의 주력으로 병을 고쳐 보려고 굿을 한다. "굿을 하는 때가 많다"라는 말은 추측이 아니라 사실의 제시다. 문명사회와 거리를 둔 산골 마을의 다소 기괴한 주술적 장면의 제시로 시가 끝난다. 1연에서 생략과 압축의 기법을 사용했듯이 마지막 연도 간단한 사실의 제시만으로 토속적 세계의 음산한 불안감을 복합적으로 환기한다.

이 시의 전반적인 분위기 역시 그렇게 밝지 않다. 마지막 장면에는 죽음의 그림자까지 드리워 있는 듯하다. 일본 유학을 마치고 돌아와 서울에서 신문사 일을 보던 백석에게 함경도 산골 마을의 모습이 어떤 인상을 준 것일까? 서울의 문화 공간과는 멀리 떨어진 토속적 세계의 모습에서 고향의 모습을 떠올린 것일까? 그 내면의 움직임은 정확히 알 수가 없지만, 주술적 세계에 대한 관심이 『사슴』의 시편에 그대로 이어지는 것으로 보아 농촌 사람들의 삶이 민간신앙과 연결되어 있다는 생각을 가진 것은 확인할 수 있다.

늙은 갈대의 독백

해가 진다 갈새는 얼마 아니하여 잠이 든다
물닭도 쉬이 어느 낯설은 논두렁에서 돌아온다
바람이 마을을 오면 그때 우리는 섭게 늙음의 이야기를 편다

보름밤이면
갈거이와 함께 이 언덕에서 달보기를 한다
강물과 같이 세월의 노래를 부른다
새우들이 마름 잎새에 올라앉는 이때가 나는 좋다

어느 처녀가 내 잎을 따 갈부던을 결었노
어느 동자가 내 잎닢 띠 갈나빌을 불었노
어느 기러기 내 순한 대를 입에다 물고 갔노
아— 어느 태공망太公望이 내 젊음을 낚아 갔노

이 몸의 매듭매듭
잃어진 사랑의 허물 자국
별 많은 어느 밤 강을 내려간 강다릿배의 갈대 피리
비 오는 어느 아침 나룻배 내린 길손의 갈대 지팡이

모두 내 사랑이었다

해오라기 조는 곁에서

물뱀의 새끼를 업고 나는 꿈을 꾸었다

―벼름질로 돌아오는 낫이 나를 데리러 왔다

　달구지 타고 산골로 삿자리의 벼슬을 갔다.

―『조광』 1권 1호, 1935. 11.[*]

　　―

- **갈새**: 개개비. 갈대숲에 많이 서식하므로 갈새라고 부름. 「적막강산」에도 나오는 시어다.
- **물닭**: 뜸부깃과의 새로 호수나 강가의 갈대 속에 산다.
- **갈거이**: '갈게'의 평안 방언. 바위겟과의 하나로 개펄이나 갈대밭에 구멍을 파고 산다.
- **갈부던**: 갈잎으로 만든 부전. 「산지山地」에도 나오는 시어다.
- **결었노**: 기본형은 '겯다'. 대, 갈대, 싸리 따위로 씨와 날이 서로 어긋매끼게 엮어 짜다.
- **갈나발**: 갈잎으로 만든 나발.
- **태공망太公望**: 강태공姜太公. 낚시꾼의 딴 이름.
- **벼름질**: 일정한 비례에 맞추어 여러 몫으로 고르게 나누는 일. 갈대가 차례대로 균등하게 낫에 베어지는 것을 표현한 것이다.
- **삿자리**: 갈대를 엮어서 만든 자리.

[*]　'가을의 향기香氣' 난에 '백정白汀'이라는 필명으로 발표했다.

一

『조광』지 편집 실무를 맡은 백석은 창간호 필자 섭외에 어려움이 있었는지, 창작시 세 편을 발표하고, '신박물지新博物志' 난에는「나와 지렁이」라는 작품을 쓰고, '가을의 향기' 난에는 '백정白汀'이라는 필명으로 감상적인 작품을 써서 지면을 채웠다. 백정이 백석이라는 증거는 없지만 그가 즐겨 사용하던 '물닭', '갈부던', '삿자리' 등의 말이 나온 것으로 보아 백석의 글로 추정된다. 장르적 성격이 애매해서 시라고 잘라 말하기도 어렵지만, 산문이라기보다는 시에 가까워 여기 수록했다.

『조광』지 본문 왼쪽에는 갈대 우거진 강변의 사진이 커다랗게 실려 있고 오른쪽에는 갈대의 그림과 시름에 잠긴 여인의 그림이 들어 있다. 늦가을의 정취를 나타내기 위해 갈댓잎 시들어 가는 강변을 배치하고, 그러한 지면 구성에 어울리는 글을 백석이 써서 집어넣은 것이다. 가을이 깊어지면서 갈대의 생애가 끝나는 것이니 제목을「늙은 갈대외 독백」이리고 했다. 제목에 어울리세 첫 상련부터 소멸의 심상이 중첩되어 이어진다. 갈새, 물닭, 갈게, 갯새우, 해오라기, 물뱀 등 갈대 습지에서 흔히 보게 되는 사물을 열거하여 갈댓잎 시드는 강변의 고적한 분위기를 조성하면서 늙음을 자탄하는 노래를 엮어 갔다.

갈게와 갯새우가 바삐 움직이기도 하지만 젊음은 이미 사라졌으니 자신의 몸 마디마디에는 잃어버린 사랑의 허물 자국만 남아 있는 듯하다. 사랑은 강물을 따라 또 나룻배를 따라 어디론가 사라져 버렸다. 갈대의 종말을 나타낸 마지막 부분은 꿈을 꾼 것으로 처리했는데, 꿈

의 내용에 해당하는 대목은 일종의 동화적 상상으로 재미있게 구성
했다. 낮에 베이는 것을 "낮이 나를 데리러 왔다"라고 표현했다. 베어
진 갈대는 달구지에 실려 산골로 가서 삿자리로 만들어진다. 그것을
"삿자리의 벼슬을 갔다"라고 표현했다. 감상적인 글의 끝맺음을 동화
적 상상으로 처리한 것이 재미있고 분단 이후 북쪽에서 쓴 동화시의
전 단계를 보는 것 같아 흥미롭다.

나와 지렁이

내 지렁이는

커서 구렁이가 되었습니다.

천 년 동안만 밤마다 흙에 물을 주면 그 흙이 지렁이가 되었습니다.

장마 지면 비와 같이 하늘에서 내려왔습니다.

뒤에 붕어와 농다리의 미끼가 되었습니다.

내 이과 책에서는 암컷과 수컷이 있어서 새끼를 낳았습니다.

지렁이의 눈이 보고 싶습니다.

지렁이의 밥과 집이 부럽습니다.

―『조광』1권 1호, 1935. 11.*

―

• **농다리**: 농엇과의 물고기. 농어는 바다에 살지만 어릴 때는 강에도 올라온다.

* '신박물지新博物志' 난에 따로 실렸다.

• **이과 책:** 이과理科, 즉 자연과학 책을 뜻한다.

『조광』지는 종합 월간지였으므로 여러 가지 읽을거리를 제공해야 했다. 당시에는 자연에 대한 종합적 이해를 '박물학'이라고 했고 '자연과학'에 해당하는 교과목을 '박물'이라고 했다. 그래서 어린이 독자를 대상으로 '신박물지'라는 난을 설정하여 자연과학의 설명과는 다른 자신의 새로운 상상적 해석을 실은 것이다.

일반적인 지렁이가 아니라 자신의 상상 속의 지렁이기에 백석은 일부러 "내 지렁이"라고 지칭했다. 상상 세계 속에서 지렁이가 크면 구렁이로 변하고 천 년 동안 밤마다 흙에 물을 주면 흙이 지렁이로 변한다고 했다. 마른땅에 없던 지렁이가 비가 오면 흙 위로 올라오니 흙에 물을 주면 흙이 지렁이로 변한다고 상상할 수 있다. 또 장마가 지면 곳곳에 지렁이가 나타나는 것을 보고 아이들은 지렁이가 비를 타고 하늘에서 떨어졌다고 생각하기도 한다. 우리도 어린 시절 이런 상상을 해 보았는데 백석도 동심으로 돌아가 그런 상상의 세계를 펼친 것이다.

그런데 붕어와 농다리의 미끼가 되었다는 것은 상상이 아니라 현실의 세계다. 지렁이가 암컷과 수컷이 있어서 새끼를 낳았다는 것도 정확한 서술은 아니지만, 사실에 해당하는 얘기다. 지렁이는 자웅동체로 암수의 성을 다 가지고 있는데 두 마리가 만나면 암수가 결정되면서 수정하여 알을 낳는다. 앞에서는 동화적 상상의 세계를, 뒤에서는 현실적 사실의 세계를 서술했다.

　그다음에 지렁이의 눈이 보고 싶다고 한 것은 매우 기발한 생각이다. 지렁이는 눈에 해당하는 안점이라는 것이 있어서 어둠과 밝음을 구분한다고 한다. 백석은 아무리 보아도 눈이라고는 없어 보이는 지렁이의 눈이 보고 싶다는 독특한 발상을 제시했다. 지렁이의 밥과 집이 부럽다는 것도 역시 재미있다. 밥과 집을 가려 좋은 것을 얻으려고 다투는 사람과 달리 흙 속에서 아무것이나 먹고 어디에서나 사는 지렁이의 사심 없는 모습이 부러웠던 것일까? 그의 시에서 앞으로 보게 될 작고 연약한 대상에 대한 연민 어린 감정의 실마리를 보는 것 같다.

시집『사슴』수록 작품

가즈랑집*

승냥이가 새끼를 치는 전에는 쇠메 든 도적이 났다는 가즈랑고개

가즈랑집은 고개 밑의
산 너머 마을서 도야지를 잃는 밤 짐승을 쫓는 깽제미 소리가 무
서웁게 들려오는 집
닭 개 짐승을 못 놓는
멧도야지와 이웃사촌을 지내는 집

예순이 넘은 아들 없는 가즈랑집 할머니는 중같이 정해서 할머니
가 마을을 가면 긴 담뱃대에 독하다는 막써레기를 몇 대라도 붙이
라고 히며

간밤엔 섬돌 아래 승냥이가 왔었다는 이야기
어느메 산골에선간 곰이 아이를 본다는 이야기

---

* 「가즈랑집」에서 「오리 망아지 토끼」까지 "얼럭소새끼의 영각"이라는 소제목으로 묶여 있다.
'얼럭소'는 정지용의 「향수」에도 나오는 "얼룩백이 황소"처럼 털빛이 얼룩얼룩한 토종 소를 말한
다. "영각"이란 "소가 길게 우는 소리"를 뜻하는 말로 사전에 등재되어 있다. 송아지가 어미를 부
르듯 어린 시절을 회상한다는 뜻으로 풀이된다.

나는 돌나물김치에 백설기를 먹으며

옛말의 귀신 집에 있는 듯이*

가즈랑집 할머니

내가 날 때 죽은 누이도 날 때

무명필에 이름을 써서 백지 달아서 귀신간 시렁의 당즈깨에 넣어

대감님께 수영을 들였다는 가즈랑집 할머니

언제나 병을 앓을 때면

신장님 단련이라고 하는 가즈랑집 할머니

귀신의 딸이라고 생각하면 슬퍼졌다

토끼도 살이 오른다는 때 아르대 즘퍼리에서 제비꼬리 마타리 쇠

조지 가지취 고비 고사리 두릅순 회순 산나물을 하는 가즈랑집 할

머니를 따르며

나는 벌써 달디단 물구지우림 둥굴레우림을 생각하고

아직 멀은 도토리묵 도토리범벅까지도 그리워한다

뒤울안 살구나무 아래서 광살구를 찾다가

살구 벼락을 맞고 울다가 웃는 나를 보고

밑구멍에 털이 몇 자나 났나 보자고 한 것은 가즈랑집 할머니다**

---

* 원문에서는 여기서 쪽이 바뀌는데, 문맥이 달라지는 것으로 보고 연 구분을 한다.
** 여기서 또 쪽이 바뀌는데, 다음 시행이 떨어져 있으므로 문맥이 달라지는 것으로 보고 연 구분을 한다.

찰복숭아를 먹다가 씨를 삼키고는 죽는 것만 같아 하루 종일 놀지도 못하고 밥도 안 먹은 것도
가즈랑집에 마을을 가서
당수 먹은 강아지같이 좋아라고 집오래를 설레다가였다

———

- **쇠메**: 쇠로 만든 메. 메는 무엇을 치거나 박을 때 쓰는 물건을 말한다.
- **깽제미**: '꽹과리'의 평북 방언. '갱지미'는 놋쇠로 만든 반찬그릇을 말하는데 이때 '갱'은 국을 뜻하는 한자 羹에서 왔기 때문에 '깽'으로 경음화될 수 없다.
- **못 놓는**: 놓아기르지 못하는.
- **멧도야지와 이웃사촌을 지내는**: 멧돼지와 이웃사촌으로 지내는. 멧돼지 같은 야생동물이 자주 나타나는 것을 재미있게 표현한 말이다.
- **정해서**: 단정하고 깨끗해서.
- **막써레기**: 거칠게 막 썬 담뱃잎.
- **옛말의**: 옛날이야기에 나오는.
- **귀신산 시렁**: 귀신을 모셔 놓은 시렁.
- **당즈깨**: '고리짝'의 방언. 고리짝'의 황해 방언 '당지깨'가 사전에 등재되어 있다.
- **대감님**: 무당이 섬기는 신.
- **수영을 들였다는**: 수양收養을 들였다는. 복을 비는 뜻에서 대감님의 자식으로 입양하는 것.
- **신장님 단련이라고 하는**: 신장님이 (할머니를) 강하게 하기 위해 단련시키는 것이라고 하는.
- **아르대 즘퍼리**: 아래쪽 진펄(땅이 질어 질퍽한 벌).
- **제비꼬리, 마타리, 쇠조지, 가지취, 회순**: 식용 산나물들의 이름이다.
- **물구지우림**: 무릇의 잎과 줄기를 오래 우려내서 엿처럼 고아 낸 음식.

- **둥굴레우림:** 둥굴레의 잎과 뿌리줄기를 우려내서 고아 낸 음식.
- **뒤울안:** 뒤란. 집 뒤 울타리의 안.
- **광살구:** 익어서 저절로 떨어진 살구.
- **당수:** 곡식을 물에 불려서 간 가루나 마른 메밀가루에 술을 조금 넣고 물을 부어 미음같이 쑨 음식.
- **집오래:** 집에서 가까운 부근. 집 주변.

———

 시의 서두에 가즈랑고개의 특징을 승냥이와 도적의 출현으로 압축하여 표현했다. 승냥이는 인적 드문 산길에 자주 출몰하여 아이들을 놀라게 하던 사나운 짐승이다. "쇠메"란 무거운 쇳덩이에 자루를 박아 내리치는 도구인데, 쇠메를 들었다는 것은 힘이 세고 난폭하다는 사실을 의미한다. "전에는"이라는 말로 그것이 과거의 일이라는 단서를 달았지만 지금도 여전히 무서운 일이 일어날 것 같은 장소의 특징을 나타냈다. 요컨대 가즈랑고개는 음산한 느낌을 자아내는 험한 산중의 궁벽한 지역에 있다. 「산지」에서처럼, 장황한 서술을 배제하고 배경의 특징을 한 줄로 압축한 백석의 독특한 표현 방법이 여기서도 장기를 발휘한다.

 가즈랑집은 가즈랑고개에 있다. 고개를 지나 산을 넘어야 비로소 인가가 나온다. 산 너머 마을에서 밤에 산짐승이 돼지 새끼를 물고 가면 산짐승을 쫓기 위해 꽹과리를 시끄럽게 울리는 소리가 이곳까지 들려오기도 한다. 산 너머 마을에서는 돼지 같은 가축을 기르기도 하지만 이곳 가즈랑집은 멧돼지와 이웃사촌으로 지낸다는 말이 나올 정도로 야생동물이 수시로 출몰하기 때문에 가축을 기를 생각은 아예 하지 못한다.

화자가 회상하는 할머니는 바로 그 무서운 집에 혼자 살고 있다. 백석은 공간적 배경의 특징을 자세히 소개한 다음에 이야기의 주인공인 할머니를 등장시키는 전형적인 서사의 방법을 사용했다. 할머니는 예순이 넘었고 자식 없이 혼자 지내는데 그래도 중처럼 정갈한 기품을 유지하고 있다. 그러면서도 상당히 강인한 면모를 지니고 있어서 마을에 들르게 되면 긴 담뱃대에 독한 막써레기를 넣고 불을 붙이라고 하여 몇 대씩이나 연이어 피운다. 그 모습은 맹수나 사나운 도적도 무서워하지 않고 지내는 야성적 생명력을 연상시킨다. 시집 이후의 작품인 「북신」 같은 시에 보이는 산골 사람들의 야성적 생명력에 대한 관심이 벌써 이 작품에 모습을 드러낸다.

할머니와 마을 사람들은 믿기지 않는 신비로운 이야기를 나눈다. 간밤에 방문 앞 섬돌에 승냥이가 왔었다고도 하고 어느 산골에서는 곰이 아이를 돌보며 키운다는 이야기도 한다. 화자는 천진하게 백설기와 돌나물김치를 먹으며 그런 말을 듣는데, 그러다 보면 마치 옛날이야기에 나오는 귀신집에 아 있는 듯한 느낌이 든다.

그러면 이 할머니는 화자와 어떠한 관계에 있는가? 이 할머니는 화자와 그의 누이가 태어났을 때 무명천에 이름을 쓰고 백지에 사주를 적어 고리에 담아 귀신을 모시는 시렁에 얹어 놓고 그분이 모시는 대감님께 수양 자식으로 삼아 명이 길고 복이 많게 해 달라고 축원했던 분이다. 그런데도 누이가 세상을 떠난 것으로 보아 그렇게 공력이 높은 무녀는 아닌 것 같다. 이 할머니는 정식 강신무가 아니라 어떤 신장을 섬기며 스스로 무녀라고 생각하는 비전문적인 학습무 정도로 짐작된다. 그래서 병을 앓을 때는 그것이 신장님이 자기를 단련시키는 것이라 생각하고 병을 감내하는 것이다. 그러한 할머니의 모습은 어린아이의 눈에 애처롭게 비친다. 귀신의 딸이라서 자식도 없이 홀로 살아가고 병치레도 혼자 감당해야 하는 처지를 보며 연민의 정을 느끼는 것이다.

그 할머니는 한편으로 화자에게 여러 가지 좋은 추억을 남겨 주었다. 봄이 와서 만물이 소생하고 토끼도 살이 오르는 때가 되면 아래쪽 눅눅한 들판에 여러 가지 야생 식물이 돋아난다. 무릇이나 고비, 고사리 등은 습기 있는 들판에서 잘 자라는 식물이다. 할머니는 그곳에서 갖가지 봄나물을 채취하는데 화자는 그 뒤를 따라다니며 할머니가 만들어 줄 맛있는 음식들을 떠올린다. 여름철에 먹게 될 무릇우림, 둥굴레우림의 단맛을 먼저 떠올리며 즐거워하고, 더 나아가 가을에 먹게 될 도토리묵과 도토리범벅의 맛까지도 미리 연상하며 입맛을 다신다.

봄의 추억은 여름의 추억으로 이어진다. 뒤란의 살구나무 아래서 광살구를 찾던 화자는 살구 벼락을 맞고 울음을 터뜨린다. 살구 열매는 작고 단단하기 때문에 한꺼번에 머리에 떨어지면 어린애에게는 꽤 아프다. 머리는 아프지만 자기가 찾던 광살구를 많이 얻게 되니까 자기도 모르게 웃음이 난다. 울다가 웃으면 똥구멍에 털이 난다는 말이 있다. 어린애들을 놀리기 위해 지어낸 말이다. 할머니는 울다가 웃는 화자를 보고 밑구멍에 털이 몇 자나 났나 보자고 장난스럽게 잡아끈다. 할머니와 어린애가 서로 밀고 당기며 웃음꽃을 피우는 정겨운 장면이 보이는 듯하다.

이원수 선생의 동시 「고향의 봄」에 "복숭아꽃 살구꽃 아기 진달래"라는 구절이 나온다. 산골 마을에 살구나무가 있는 곳에는 으레 복숭아나무가 있었다. 따라서 살구에 얽힌 추억이 복숭아로 이어지는 것은 자연스러운 일이다. 찰복숭아는 털이 없고 씨가 육질에 단단히 붙어 있어서 먹다가 씨를 함께 삼키는 수가 있다. 화자 역시 찰복숭아를 먹다가 씨를 삼키고는 혹시 큰일이 나는 것은 아닌가 걱정이 되어 놀지도 못하고 밥도 먹지 않았다고 했다. 어린 시절 누구든 한 번쯤 겪어 보았던 일이다. 그런데 그렇게 마음 고생을 한 것도 바로 가즈랑집에 놀러 가서 너무 좋은 나머지 당수 먹은 강아지처럼 집 근처를 정신없이 돌아다니던 때의 일이었다고 회상한다. 즐거움에 기분이 들떠 자기도 모르게 복숭아씨까지 삼켜 버린 것일까.

　어린 날의 맛있는 음식, 재미있는 놀이, 사소한 걱정거리 등 즐겁게 회상되는 여러 가지 일들이 모두 가즈랑집 할머니와 연결되어 있다. 이 시는 서두 부분에 가즈랑집 할머니가 거주하는 곳을 무섭고 기이한 공간으로 소개하고, 더 나아가 할머니가 신장을 섬기는 외로운 무녀라고 소개한 다음에, 어린 시절의 천신하고 아름다운 추억이 그 할머니와 얽혀 있음을 서술했다. 할머니의 모습이 한편으로는 무섭고 한편으로는 불쌍하게 떠오르기도 하지만, 즐거운 유희의 기억 속에서는 한없이 다정다감하고 친근한 자애로운 할머니로 남아 있는 것이다.

여우난골족族*

명절날 나는 엄매 아배 따라 우리 집 개는 나를 따라 진할머니 진할아버지가 있는 큰집으로 가면

얼굴에 별 자국이 솜솜 난 말수와 같이 눈도 껌벅거리는 하루에 베 한 필을 짠다는 벌 하나 건너 집엔 복숭아나무가 많은 신리新里 고모 고모의 딸 이녀李女 작은 이녀

열여섯에 사십이 넘은 홀아비의 후처가 된 포족족하니 성이 잘 나는 살빛이 매감탕 같은 입술과 젖꼭지는 더 까만 예수쟁이 마을 가까이 사는 토산土山 고모 고모의 딸 승녀承女 아들 승동이

육십 리라고 해서 파랗게 보이는 산을 넘어 있다는 해변에서 과부가 된 코끝이 빨간 언제나 흰옷이 정하던 말끝에 섭게 눈물을 짤 때가 많은 큰골 고모 고모의 딸 홍녀洪女 아들 홍동이 작은 홍동이

배나무 접을 잘 하는 주정을 하면 토방돌을 뽑는 오리치를 잘 놓는 먼 섬에 반디젓 담그러 가기를 좋아하는 삼촌 삼촌엄매 사촌 누이 사촌 동생들

* 『조광』1권 2호(1935. 12.)에 발표한 것을 재수록했다.

이 그득히들 할머니 할아버지가 있는 안간에들 모여서 방안에서는 새옷의 내음새가 나고

또 인절미 송기떡 콩가루찰떡의 내음새도 나고 끼때의 두부와 콩나물과 볶은 잔대와 고사리와 도야지비계는 모두 선득선득하니 찬 것들이다

저녁술을 놓은 아이들은 외양간 옆 밭마당에 달린 배나무 동산에서* 쥐잡이를 하고 숨굴막질을 하고 꼬리잡이를 하고 가마 타고 시집가는 놀음 말 타고 장가가는 놀음을 하고 이렇게 밤이 어둡도록 북적하니 논다

밤이 깊어가는 집안엔 엄매는 엄매들끼리 아랫간에서들 웃고 이야기하고 아이들은 아이들끼리 윗간 한 방을 잡고 조아질하고 쌈방이 굴리고 바리깨돌림하고 호박떼기하고 제비손이구손이하고 이렇게 화대의 사기 방등에 심지를 몇 번이나 돋우고 홍계닭이 몇 번이나 울어서 졸음이 오면 아랫목싸움 자리싸움을 하며 히드득거리나 잠이 든다 그래서는 문창에 텅납새의 그림자가 치는 아침 시누이 동서들이 욱적하니 홍성거리는 부엌으론 샛문 틈으로 장지문 틈으로 무이징게국을 끓이는 맛있는 내음새가 올라오도록 잔다

*   원본에서 이 부분은 독특한 행갈이를 하고 있다. "저녁술을 놓은 아이들은"으로 시작된 독립된 행의 내부에서 "쥐잡이를 하고"부터 다시 행이 바뀌는 형식을 취하고 있다. 놀이가 열거되는 장면을 독립적으로 처리하고 싶은 백석의 의도가 담긴 것으로 짐작되는데, 그렇다고 독립된 행으로 처리하면 그다음 행과의 균형이 깨진다. 따라서 여기서는 하나의 행으로 정리한다.

- **진할머니**: 친할머니.
- **별 자국이 솜솜 난**: '별자국'은 마마로 얽은 자국을 뜻하며 '솜솜'은 얕게 얽은 자국이 듬성듬성 있는 모양을 나타내는 말이다.
- **말수와 같이 눈도 껌벅거리는**: 말할 때마다 눈도 껌벅거리는.
- **포족족하니**: '뾰로통하니'와 유사한 말로 노여워하는 빛이 얼굴에 나타나는 것.
- **매감탕**: 엿을 고아 내거나 메주를 쑤어 낸 솥에 남은 진한 갈색의 물.
- **오리치**: 조류를 잡는 데 쓰는 평북 지역 특유의 올가미. 「오리 망아지 토끼」에도 나오는 시어다.
- **반디젓**: 밴댕이젓.
- **삼촌엄매**: 숙모.
- **송기떡**: 송기松肌(소나무의 속껍질)에 쌀가루를 섞어서 만든 떡.
- **잔대**: 식물의 하나. 봄에 핀 어린 잎과 도라지 비슷하게 생긴 뿌리를 식용한다.
- **밭마당**: 바깥마당.
- **쥐잡이**: 수건을 쥐 모양으로 접어서 그것을 돌려 가며 노는 놀이. 『조광』 발표본에는 '고양이잡이'로 되어 있다.
- **숨굴막질**: 숨바꼭질.
- **꼬리잡이**: 두 편으로 나뉘어 앞 사람이 상대편의 꼬리를 잡으러 뛰어다니는 놀이.
- **북적하니**: 많은 사람이 한곳에 모여 수선스럽게 움직이는 모양.
- **조아질**: 공기놀이.
- **쌈방이**: 주사위 같은 평북 지역의 놀이 도구.
- **바리깨**: 주발 뚜껑.
- **호박떼기**: 앞사람의 허리를 잡거나 서로 팔장을 끼고 있으면 술래가 한 사람씩 떼어 놓는 놀이. 편을 나누어 하기도 한다.
- **제비손이구손이**: 서로 마주 앉아 다리를 엇갈리게 끼우고 박자에 맞춰 다리를 세며 노는 놀이.
- **화대**: 등잔걸이 혹은 등잔대. 한자어 화대火臺에서 온 말로 추측된다.
- **사기 방등**: 사기로 만든 등잔.
- **홍계닭**: '홍계紅鷄'에 '닭'이 붙어 형성된 말. 토종닭을 의미한다.
- **텅납새**: 추녀.

• **무이징게국:** 무와 새우 젓갈을 넣고 끓인 국이다. 서해가 인접한 평안도 지역 에서 무가 생산되는 가을이나 겨울에 많이 먹는 음식이다.

—

이 시를 처음 대하는 사람은 시행마다 나오는 낯선 말에 당혹감을 느낀다. 또 길게 이어지는 시행을 어디서 끊어 읽어야 할지 망설이게 된다. 평북 방언과 독특한 민속적 소재가 동원되었다는 점에서 이 시 는 특수성을 지향하는 것처럼 보인다. 그러나 이러한 특수한 시어와 소재를 통해 이 시가 드러내고자 하는 것은 한국인의 보편적인 삶이 다. 요컨대 가장 지방적이고 특수한 것을 통해 가장 전형적이고 보편 적인 삶의 모습을 드러내는 독특한 방법을 구사한 것이다.

이 시는 표면적으로 산문시 형태를 취하고 있지만 자유시보다도 더 두드러진 율동감을 환기한다. 그 율동감은 명절이 내포한 놀이의 흥겨움을 그대로 반영하며 이 시에 설정된 동화적 세계의 천진성을 드러내는 역할도 한다. 그것은 복잡한 운율적 장치에 의해서가 아니 라 반복, 열거, 대구 등의 단순한 방법에 의해 조성된다. 비유의 방법 역시 세련된 것이 아니라 일상적 구어口語의 어법을 그대로 활용하거 나 시골의 토속적인 사물을 통해 비유하는 방법을 택했다. 이것은 도 시의 세련된 비유를 의도적으로 거부하고 농촌의 소박한 어법을 그 대로 차용하려는 백석의 자각적 방법론이다.

「여우난골족族」이라는 제목의 뜻은 여우가 나오는 골짜기에 사는 가족이라는 뜻이다. 큰집이 있는 마을이 바로 "여우난골"이고 명절날 그곳으로 모인 친척이 "여우난골족"이다. 시는 네 연으로 나누어져 있으며 각 연의 구분은 일종의 연극적 구성을 갖추고 있다. 1연은 연극이 벌어질 공간의 제시이며 2연은 연극의 등장인물을 소개한 것이고 3연은 명절의 옷과 음식을 통하여 흥성이는 분위기를 제시한 것이다. 넷째 연에 이르러 비로소 연극의 본마당이 펼쳐진다. 연극의 본마당은 가족 구성원이 모두 참여하는 놀이의 공간이다. 2연과 4연이 다른 연에 비해 길이가 긴데 이것은 그 두 부분이 의미 있는 대목임을 나타낸다. 즉 이 시는 명절에 참여한 사람들과 그들이 벌이는 놀이를 통해 어떤 의미를 드러내고자 한 것이다.

연극의 공간으로 진입하는 첫 장면은 출발부터가 흥겹다. 나는 엄마 아버지를 따라가고 우리집 개는 나를 따라간다는 설정은 산골 마을 가족의 화목한 모습을 천진하게 나타낸다. 여기 나오는 "큰집"은 유교적 규범성을 지닌 가부장적 권위의 표상이 아니라 모두가 즐거운 마음으로 참여하는 축제의 공간이다. 어린이의 시각으로 서술했기 때문에 규범에 속하는 것은 배제되고 친척들끼리의 즐거운 모임이 부각된다.

2연에 등장하는 인물에 대해서는 송준이 전기적 자료를 조사하여 세부적인 사항을 상세히 밝혀 놓았다.[*] 그에 의하면 이 부분에 나오는 내용이 모두 백석이 어릴 때 대했던 실제의 상황임을 알 수 있다. 신리에 사는 고모는 얼굴이 약간 얽었으며 말할 때마다 눈을 껌벅거리는 버릇이 있는데, 하루에 베 한 필을 짤 정도로 부지런하다. 토산에 사는 고모는 열여섯에 마흔이 넘은 홀아비의 후처로 들어갔는데,

---

[*] 송준, 『남신의주 유동 박시봉방 1』, 지나, 1994, 81~83쪽.

그래서인지 공연히 화를 잘 내고 살빛과 입술빛은 마치 메주를 쑤고 남은 물처럼 검은빛을 띠었다. 큰골 고모는 산 하나 건너 있는 해변에 사는데, 송준의 조사에 따르면 31세에 과부가 되었다고 한다. 과부의 처지에 맞게 흰옷을 단정하게 입고, 혼자 아이 셋을 키우는 것이 힘들어서인지 눈물을 흘릴 때가 많다. 슬픔을 달래려고 술을 자주 먹었는지 코끝이 빨갛게 되었다. 삼촌은 배나무 접을 잘 붙이고 오리 잡는 올가미를 잘 놓는 기술이 있는데 술에 취하면 토방 돌을 뽑겠다고 주정을 부리기도 한다. 풍어 때가 되면 먼 섬에 혼자 가서 밴댕이젓을 담그고 온다고 한 것으로 보아 낭만적인 기질을 지닌 것 같다. 세 명의 고모와 한 명의 삼촌, 그리고 그들의 자손인 백석의 사촌들이 할머니 할아버지가 있는 안방에 그득히 모인 장면은 상상만으로도 풍요로운 느낌을 준다.

세련된 도시의 감각으로 보면 여기 등장하는 인물들은 일반적인 모습에서 조금씩 벗어나 있다. 얼굴이 좀 얽었거나, 눈을 껌벅거리거나, 열여섯에 마흔이 넘은 홀아비의 후처가 되었거나, 코끝이 빨간 과부거나, 술주정이 심하거나 한 인물들이다. 시집의 다른 작품에 등장하는 인물들도 이와 유사한 특성을 보인다. 예컨대 「가즈랑집」의 할머니는 예순이 넘었는데 자식이 없는 인물이며, 「고방」에는 귀머거리 할아버지가 나오고, 「모닥불」에는 고아로 자라 외톨이가 된 할아버지가, 「주막」에는 앞니가 뻐드러진 아이가, 「정문촌」에는 열여섯에 늙은 말꾼한테 시집간 가난이가 등장한다. 이 인물들은 도시의 세련된 시각에서 보면 무언가 부족해 보이지만 그 시대의 농촌에서는 쉽게 접할 수 있는 평범하고 소박한 인물들이다.

그런데 이 인물들이 펼쳐 보이는 정경은 그지없이 평화롭고 풍성하다. 이들이 모여서 함께 이야기하고 음식을 먹고 놀이를 벌이는 큰집의 공간 속에서는 인물들의 개인적 약점은 모두 가려진다. 개인적약점을 넘어서서 이룩되는 평화롭고 풍성한 유대감은 그곳을 충만한화합의 공간으로 만든다. 그들의 인간적 결함조차 이곳에서는 가족끼리의 정겨운 친화력으로 작용한다.

4연은 이 시의 본마당인 놀이 장면이다. 앞부분은 해 지기 전까지마당에서 노는 장면이고 뒷부분은 일몰 후 방에서 노는 장면이다. 여기 나오는 놀이의 명칭은 지금 젊은 사람들에게는 아주 생소한 것들이다. 백석이 어린 시절을 보냈던 1910년대나 1920년대에는 이 놀이가 남아 있었을지 모르나 이 시를 쓰던 1930년대 중반의 시점에서는일제의 고유문화 말살 정책에 의해 그 토속적 유희의 상당 부분이 유실되고 있었을 것이다. 백석은 사라져 가는 어린 시절의 놀이를 세세히 떠올려 열거해 놓았다. 웃고 떠들며 밤을 지새우던 놀이의 시간 속에 평화롭고 풍요로운 세계가 보존되어 있다고 생각했기 때문일 것이다.

이것은 단순한 고향 풍물의 회상이라든가 사라져 가는 것에 대한애착의 심정과는 질적으로 다른 차원에 속한다. 이 시는 개개의 가족구성원이 모여 이루는 공동체적 합일의 공간 속에 생활의 힘과 기쁨과 보람이 스며 있다는 믿음을 내포하고 있다. 이러한 장면을 어린 날의 회상으로 보여 준 것은 백석이 시를 쓰던 당대에도 이 귀중한 것들이 사라져 가고 있었기 때문이다. 시인은 어린 날의 평화로운 공간이 사라져 가고 있다는 말을 한마디도 하지 않았지만, 회상의 형식으로 된 이 시의 구성은 그 사실을 암시하고 있다.

　백석의 시가 놀이와 음식에 관심을 보인 것은 이 두 가지가 본능에 밀착된 그리움을 환기하기 때문이다. 먹는 것과 노는 것은 인간의 가장 원초적인 본능이다. 그래서 그것과 관련된 기억은 평생 지워지지 않고 반복되어 재생된다. 음식은 맛, 냄새, 모양으로 기억되기 때문에 청각보다는 미각, 후각, 시각 심상이 그의 시에서 중요한 역할을 한다. 또 놀이는 어린아이의 생활상과 연결되기 때문에 그의 시는 어린이 화자의 회상으로 처리된다. 그는 먹는 것과 노는 것, 이 두 가지 요소를 기본 축으로 하여 자신의 기억 속에 긴밀하게 자리 잡고 있는 '여우난골족'의 삶의 실체를, 그 안에 있는 근원적 세계를 탐구해 갔다. 그러므로 '여우난골족'은 단독으로 떨어져 있는 개별적 대상이 아니라 공동체적 삶을 누리고 있는 민족 전체의 제유다. 이 시가 백석 시의 대표작으로 꼽히는 이유가 바로 여기에 있다.

고방

낡은 질동이에는 갈 줄 모르는 늙은 집난이같이 송기떡이 오래도록 남아 있었다

오지항아리에는 삼촌이 밥보다 좋아하는 찹쌀탁주가 있어서
삼촌의 입내를 내어 가며 나와 사촌은 시큼털털한 술을 잘도 채어 먹었다

제삿날이면 귀머거리 할아버지 가에서 왕밤을 밝고 싸리 꼬치에 두부산적을 꿰었다

손자아이들이 파리 떼같이 모이면 곰의 발 같은 손을 언제나 내어둘렀다

구석의 나무 말코지에 할아버지가 삼는 소신 같은 짚신이 둑둑이 걸리어도 있었다

옛말이 사는 컴컴한 고방의 쌀독 뒤에서 나는 저녁 끼때에 부르는 소리를 듣고도 못 들은 척하였다

—

- **고방:** 庫房. '광'의 원말.
- **질동이:** 질흙으로 빚어서 구워 만든 동이.
- **집난이:** 출가한 딸을 친정에서 부르는 말.
- **오지항아리:** 오짓물을 발라 만든 항아리.
- **입내:** '소리나 말로 내는 흉내'를 뜻하는데, 흉내라는 뜻으로 전의되었다.
- **밝고:** '바르고'의 방언. 껍질을 벗겨 속에 들어 있는 알맹이를 집어낸다는 뜻.
- **말코지:** 가지가 여러 개 돋친 나무를 짤막하게 잘라서 매달아 물건을 거는 데 쓰는 도구.
- **삼는:** 짚신이나 미투리 따위를 걸어서 만드는.
- **소신:** 소에게 일을 시킬 때 신기는 짚신.
- **둑둑이:** 무리를 지어 여러 덩이가 늘어서 있는 모양.

—

'고방'이란 살림에 필요한 여러 가지 물건을 넣어 두는 곳이다. 지역에 따라 곳간[庫間]이라고도 하고, 크기가 큰 것은 '광'이라고 한다. 그곳에는 여러 가지 물품들이 많이 쌓여 있어서 어린애들에게는 좋은 추억의 장소가 된다. 최지는 이런 시절 자기가 보았던 고방의 풍경을 회상했다. 어린아이의 추억이기 때문에 역시 먹는 것이 먼저 떠올랐다. 소나무의 속껍질을 송기[松肌]라고 하는데 그것을 얇게 벗겨 가루를 내서 곡식 가루와 섞어 만든 떡이 송기떡이다. 별미로 먹기도 하지만 먹을거리가 부족할 때 시골에서 많이 만들어 먹었다.

'집난이'란 출가한 딸, 즉 시집간 여자를 일컫는 말이다. 출가한 여자가 친정에 오는 것을 '집나들이'라고 한다. "늙은 집난이"라고 했으니 출가한 지 오래된, 나이가 많은 여자다. 출가한 지 오래된 여자가

51

친정에 와서 오래 머무는 것은 달갑지 않은 일이다. 친정 부모의 처지에서는 혹시 딸이 소박맞은 것이 아닌가 걱정이 되고, 며느리로서는 출가한 시누이가 친정에 오래 있는 것이 불편하기 때문이다. 아무도 먹지 않아서 오래 남아 있는 송기떡의 모양을 시댁으로 돌아가지 않고 눈총을 받아 가며 친정에 오래 머무는 늙은 집난이의 모습에 비유한 것이다. 그 떡이 "낡은 질동이"에 담겨 있다는 것도 재미있다. 질동이는 유약을 바르지 않고 진흙으로 빚어 만든 소박한 동이인데, 낡기까지 했다니 그 모습은 더욱 초라할 것이다. 낡은 질동이에 남아 있는 오래된 송기떡의 모습은 돌아갈 곳을 잃은, 나이 든 소박데기의 모습을 충분히 연상케 한다.

동이보다 큰 것을 항아리라고 하는데 오지항아리라고 했으니 유약을 발라 두 번 구운 항아리다. 화자는 질동이와 오지항아리를 분명히 구분하여 서술했다. 송기떡은 질동이에, 찹쌀탁주는 오지항아리에 담아 놓았다고 했다. 송기떡이 남아 있고 찹쌀탁주를 빚어 놓은 것으로 보아 백석 집안의 어릴 때 살림살이는 비교적 넉넉했던 것 같다. 이 삼촌이 「여우난골족」에 나오는 그 삼촌이라면 탁주를 밥보다 좋아한다는 것을 충분히 이해할 수 있다. 토방 돌을 뽑는다고 술주정하던 그 삼촌이 아니던가. 삼촌의 술 마시는 모습을 흉내 내면서 사촌과 둘이 탁주를 몰래 먹었다는 것이다. "잘도 채어 먹었다"라는 표현은, 어른 몰래 먹으면서도 어른 시늉을 하며 술잔을 잡아채듯 빨리 들이키는 익살스러운 모습을 연상시킨다. "시큼털털한"은, 어른 흉내를 내 보기는 하지만 아이들에게 술은 여전히 이상하고 맛없는 음식일 뿐이라는 과거의 경험을 전달한다.

3연에는 귀머거리 할아버지가 등장한다. 귀머거리 할아버지는 「여우난골족」에 나오는 눈을 껌벅이는 고모나 코끝이 빨간 고모와 유사하게 무언가 작은 결함이 있는 농촌의 소박한 인물이다. 이 할아버지가 「모닥불」에 나오는, 고아로 외롭게 자라난 그 할아버지인지는 알 수 없다. 대가족 집안의 어른인 이 할아버지는 제삿날 친족들이 오면 파리 떼같이 많이 모인 손자들에게 곰의 발 같은 손을 내두르며 친근감을 표시했다. 신을 삼고 농사를 지으며 살아가는 평범한 시골의 노인이기에 평생 일을 하고 산 그의 손은 "곰의 발"처럼 투박하고 거칠었을 것이다. 화자는 그 할아버지 옆에서 왕밤을 까기도 하고 싸리나무를 잘라 만든 꼬챙이에 두부를 꿰어 산적을 만드는 일을 돕기도 한 기억을 떠올린다.

"말코지"는 물건을 걸어 두는 나무 도구를 말하는데 고방 구석의 나무 말코지에 그 할아버지가 삼은 커다란 짚신이 많이 걸려 있다고 했다. 소신은 실제로 소에게 일을 시킬 때 굽을 보호하기 위해 신기는 짚신으로 '쇠짚신'이 표준어다. 어린아이가 보기에 할아버지가 만들어 놓은 짚신이 쇠짚신처럼 그렇게 커다랗게 보였을 것이다.

화자는 고방의 여러 가지 물건들을 흥미롭게 만지고 바라보며 마치 다른 세계에 와 있는 듯한 아늑함을 느낀다. 그 아늑하고 편안한 이질감을 "옛말이 사는"이라는 말로 표현했다. 고방은 마치 옛날이야기 속에 나오는 어떤 신비로운 공간 같은 느낌을 준 것이다.

화자는 고방의 쌀독 뒤에서 저녁 먹으라고 부르는 소리를 듣고도 못 들은 척했다고 적었다. 그 이유는 무엇일까? 우선 고방의 아늑한 이질감이 주는 고립감, 그것과 관련되어 세상의 간섭에서 벗어났다는 해방감이 어린아이의 마음을 사로잡았을 것이다. 어린아이는 부모에게서 떨어지지 않겠다는 귀속 본능과 함께 부모의 간섭에서 벗어나 아무도 모르는 곳에 가고 싶다는 이탈 본능을 동시에 지니고 있다. 그러한 어린 시절의 심리가 그대로 전승되어, 백석 자신이 그러한 현실과의 거리 유지와 이탈 지향을 마음속에 지녔던 것인지도 모른다. 그런 점에서 보면 그의 과거 탐사는 현실과 거리를 두려는 심리의 반영이라고 이해할 수 있다.

모닥불

새끼오리도 헌신짝도 소똥도 갓신창도 개니빠디도 너울쪽도 짚
검불도 가랑잎도 머리카락도 헝겊조각도 막대꼬치도 기왓장도 닭
의 깃도 개 터럭도 타는 모닥불

재당도 초시도 문장門長 늙은이도 더부살이 아이도 새사위도 갓
사돈도 나그네도 주인도 할아버지도 손자도 붓장수도 땜장이도 큰
개도 강아지도 모두 모닥불을 쪼인다

모닥불은 어려서 우리 할아버지가 어미 아비 없는 서러운 아이로
불쌍하니도 몽둥발이가 된 슬픈 역사가 있다

———

- **새끼오리**: 새끼줄. '오리'는 '올'의 평안 방언.
- **갓신창**: 가죽신의 밑창.
- **개니빠디**: 개의 이빨.
- **너울쪽**: 널쪽. 널빤지 조각. 예전에 여자들이 나들이할 때 얼굴을 가리려고 쓰

던 천도 '너울'이라 했지만, 여기서는 쓸모없는 사물의 나열이므로 널빤지로 본다.

- **짚검불:** 짚 찌끄러기 뭉치.
- **닭의 깃:** 닭의 깃털.
- **재당:** 재실齋室에서 제사를 지내거나 문중 회의를 할 때 일을 주관하는 학덕 높은 집안의 어른.
- **초시:** 과거의 첫 시험[初試]에 급제한 사람.
- **문장門長:** 문중에서 항렬과 나이가 제일 위인 사람.
- **갓사돈:** 새 사돈.
- **몽동발이:** 딸려 붙었던 것이 다 떨어지고 몸뚱이만 남은 것. 이 시에서는 외톨이 고아가 되었다는 사실을 의미한다.

———

이 시는 열거와 반복에 의해 조성되는 백석 시의 운율감을 가장 잘 나타내 주는 작품이다. 1연은 유사한 것끼리 짝을 지어 모닥불을 이루는 사물들을 열거했고, 2연은 대조되는 것끼리 짝을 지어 모닥불을 쬐이는 존재들을 열거했다. 그리고 3연은 1, 2연과는 다른 형식으로 시행을 구성하여 앞부분과 구분되는 또 하나의 사연을 담아 넣었다. 1연과 2연에서 소박한 열거와 반복을 통한 운율미와 그 속에 담긴 화합과 평등의 정신을 이해하고, 3연에 담긴 '슬픈 역사'의 의미를 파악해야 이 시를 제대로 감상할 수 있다.

1연에 열거되는 사물은 일상생활에 쓸모가 없는 무가치한 것들이다. 그것들을 짝지어 열거하면 "새끼오리/헌신짝", "소똥/갓신창", "개니빠디/너울쪽", "짚검불/가랑잎", "머리카락/헝겊조각", "막대꼬치/기왓장", "닭의 깃/개 터럭"으로 정리된다. 각각의 짝이 서로 유사한 것끼리 연결되어 있음을 알 수 있다. 다만, "소똥"과 "개니빠디"가

연관성이 더 크기 때문에 이 둘이 짝을 이루고, "갓신창"과 "너울쪽"이 짝을 이루어도 좋았을 것이라는 생각을 하게 되는데, 운율감을 고려해서인지 그렇게 하지 않았다. 1연은 일상생활에서 버려지는 많은 재료들이 모여 모닥불의 불길을 일으키는 데 사용된다는 점을 말했다. 말하자면 모닥불은 무용한 사물이 새로운 유용성을 얻어 사람들의 추위를 녹여 주는 물질로 변화하는 재생의 공간이요 부활의 공간이라고 할 수 있다. 또 세상에 버려진 모든 존재를 끌어모아 그들에게 새로운 효용을 부여하는 포용적 시혜의 공간이기도 하다.

2연에는 모닥불을 쪼이는 사람들을 열거하다가 끝에 가서는 개와 강아지까지 등장시켰다. 이들의 짝을 열거하면 "재당/초시", "문장 늙은이/더부살이 아이", "새사위/갓사돈", "나그네/주인", "할아버지/손자", "붓장수/땜장이", "큰 개/강아지"로 정리된다. 말하자면 모닥불은 학덕 높은 집안 어른인 재당이나 과거 시험에 처음 붙은 초시나 차별 없이 불을 쪼이는 평등의 공간이다. 각 항목이 대조적인 관계로 연결되어 있는데, 그중 "새사위/갓사돈"의 짝과 "붓장수/땜장이"의 짝이 재미있다. 사위는 백년지객百年之客이라는 말이 있듯이 처가에서 대하기 어려운 상대다. 새로 맞은 사위는 더욱 그럴 것이고 새로 맺은 사돈이라면 더더욱 대하기가 어색할 텐데, 그런 서먹한 사람들끼리도 격의 없이 함께 불을 쪼인다고 했다. 붓장수와 땜장이는 다 장인에 속하는 기능공이지만, 붓장수는 선비들을 상대로 붓을 팔고 땜장이는 아녀자를 상대로 깨어진 물건을 고치기 때문에 붓장수가 땜장이에 비해 우월감을 가지고 있을지 모른다. 그러나 모닥불 앞에서는 그런 사람들도 하나가 되어 차별 없이 온기를 쪼인다는 것이다.

도대체 백석이 어떤 생각으로 이런 시를 쓰게 되었는지는 알 수 없으나, 이 시의 착상은 매우 놀랍다. 무가치하게 버려진 모든 사물들이 아무 차별 없이 불을 지피는 재료와 동력이 되고 그 불 주위에 이질적인 사람들이 평등하게 둘러앉아 함께 몸을 녹인다는 사실은 그 전의 어떤 시에서도 보지 못했던 대동 화합, 평등 공존의 사상을 드러낸다. 이렇게 소박한 일상의 구어로 이렇게 깊은 세계를 나타냈다는 것은 참으로 놀라운 일이다. 이 시는 모닥불처럼 살아야 한다고 말하는 것이 아니라 그냥 모닥불은 이런 것이라고 말하며, 이 세상에는 모닥불이라는 것이 존재한다고 이야기할 뿐이다. 삶의 예지가 담긴 매우 중요한 명제를 아무것도 아닌 것처럼 그냥 세상에 던져 놓는, 마치 눈에 뜨이는 대로 사물의 이름을 열거하듯 시행을 엮어 간 이 시의 어법은 「산지」나 「가즈랑집」에서 본, 장황한 서술을 배제하고 대상의 특징을 한 줄로 압축하여 표현한 방법보다 한 수 위에 놓는다. 그리고 백석은 대동 화합과 평등 공존의 사상 다음에 "우리 할아버지"의 "슬픈 역사"를 군더더기 없이 간략하게 말하고 끝맺음으로써 다시 생략 어법의 정수를 보여 준다.

3연은 "모닥불은 … 슬픈 역사가 있다"로 서술되어 있지만 그 의미는 '모닥불에는 … 슬픈 역사가 담겨 있다'로 해석된다. 말하자면 대동 화합, 평등 공존의 공간인 모닥불 주변에 기쁘고 좋은 일만 있는 것이 아니라 "우리 할아버지"의 불행한 삶의 단면도 있다는 뜻이다. 할아버지가 "몽동발이"가 되었다는 것은 어려서 부모를 잃고 외톨이가 되었다는 뜻이다. 그렇다면 할아버지는 2연에 나오는 더부살이 아이와 같은 처지가 되어 서럽게 모닥불을 쪼이며 추위를 녹이는 슬픈 성장 과정을 거쳐 왔을 것이다. 말하자면 모닥불은 그런 할아버지의 슬픈 사연을 옆에서 지켜본 역사의 관찰자이자 이해자라는 뜻이 된다.

　세상에서 무가치하다고 버림받는 모든 것들이 차별 없이 섞여 들어가 화합의 불길을 이루는 모닥불, 서로 다른 처지에서 살아가는 모든 사람들과 동물들까지도 차별 없이 받아들여 그들의 몸을 녹여 주는 평등무차平等無遮의 모닥불, 그것만이 아니라 그 이면에 어릴 때 고아가 되어 서럽게 자라난 할아버지의 슬픈 내력도 잘 간직하고 있는 모닥불. 이런 모닥불의 속성을 직관적으로 파악하여 단순 소박한 시어로 평등 화합의 지향과 그 이면에 놓여 있는 삶의 비극에 대한 인식을 함께 드러낸 이 시는 매우 독특한 위상에 놓인다. 「여우난골족」이 길게 이어지는 운문체의 서술로 공동체적 삶의 평화로움을 제시한 데 비해 이 시는 대구 형식의 리듬으로 평화 지향과 삶의 비극성을 함께 표현했다.

고야古夜[*]

아배는 타관 가서 오지 않고 산비탈 외따른 집에 엄매와 나와 단 둘이서 누가 죽이는 듯이 무서운 밤 집 뒤로는 어느 산골짜기에서 소를 잡아먹는 노나리꾼들이 도적놈들같이 쿵쿵거리며 다닌다

날기 멍석을 져 간다는 닭 보는 할미를 차 굴린다는 땅 아래 고래 같은 기와집에는 언제나 니차떡에 청밀에 은금보화가 그득하다는 외발 가진 조마구 뒷산 어느메도 조마구네 나라가 있어서 오줌 누러 깨는 재밤 머리맡의 문살에 대인 유리창으로 조마구 군병의 새까만 대가리 새까만 눈알이 들여다보는 때 나는 이불 속에 자지러 붙어 숨도 쉬지 못 한다

또 이러한 밤 같은 때 시집갈 처녀 막내고모가 고개 너머 큰집으로 치장감을 가지고 와서 엄매와 둘이 소기름에 쌍심지의 불을 밝히고 밤이 들도록 바느질을 하는 밤 같은 때 나는 아랫목의 삿귀를 들고 쇠든 밤을 내어 다람쥐처럼 밝아 먹고[**] 은행 여름을 인둣불

[*] 『조광』 2권 1호(1936. 1.)에 발표한 것을 재수록했다.
[**] 발라 먹고. 이것을 '발라먹고'라고 붙여 쓰면 안 된다. '발라먹고'는 "남을 꾀거나 속여서 물건을 빼앗아 가지다"라는 뜻의 독립된 단어다.

에 구워도 먹고 그러다는 이불 위에서 광대넘이를 뒤이고 또 누워 굴면서 엄매에게 윗목에 두른 평풍의 새빨간 천도의 이야기를 듣기도 하고 고모더러는 밝는 날 멀리는 못 난다는 메추라기를 잡아 달라고 조르기도 하고

　내일같이 명절날인 밤은 부엌에 째듯하니 불이 밝고 솥뚜껑이 놀으며 구수한 내음새 곰국이 무르끓고 방안에서는 일갓집 할머니가 와서 마을의 소문을 펴며 조개송편에 달송편에 쥔두기송편에 떡을 빚는 곁에서 나는 밤소 팥소 설탕 든 콩가루소를 먹으며 설탕 든 콩가루소가 가장 맛있다고 생각한다
　나는 얼마나 반죽을 주무르며 흰 가루 손이 되어 떡을 빚고 싶은지 모른다

　섣달에 납일날이 들어서 납일날 밤에 눈이 오면 이 밤엔 쌔하얀 할미귀신의 눈귀신도 납일눈을 받느라 못 난다는 말을 든든히 여기며 엄매와 나는 앙궁 위에 떡돌 위에 곱새담 위에 함지에 버치며 대양푼을 놓고 치성이나 드리듯이 정한 마음으로 납일눈 약눈을 받는다
　이 눈세기물을 납일물이라고 제주병에 진상항아리에 채워 두고는 해를 묵혀 가며 고뿔이 와도 배앓이를 해도 갑피기를 앓아도 먹을 물이다

━

- **타관**: 다른 지역.
- **노나리꾼**: 소나 돼지를 훔쳐 밀도살하여 파는 사람.
- **날기 멍석**: 곡식을 널어 말리는 멍석. '날기'는 '낟알'의 방언.
- **니차떡**: '찰떡'의 방언.
- **청밀**清蜜: 꿀.
- **조마구**: 심술궂은 난쟁이 귀신. '조마구'는 '조막'의 방언으로 "주먹보다 작은 물건의 덩이를 비유적으로 이르는 말"인데 키 작은 귀신을 가리키는 말로 전의되었다.
- **재밤**: 한밤중.
- **치장감**: (혼사에 쓰기 위해) 매만지고 꾸며야 할 여러 가지 재료.
- **삿귀**: 삿자리(갈대를 엮어 만든 자리)의 귀퉁이.
- **쇠든 밤**: 말라서 새들새들해진 밤.
- **은행 여름**: 은행나무 열매. '여름'은 '열매'의 고어.
- **광대넘이**: 광대처럼 몸을 굴리는 놀이.
- **뒤이고**: '뒤치고'의 방언.
- **평풍**: 병풍屛風의 변한 말.
- **천도**: 천도복숭아.
- **째듯하니**: 선명하고 뚜렷하게.
- **솥뚜껑이 놀으며**: '놀다'에는 "고정되어 있던 것이 헐거워 움직이다"라는 뜻이 있다. 즉 솥 안의 내용물이 끓어 "솥뚜껑이 움직이며"라는 뜻이다.
- **친두기송편**: 작고 존득하게 빚은 송편을 뜻하는 것으로 짐작된다.
- **납일날**: 섣달 납일臘日. 동지 뒤의 셋째 미일未日. 예전부터 민간이나 조정에서 조상이나 종묘 또는 사직에 제사를 지냈다.
- **쌔하얀 할미귀신의 눈귀신**: 눈 내리는 날 나타나 사람을 넘어뜨리는, 머리가 하얗게 센 할미귀신.
- **납일눈**: 납일에 내린 눈. 이 눈을 받아 녹인 납설수臘雪水를 약용으로 썼다.
- **앙궁**: 아궁이.
- **떡돌**: 떡을 칠 때 안반 대신으로 쓰는 판판하고 넓적한 돌.
- **곱새담**: 이엉을 'ㅅ' 자형으로 얹은 담.
- **함지**: 나무로 네모지게 짜서 만든 그릇.

- **버치**: 자배기보다 조금 깊고 입구가 벌어진 큰 그릇.
- **대양푼**: 큰 놋그릇.
- **눈세기물**: 눈석임물. 눈이 녹은 물.
- **제주병**: 제사에 쓸 술을 넣어 두는 병.
- **진상항아리**: 귀한 물건을 넣어 두는 항아리. 사전에 "허름하고 보잘것없는 항아리"라고 나와 있으나 이 문맥에는 해당하지 않는다.
- **갑피기**: 이질 증세로 설사를 하는 병.

———

이 시의 배경은 '산비탈 외딴집'이다. 앞의 가즈랑집 할머니가 사는 곳처럼 깊은 산중은 아니지만, 밤이면 인적이 완전히 끊기는 곳이다. '고야古夜'라고 했으니 오래전 어린 시절 밤에 일어난 일을 회상한 것이다. 어린 시절 아이들에게 아버지는 집안의 왕이다. 아무리 깊은 산골 외딴 집에 살아도 아버지가 있으면 무섭지 않다. 그러나 아버지는 멀리 다른 곳에 가셨고 엄마와 단둘이 밤을 지낼 때는 무서움이 몰려든다. 집 뒤에서 무엇인가 쿵쿵거리며 걸어 다니는 소리가 나는 것 같다. 말로만 듣던 노나리꾼이 아닌가 지레짐작한 어린애는 두려움에 휩싸인다. 노나리꾼은 여러 개로 나눈다는 말에서 파생된 단어로 보이는데, 소를 훔쳐서 밀도살하여 파는 사람을 가리킨다. 남의 소를 훔쳐서 직접 팔면 절도 행각이 탄로 나니까 이들은 아예 몸체를 분해하여 팔아먹었다. 사정을 잘 모르는 어린애들은 어른의 얘기만 듣고 노나리꾼이 소를 산 채로 잡아먹는 무서운 도적이라고 받아들인 것이다. 어느 후미진 곳으로 소를 끌고 가 잡아먹고 몇 가지 흔적만 남기고 사라진다면 그것보다 무서운 일은 달리 없을 것이다. 그래서 노나리꾼은 어린애들에게 공포의 대상으로 자리 잡았다.

2연에는 조마구 귀신이 나온다. 조마구는 원래 작은 주먹이라는 뜻의 평북 방언인데 주먹의 뜻이 전이되어 난쟁이 귀신을 뜻하는 말로 정착되었다. 조마구는 심술이 많아서 곡식을 넣어 놓은 멍석을 통째로 가져가기도 하고, 닭을 돌보는 할머니를 뒤에서 걷어차 넘어지게도 한다. 그리고 땅 밑의 고래 같은 기와집에는 진기한 음식과 귀한 보물이 가득 차 있다. 이것 역시 어린애들의 천진한 상상을 반영하는 얘기다. 어린애들이 옛날이야기를 해 달라고 조르면 어른들은 조마구 귀신의 얘기를 한다. 어린애들이 떼를 쓰거나 하면 조마구가 왔다고 겁을 주어 임시방편으로 달래기도 한다. 어느 때는 멍석에 곡식을 널어놓고 자고 일어나면 멍석째 사라지기도 한다. 곡식을 탐낸 누군가가 훔쳐 간 것이다. 그러나 누구를 의심하는 모습을 보이기 싫은 어른들은 아이들에게 조마구가 가져갔다고 둘러댄다. 또 기운이 없는 할머니가 닭에게 모이를 주다가 제풀에 앞으로 넘어지기도 한다. 그런 때에도 할머니는 손자에게 조마구란 놈이 자기를 걷어찼다고 얘기하는 것이다. 그러니 어린애들에게 조마구는 신통자재하게 요술을 부리는 무서운 귀신으로 각인된다. 그래서 한밤중에 오줌이 마려워 잠에서 깨고서도 조마구가 들여다보는 것 같아 이불 속에 파고든 채로 나갈 생각을 못 하는 것이다.

이러한 공포감은 어린 시절 누구나 겪었던 것이고 그 시기가 지나면 그것은 오히려 어린 시절의 즐거운 기억으로 바뀐다. 어른의 시점에서 보면 모두 꾸며 낸 이야기에 불과하지만, 어린 시절에는 분명히 공포의 대상으로 존재했던 것들이다. 화자는 기억에 선명한 어린 날의 공포 체험을 복원하여 동심의 천진성을 드러냈다.

3연과 4연에서는 단란한 가족의 모습과 음식을 준비하는 정경을 통해 그것을 더욱 직접적으로 드러냈다. 혼사를 앞둔 막내고모와 엄마는 밤늦게까지 집안일을 하고 어린 나는 지루한 시간을 때우기 위해 삿자리 밑에 저장해 놓은 밤을 까먹기도 하고 은행 열매를 불에 구워 먹기도 한다. 그래도 어른들의 일은 끝나지 않고 불은 환하다. 나는 무료함을 달래 보려고 혼자 이불 위에서 넘기 놀이를 하다가 그것도 성이 차지 않으면 일하는 엄마에게 병풍에 있는 천도복숭아에 얽힌 얘기를 들려 달라고 조르고, 막내고모에게는 날이 밝으면 메추라기를 잡아 달라는 약속을 얻어 낸다. 명절 때가 되면 어른들은 밤늦게까지 불을 밝히고 온갖 음식을 장만하고 갖가지 송편을 빚는데, 그것을 보고 나도 어른처럼 송편을 빚어 보겠다고 우긴다. 그러나 어른들은 일을 망칠 것이 염려되어 어린애에게는 손을 못 대게 한다. 그때의 속마음을 화자는 "얼마나 반죽을 주무르며 흰 가루 손이 되어 떡을 빚고 싶은지 모른다"라고 표현했다. 백석은 어린 날의 무서운 공포 체험과 단란하고 풍요로운 정성을 함께 보여 주면서 지나간 시간에 내장된 순수성과 천진성을 되살리고자 한 것이다.

앞에서도 여러 번 말했지만, 이렇게 과거의 기억에 집착하는 것은 현재의 상황에서 삶의 순수성을 지켜 가기가 어렵다는 생각 때문이다. 기억에 내장된 순수의 세계는 비논리적이고 불합리한 것이어서, 근대 문명의 합리주의에 밀려 언젠가는 완전히 사라지게 될 것이라고 백석은 예감하고 있다. 그래서 기억의 세 번째 단계에 「산지」의 무속적 치병, 「가즈랑집」의 무속적 기원과 같은 민속적 제의 양식을 소개했을 것이다.

5연은 섣달 납일에 눈을 받아 그 물을 약으로 쓰는 민간요법을 소개했다. 겨울 눈 오는 날이면 하얀 할미귀신이 돌아다니다가 사람에게 몰래 다가와 몸을 밀어 넘어뜨린다. 이것은 조마구에게 걷어차여 넘어졌다는 앞의 얘기와 비슷한 경우다. 그런데 섣달 납일에는 할미귀신도 납일눈을 받느라고 나타나지 않는다는 것이다. 할미귀신조차 귀하게 여기는 납일눈은 어떤 것일까? 그것은 한 해가 끝나는 음력 십이월의 어느 시점에 내리는 눈일 뿐이다. 그 눈 녹은 물에 그렇게 큰 효험이 있을 리가 없다. 그러나 이렇다 할 약이 없었던 산골 사람들은 그 물을 귀한 약으로 여겼다. 이 시에서 엄마와 화자가 납일눈을 받는 장면은 마치 신성한 제의를 치르듯 정성을 다하는 모습으로 그려져 있다. 천상에서 하강하는 귀한 선약을 받듯 여러 곳에 그릇을 배치해 놓고 정갈한 마음으로 눈을 받아 병이나 항아리에 담아 두었다가 해를 묵혀 가며 여러 가지 병에 약으로 썼다는 것이다.

문명의 시각에서 보자면 이보다 더 비위생적인 일은 없다. 그러나 마을 사람들은 그렇게 믿었다. 그 믿음의 세계가 근대 문명의 유입으로 서서히 와해되어 가고 있었을 때 백석은 이것을 소재로 시를 썼다. 그리고 그것에 대해 어떠한 의견이나 논평을 달지 않았다. 그냥 사실과 정황을 서술하며 그 장면의 조각들을 보여 주었을 따름이다. 그것 때문에 우리의 사유와 상상은 오히려 끝없이 이어진다.

오리 망아지 토끼

오리치를 놓으러 아배는 논으로 내려간 지 오래다

오리는 동비탈에 그림자를 떨어트리며 날아가고 나는 동말랭이에서 강아지처럼 아배를 부르며 울다가

시악이 나서는 등 뒤 개울물에 아배의 신짝과 버선목과 대님오리를 모두 던져 버린다

장날 아침에 앞 행길로 엄지 따라 지나가는 망아지를 내라고 나는 조르면

아배는 행길을 향해서 커다란 소리로

—매지야 오너라

　매지야 오너라

새하러 가는 아배의 지게에 치워 나는 산으로 가며 토끼를 잡으리라고 생각한다

맞구멍 난 토끼 굴을 아배와 내가 막아서면 언제나 토끼 새끼는 내 다리 아래로 달아났다

나는 서글퍼서 서글퍼서 울상을 한다

- **오리치**: 오리 잡는 올가미. 「여우난골족」에도 나온 시어다.
- **동비탈**: 동둑(크게 쌓은 둑)의 비탈.
- **동말랭이**: 동둑 마루. '말랭이'는 '마루'의 방언.
- **시악特惡**: 마음에 들지 않아서 부리는 심술.
- **버선목**: '버선목'은 원래 버선이 발목에 닿는 부분을 뜻하는 말인데, 여기서는 그냥 '버선'을 지칭하는 말로 쓰였다.
- **대님오리**: 대님끈. 한복 바지의 발목을 졸라매는 끈을 '대님'이라고 하는데 거기 다시 '오리'(올)라는 말을 붙였다.
- **행길**: 사람들이 오가는 길이란 뜻으로 구어적으로 쓰이는 말. '한길'과는 다르다.
- **엄지**: 짐승의 어미. 「주막」, 「황일」에도 나온 시어다.
- **매지**: 매애지. '망아지'의 방언(평북, 함경).
- **새하러**: '나무하러'(땔감으로 쓸 나무를 베거나 주워 모으다)의 방언.
- **치위**: 지워져. 얹혀.

어린아이에게 아버지는 집안의 든든한 지주이기도 하지만 때로는 마음 놓고 응석을 부릴 수 있는 다정한 벗이 되기도 한다. 이 시의 아버지는 화자인 아들과 재미있게 장난을 벌이고 아들을 놀리기도 하며 그러면서도 정겨운 사랑을 베푸는 자애로운 존재다. 아들의 심술은 아버지가 그렇게 너그럽다는 것을 아는 데서 오는 장난기 어린 재롱이다. 제목이 뜻하는 대로 이 시는 오리, 망아지, 토끼에 얽힌 아버지와의 이야기다. 원본 『사슴』의 표기를 보면 이 시의 제목이 「오리 망아지 토끼」라고 분명히 띄어쓰기가 되어 있다. 시인은 세 단락의 얘기를 통해 아버지의 정 많고 어진 마음을 전하고자 했다.

1연은 오리 잡는 이야기다. 한쪽에 무논이 있고 반대쪽에는 개울이 있으며 그 사이에 동둑이 있다. 오리는 개울과 무논을 오가며 먹이를 찾는다. 아버지는 오리 잡는 덫을 놓으러 논으로 내려간 지 오래되었는데 소식이 없고, 그새 오리는 동비탈에 그림자를 떨어뜨리며 개울 쪽으로 도망가 버린다. 동마루에서 이것을 목격한 나는 오리 달아난다고 아버지를 소리쳐 부르지만 소용이 없다. "강아지처럼 아배를 부르며 울다가"라는 말은 아버지를 부르며 안타까워하는 어린아이의 모습을 잘 나타낸다. 공연히 심술이 난 나는 오리를 놓친 것이 아버지 탓이라는 듯 아버지의 신발과 버선과 대님을 개울물 쪽으로 던져 버린다.

2연은 장날 아침의 장면이다. 장꾼들의 행렬이 지나갈 때 어미 말을 따라가는 망아지가 보이자 나는 아버지에게 망아지를 갖게 해 달라고 떼를 쓴다. 이것은 물론 가당치 않은 일이다. 그러나 아버지는 아들을 야단치지 않고 망아지가 지나가는 길을 향해 "매지야 오너라" 하고 큰 소리로 외친다. 그런다고 해서 망아지가 올 리가 없다. 다만 아버지는 아들을 위해 망아지를 불러 주려는 듯 그런 행동을 취하는 것이고, 그것이 소용없음을 아는 아들은 더욱 심술이 나서 울음을 터뜨릴 것이다. 아이의 행동이 제시되지 않고 연이 끝났지만 우리는 다음 장면을 충분히 짐작할 수 있다. 여기서도 아버지의 너그럽고 유머러스한 모습이 잘 드러난다.

3연은 산에 가서 토끼를 잡는 이야기다. 아들은 나무하러 산에 가는 아버지의 지게에 올라앉아 함께 산으로 간다. 아들은 나무하는 데는 관심이 없고 토끼를 잡을 생각뿐이다. 아들의 청에 못 이겨 아버지도 토끼 사냥에 나선다. 토끼는 맞구멍을 뚫고 사는 습성이 있어서 굴 한쪽에서 몰면 반대쪽으로 나오게 되어 있다. 그러나 토끼도 약기 때문에 본능적으로 어디로 도망가야 하는지 잘 알고 있다. 토끼가 '언제나' 내 다리 아래로 달아났다는 말이 재미있다. 동작이 굼떠서 언제나 토끼를 놓치는 어린아이의 귀여운 모습이 잘 그려져 있다.

앞의 「고야古夜」처럼 과거의 회상인데 마치 현재 일어나는 일처럼 현재형으로 서술했다. 「고야」의 경우는 외딴 산골이라는 특정한 상황과 특이한 시어가 나오기 때문에 과거의 일이라는 느낌이 드는 데 비해, 이 시는 바로 지금 눈앞에서 일어나고 있는 것 같은 현실감을 준다. 그것은 이야기가 주는 친밀도가 그만큼 높기 때문이다. 농촌에서 성장한 사람이라면 이런 경험은 누구든 가지고 있을 것이다. 화자는 "서글퍼서 서글퍼서 울상을 한다"라고 했지만, 그것이 즐거움의 반어적 표현이라는 것을 경험해 본 사람은 모두 잘 알고 있다. 어떤 성과를 얻지 못한 놀이일지라도 놀이 자체가 무한히 즐거운 일이라는 것을 이 시는 아버지와 아들의 천진한 행동으로 일깨워 준다.

초동일初冬日*

흙담벽에 볕이 따사하니
아이들은 물코를 흘리며 무감자를 먹었다

돌절구에 천상수天上水가 차게
복숭아낡에 시라리 타래가 말라 갔다

- **물코:** 물기가 많은 코.
- **무감자:** 고구마.
- **천상수天上水:** 빗물.
- **낡:** '나무'의 고어.
- **시라리 타래:** 시라리('시래기'의 방언)를 길게 엮어 놓은 타래.

* 「초동일初冬日」에서 「흰 밤」까지 "돌덜구의 물"이라는 소제목으로 묶여 있다. '돌절구에 고인 물'이란 뜻으로 「초동일」에 나오는 "돌덜구에 천상수天上水가 차게"라는 표현과 관련된 말이다. 돌절구에 남아 있는 물처럼 기억에 남아 있는 작은 사연들을 이야기했다는 뜻일 것이다.

—

    가을이 가고 겨울로 접어드는 시기가 되면 아이들의 놀거리와 먹을거리가 현저히 줄어든다. 여름철 들판을 뛰어다니던 메뚜기도 사라지고 개울가의 개구리나 물고기도 자취를 감춘다. 논밭은 가을걷이가 끝나고 나무의 과일들도 다 거두어진 다음이다. 그러니 한낮에는 흙담벽에 햇볕만 따사하게 비출 뿐이다. 날씨가 차가워지니 아이들 코에는 벌써 콧물이 흘러내리고, 돌절구에 고여 있는 빗물도 차갑게 느껴진다.

    무감자는 고구마를 말하는데 감자는 일반적으로 여름에 수확하고 고구마는 가을철 서리 내리기 전까지 거두어들인다. "무감자"라는 말은 무처럼 생긴 감자라는 뜻에서 유래했을 것이다. 감자는 날로 먹기 힘들지만 고구마는 무처럼 캐서 바로 먹을 수 있다. 먹을 것이 변변치 않은 아이들은 쌀쌀한 날씨에 물코를 흘리며 땅속에 남아 있는 고구마를 캐 먹는다. 종자로 쓰려고 남겨 둔 것이라면 이것도 어른에게 야단맞을 일이었다. 여름 한철 복숭아가 탐스럽게 열렸던 복숭아나무도 열매는 물론이고 잎도 다 떨어져 나뭇가지에 벌써 시래기를 타래로 엮어 걸어 놓았다. 시래기는 푸른 무청을 잘라 엮어 말린 것으로, 시래기가 걸린 쓸쓸한 풍경은 농촌에 겨울이 왔음을 알려 준다.

    아이들이 물코를 흘리며 무감자를 먹었다는 대목을 다시 읽으면 '무'의 반복에 의한 운율감이 느껴진다. 사실 그대로를 서술한 것이겠지만 음감을 고려한 백석의 의도적인 배치가 작용했을 것이다. "물코"나 "무감자"가 아니어도 얼마든지 다른 상황을 서술할 수 있기 때문이다. 2연 4행의 이 짧은 시는 "무감자"와 "시라리 타래"라는 특징적 사물로 계절의 변화를 압축적으로 표현했다. 하나는 아이들이 먹을 수 있는 것이고 또 하나는 그냥 먹을 수 없는 것이어서 계절의 변화에 대한 아이들의 아쉬움도 스며들게 했다. 그뿐 아니라 1연의 "따사하니"와 2연의 "차게"가 대조를 이루며 가을에서 겨울로 바뀌는 초겨울의 이중적 속성을 감각적으로 나타냈다. 이 간소한 시에도 백석의 반복과 열거에 의한 운율적 효과가 빛을 발하고 있음을 볼 수 있다.

하답夏畓

짝새가 발부리에서 일은 논두렁에서 아이들은 개구리의 뒷다리
를 구워 먹었다

게 구멍을 쑤시다 물큰하고 배암을 잡은 늪의 피 같은 물이끼에
햇볕이 따가웠다

돌다리에 앉아 날버들치를 먹고 몸을 말리는 아이들은 물총새가
되었다

———

- **짝새:** 딱새.
- **물큰:** 기분이 좋지 않게 물렁한 모양.
- **날버들치:** 길이 10센티미터쯤 되는 잉엇과의 민물고기.
- **물총새:** 물가 흙벼랑이나 언덕에 구멍을 파고 사는 새로, 물속으로 뛰어들어
  먹이를 잡는다고 해서 물총새라는 이름이 붙었다.

—

　짝새가 발끝에서 솟아올라 날아갔다고 했다. 짝새가 날아간 곳은 논두렁이다. 여름이 되면 먹을 것이 풍부해지고 놀거리도 많아진다. 아이들은 논두렁에 올라 무언가를 잡아 보려 했는데 바로 발끝에서 짝새가 날아간 것이다. "일은"은 단순히 '일어난다'는 뜻이 아니라 "파도가 일다"나 "거품이 일다"의 '일다'처럼 "겉으로 부풀거나 위로 솟아오르다"라는 의미로 이해된다. 논두렁에 발을 들여놓았더니 갑자기 발끝에서 새가 솟아올라 날아간 것이다. 한 마리가 갑자기 수직으로 날아오른 것으로 보면 여기 나오는 "짝새"는 '딱새'인 것 같다. 딱새는 집단생활을 하지 않고 농경지나 강변에도 서식하며 수직으로 날아오르는 습성이 있기 때문이다. 백석의 시에는 여러 가지 새가 등장하는데, 그때그때 상황에 따라 거기 맞는 새의 이름을 배치하고 있다.

　짝새를 놓친 아이들은 그 대신 개구리를 잡아서 구워 먹는다. 여름 물가에는 개구리만이 아니라 게도 기어 다닌다. 마침 게 구멍을 발견하고 손을 집어넣자 게가 아니라 물큰하고 물뱀이 잡힌다. 그때의 기분은 무언가 섬뜩하고 께름칙하다. 그래서인지 늪 바닥에 있는 물이끼도 피처럼 붉어 보인다. 그렇게 일이 풀리지 않을 때에는 햇볕도 유달리 따갑게 느껴진다. 늪지에서 떠나 물이 많이 흐르는 개울로 이동한 아이들은 민물고기를 잡아 날로 먹는다. 돌다리에 앉아 버들치를 먹으며 몸을 말린 아이들은 다시 물로 뛰어들어 물고기를 잡으러 돌아다닌다. 그렇게 물속으로 치닫는 모습이 여름 물총새처럼 느껴진 것이다.

'하답夏畓'이라는 제목에 부합하듯 이 시는 여름철 아이들의 뛰노는 장면을 생동감 있게 그려 놓았다. 여기서 논 답畓 자를 쓴 것은 꼭 논에서 놀았다는 뜻이 아니라 여름철에는 논에 물이 많고 대부분 그 옆에 개울이 있기 때문에 논과 개울을 오가며 놀았다는 뜻에서 그렇게 제목을 정했을 것이다. 앞의 「초동일初冬日」이 정적인 상태로 가라앉은 농촌의 모습을 나타낸 데 비해 이 시는 다양한 먹을거리와 놀거리가 펼쳐져 있는 여름의 아이들 풍경을 보여 주었다. 겨울이건 여름이건 아이들의 놀이는 끝없이 이어졌고 백석의 기억도 그렇게 이동해 갔다.

주막 酒幕[*]

호박잎에 싸 오는 붕어곰은 언제나 맛있었다

부엌에는 빨갛게 길들은 팔모알상이 그 상 위엔 새파란 싸리를
그린 눈알만 한 잔이 뵈었다

아들아이는 범이라고 장고기를 잘 잡는 앞니가 뻐드러진 나와 동
갑이었다

울파주 밖에는 장꾼들을 따라와서 엄지의 젖을 빠는 망아지도 있
었다

—

• **붕어곰**: 원래 '곰'은 "고기나 생선을 진한 국물이 나오도록 푹 삶은 국"을 뜻
   한다. 그러나 여기서는 호박잎에 싸 온다고 했으니 오래 익힌 붕어찜을 뜻하

* 『조광』 1권 1호(1935. 11.)에 발표한 것을 재수록했다.

는 것 같다.

- **길들은**: 길든. 오래 사용하여 반들반들한.
- **팔모알상**: 테두리가 팔각으로 된 작은 상. '알'은 작다는 뜻의 접두사로 "눈알만 한盞"과 호응한다.
- **장고기**: "장고기를 잘 잡는"이라고 부러운 듯 말했으니, '잔고기'가 아니라 비교적 긴(큰) 물고기의 일반적 호칭일 것이다.
- **울파주**: '울바자'의 방언. '울바자'는 울타리로 쓰기 위해 대, 갈대, 싸리 따위로 발처럼 엮어 만든 물건을 뜻하는데, 여기서는 그렇게 만든 울타리를 의미한다.
- **엄지**: 짐승의 어미. 「오리 망아지 토끼」, 「황일黃日」에도 나오는 시어다.

———

백석의 비상한 기억력은 여기서도 유감없이 발휘되어 과거 사실의 세세한 디테일을 정확하게 복원해 놓는다. 붕어곰 요리를 잘하는 주막이 있는데, 붕어곰이 호박잎에 싸여 나온다는 것, 부엌에 빨간색의 작은 팔모상이 있는데 오래 사용해서 반들거릴 정도로 윤기가 돌았다는 것, 그뿐 아니라 그 상 위에 놓여 있던 눈알만 한 작은 잔과 그 잔에 그려진 새파란 싸리 그림까지 떠올리고 있다. 주막에 대한 기억이 이렇게 생생한 것은 그 주막집 아들아이가 나와 동갑내기 친구였기 때문이다. 그 애의 이름은 특이하게도 "범이"라고 했고* 이름에 걸맞게 큰 물고기도 잘 잡았다. 생김새도 앞니가 뻐드러져서 특이해 보였다.

시행 배치 관계를 통해 백석이 이 시를 어떻게 구성했는가를 꼼꼼

---

* 아이의 이름이 '범'일 수도 있겠지만 평북 지역의 언어 관습상 '범이'일 가능성이 많다. 평안도 지역에서는 명사 뒤에 접미사 '이'를 붙이는 경우가 많기 때문이다.

히 음미해 보면 시인으로서 백석의 탁월함을 알아차리게 된다. 화자는 우선 "호박잎에 싸 오는 붕어곰"을 제시하며 "언제나 맛있었다"고 말했다. 독자에게 "호박잎에 싸 오는 붕어곰"은 생소한 음식이다. 특이하게 제시된 시각 영상에 대해 미각적 가치를 부여하는 말이 "언제나 맛있었다"이다. 이 말은 붕어곰이 지극히 일상적이고 반복적으로 접할 수 있었던 음식이며, 언제 먹어도 맛있고 지금 먹어도 그 맛은 변함이 없을 것이라는 인식을 전달한다. 거두절미하고 단적으로 제시된 특이한 음식의 미각은 부엌의 정경이 제시되면서 굴절을 겪는다. 다소 초라해 보이기까지 하는 소박한 부엌의 정경은 그것이 그렇게 대단한 음식이 아니라 매우 소박한 음식임을 암시한다. 오래 써서 손때로 길이 든 작은 팔모상과 눈알처럼 작은 잔의 대비가 재미있고 빨간 상과 새파란 싸리 그림의 대비도 인상적이다. 어른의 시각으로는 대수롭지 않은 정경이지만 어린아이의 생각으로는 그것이 맛있는 음식을 만들어 내는 신비로운 마술 밥상 같은 느낌이 들었을지 모른다.

그다음에 화자는 시각을 바꾸어 주막집 친구에 대해 서술한다. 그 친구를 따라 주막에 자주 놀러 간 것이겠지만, 어린아이의 회상 속에서는 맛있는 음식이 먼저 떠오르고 다음에 특이한 주방의 영상이 환기되고 그다음에 친구에 관한 서술을 하게 된다. 친구는 나와 동갑인데 앞니가 뻐드러진 모습을 하고 있다. 주막에서 많은 사람과 접하며 성장해서 그런지 조숙한 면이 있어서 큰 물고기도 잘 잡는다. 어린 시절에는 그것이 가장 부러운 일이어서 회상의 순서도 "장고기를 잘 잡는"이 먼저 서술되고 다음에 외모의 특징이, 그다음에 자신과 동갑이라는 사실이 서술되었다.

다음 장면에서는 시야가 확대되어서 주막 울타리 밖에 어미를 따라와 젖을 빠는 망아지의 모습이 제시된다. 주막 주변에 여러 가지 장면이 펼쳐졌을 테지만 어린아이에게 관심거리가 되는 것은 어린 동물의 모습이다. 장꾼들은 말이나 소를 이용하여 짐을 싣고 다녔는데 젖을 떼지 못한 망아지가 있는 경우 어미를 따라 장에까지 오게 했다. 장꾼들이 주막에서 쉬는 동안 울타리 밖에 묶어 놓은 말 옆에서 망아지가 어미의 젖을 빨았을 것이다. 그 앙증맞고 귀여운 모습이 기억의 한 항목을 차지하게 되었다. 어른이라면 주막을 배경으로 아주 다른 장면을 연상했을 터인데 어린 시절의 체험을 떠올리다 보니 맛있는 음식과 부엌의 특이한 주안상과 동갑 친구와 귀여운 망아지의 모습으로 한정되었다. 망아지의 모습에서 시가 끝나는 점은 아쉬움이 있지만 소년기의 추억을 시화했다는 점에서 보면 이러한 소박한 종결이 오히려 어울리는 일인지도 모른다.

적경寂境

신 살구를 잘도 먹더니 눈 오는 아침
나어린 아내는 첫아들을 낳았다

인가 멀은 산중에
까치는 배나무에서 짖는다

컴컴한 부엌에서는 늙은 홀아비의 시아버지가 미역국을 끓인다
그 마음의 외딸은 집에서도 산국을 끓인다

———

- **홀아비의:** '의'는 동격의 의미를 지닌 관용적 어구다.
- **마음:** 일반적으로 '마을'의 오자로 보지만 나는 그냥 '마음'으로 본다.
- **산국:** 산모가 아이를 낳은 후에 먹는 국.

—

'적경寂境'이라는 제목의 뜻부터 음미해 보자. 경景이 아니라 경境자를 썼으니 적막한 정경이라는 뜻이 아니라 적막한 지역이라는 뜻이다. 단순히 하나의 풍경을 제시하는 것이 아니라 어떤 지역의 고적하면서도 애잔한 삶의 단면을 보여 주려는 것이다. 화자는 사건의 현장에서 조금 거리를 두고 눈앞에 펼쳐지는 장면을 객관적으로 묘사하는 것 같은데, 그 객관적 시선의 내면에 감정의 윤기가 응축되어 있다. 말은 짧게 했으나 말 뒤의 여백에 많은 사연을 담아 놓았다.

나이 어린 아내가 첫 임신을 하고 첫아들을 낳았다. 그것을 축복하듯 마침 산마을에 눈까지 내린다. 신 살구를 잘도 먹었다고 했는데 임산부가 신 것이 먹고 싶을 때는 입덧을 하는 때, 즉 임신 3개월에서 4개월에 이르는 기간이다. 이 시기에 아내는 입맛이 당기는 대로 신 살구를 많이 먹었던 것 같다. 나이도 젊고 건강도 잘 유지했으니 순산했을 것이고 첫아들을 낳았으니 기쁨이 더욱 컸을 것이다. 그래서 까치도 멀리 떨어진 배나무 위에서 반가운 손님의 방문을 알리는 듯 지저귄다. 여기서 "인가 멀은 산중"이 집의 위치를 가리키는 것인지 까치의 위치를 가리키는 것인지는 확실치 않다. 백석의 시가 늘 멀리 떨어진 호젓한 곳을 배경으로 삼은 점을 염두에 두면 집의 위치를 나타내는 것 같다. 그러니까 이 식구들이 사는 집이 다른 인가에서 멀리 떨어진 장소임을 알려 준다.

이러한 흥미로운 정경의 또 한쪽에 미역국을 끓이는 홀아비 시아버지가 보인다. 이 시아버지의 등장으로 온화한 정경은 인간관계의 음영이 드리워진 삶의 쓸쓸한 단면으로 변화한다. 시어머니가 아니라 늙은 홀아비 시아버지가 미역국을 끓인다는 사실의 설정이 삶의 애잔함을 느끼게 한다. 남편은 시에 등장하지 않는데 1연의 화자가 남편이라고 볼 수도 있다. 그러나 3연의 화자는 분명 남편은 아니다. 남편이 자신의 아버지를 "늙은 홀아비의 시아버지"라고 지칭할 수는 없기 때문이다. 이처럼 이 시는 화자가 중간에 바뀌는 이중 화자의 특징을 보여 준다. 늙은 홀아비 시아버지가 미역국을 끓이는 부엌에 "컴컴한"이라는 수식어를 붙이는 것을 백석은 잊지 않았다. 이 수식어는 "신 살구", "눈 오는", "나어린", "첫아들", "까치"와 대조적인 자리에서 애잔한 삶의 형상을 환기한다. 컴컴한 부엌에서 첫 손자를 안겨 준 젊은 며느리를 위해 미역국을 끓이는 늙은 시아버지의 모습은 정겨우면서도 안쓰럽다.

그다음에 나오는 마지막 행은 여러 가지 생각을 불러일으킨다. 원본대로 '마음'으로 읽는다면 이것은 상당히 시대를 앞서간 시가 된다. 백석이 늙은 시아버지의 마음을 들여다보며 그 마음속에 존재하는 집과 그 집의 산국 끓이는 모습을 상상한 것이 되기 때문이다. 관점을 달리하여 '마음'을 '마을'의 오기로 본다면 그 마을의 어떤 다른 집에서도 산모를 위해 산국을 끓인다고 단순하게 해석할 수 있다. 그렇게 되면 이 시는 아주 싱거운 시가 되어 버린다. 상상력을 확대하여 외딴집을 "나어린 아내"의 친정집으로 보기도 했는데 그렇게 해석해도 어색한 것은 마찬가지다. 이렇게 '마음'을 '마을'의 오기로 보아도 제대로 해석되지 않는다면 구태여 '마음'을 '마을'의 오기로 볼 필요가 없다. 원문 그대로 '마음'으로 읽어서 인간의 내면에 관심을 가진 백석의 상징적 표현으로 이해하는 것이 바람직하다. 백석의 마음에 대한 관심이 일찍이 나타난 예로 보아도 좋은 것이다.

여하튼 우리는 이 시에서 고적하면서도 화해로운 삶의 단면을 목격하게 된다. 눈 내리는 날 젊은 아내가 첫아들을 순산한 행복한 사연, 그리고 컴컴한 부엌에서 며느리를 위해 미역국을 끓이는 시아버지의 쓸쓸한 모습. 이 두 장면은 서로 대비를 이루면서 삶이 무엇인가를 생각하게 하는 깊은 여운을 남긴다.

미명계 未明界

자즌닭이 울어서 술국을 끓이는 듯한 추탕鰍湯 집의 부엌은 뜨스할 것같이 불이 뿌연히 밝다

초롱이 희근하니 물지게꾼이 우물로 가며
별 사이에 바라보는 그믐달은 눈물이 어리었다

행길에는 선장 대어가는 장꾼들의 종이 등에 나귀 눈이 빛났다
어데서 서러웁게 목탁을 뚜드리는 집이 있다

——

- **자즌닭**: 새벽닭이란 뜻으로 일반적으로 쓰였다. 평북 정주 출신인 김억의 시 「산고개」에도 "자즌닭 꼬꼬울제/나는 그대를/山고개 바라주며/잘가라 했소." 라는 구절이 나온다.
- **뿌연히**: 뿌옇게.
- **초롱**: 석유나 물 따위의 액체를 담는 데 쓰는, 양철로 만든 통.
- **희근하니**: 허옇게 보이는 상태로. 새벽이 되어 물초롱이 허옇게 모습을 드러내는 것을 표현한 것이다.

- **행길**: 사람들이 많이 오가는 길.
- **선장 대어가는**: 일찍 여는 장에 때맞추어 가는.

———

제목이 '미명계未明界', 아직 밝지 않은 세계이니 새벽의 정경이다. 이것은 어린아이의 회상이 아니라 어른의 관찰이다. 그래서 천진한 감성보다는 삶의 애잔함이 행간에 스며 있다. 새벽에 닭이 연이어 울자 일찍 문을 연 추어탕 집에서는 술국을 끓이는 냄새가 나고 김이 모락모락 솟아올라 뜨스한 느낌을 주는데, 이미 불이 환하게 켜져 활동하는 기색이 역력하다. 여러 집에 물을 길어 주는 물지게꾼 역시 새벽에 일어나 희부연 초롱을 지게에 달고 우물을 향해 움직인다. 이렇게 일찍 일어나 활동하는 사람들은 부지런하기는 하지만 신세가 편한 사람들이 아니다. 먹고살기 위해 남보다 먼저 일어나 부지런히 움직이는 사람들이다. 그들의 삶의 어려움이 투영되어서인지 별 사이에 모습을 드러낸 그믐달은 눈물이 어린 듯 애처롭게 보인다.

사람들이 오가는 큰길에도 새벽부터 남들보다 먼저 움직이는 부지런한 사람들이 있다. 나귀를 몰고 장터로 가는 장꾼들이다. 이른 장에 맞추어 가느라고 부지런히 걸음을 재촉한다. 남보다 먼저 가야 목이 좋은 자리를 잡을 것이다. 어떤 장꾼은 벌써 하루 전에 가서 주막에서 묵고 짐을 부리기도 할 것이다. 아직 해가 뜨지 않은 상태이기 때문에 종이로 등을 만들어 불을 밝히고 간다. 장꾼들은 새벽에 장 서는 곳으로 이동할 때만 불을 밝히니 종이 등을 마련한 것이다. "종이 등에 나귀 눈이 빛났다"라고 한 대목의 시각적 이미지가 신선하다. 어두운 새벽길에 종이 등을 앞쪽에 달고 나아갈 때 다른 무엇보다도 나귀의 큰 눈이 뚜렷이 비칠 것이다.

"어데서 서러웁게 목탁木鐸을 뚜드리는 집이 있다"라는 시행이 마지막에 배치되었는데 이 시행은 "그믐달은 눈물이 어리었다"와 호응하면서 비애의 감정을 드러낸다. 해가 뜨기 전 신새벽에 목탁을 두드리는 것으로 보아, 죽은 사람의 명복을 비는 것인지 무언가를 축원하는 것인지 확실치 않지만 화자는 그것을 '서러움'의 표징으로 받아들였다. 요컨대 삶을 꾸려 가기 위해 남보다 먼저 일어나 움직이는 사람들이 있는가 하면 다른 쪽에서는 이렇게 일찍 또 다른 무엇인가를 위해 목탁을 두드리는 사람이 있다는 사실이 삶의 슬픔을 불러일으킨 것이다. 다른 사람들이 잠들어 있는 새벽에 어떤 사람들은 생업을 위해 부지런히 움직이고, 또 어떤 사람들은 무엇을 기원하며 적막 속에 목탁을 두드린다는 것. 이것이 생의 두 단면이다. 그리고 인간은 결국 이 두 축의 경계 안에서 생을 이어 가게 될 것이라는 사실의 인식은 생의 비애감을 불러일으킨다. 그런 점에서 이 짧은 시는 인생의 축도를 함축하고 있다고 보아도 좋을 것이다.

성외城外

어두워 오는 성문 밖의 거리
도야지를 몰고 가는 사람이 있다

엿방 앞에 엿궤가 없다

양철통을 찔렁거리며 달구지는 거리 끝에서 강원도로 간다는 길
로 든다

술집 문창에 그느슥한 그림자는 머리를 얹혔다

———

- **엿궤**: 엿목판. 엿을 담도록 만든 사각형의 나무 상자.
- **그느슥한**: 여위고 희미한. 어둠침침하거나 기색이 약한 상태를 나타내는 말로
「고사古寺」에도 나온다.
- **머리를 얹혔다**: 피동형처럼 쓰였지만, 문창에 머리를 얹은 듯 기대어 쉬고 있
다는 뜻이다.

88

—

『사슴』의 시편들은 화자의 감정이나 반응을 표출하지 않고 정황 자체만을 제시하는 경우가 많아서 여러 가지 연상을 불러일으키고 때로는 그것이 작품 해석에 혼란을 가져오기도 한다. 이 시의 끝부분에 "머리를 얹혔다"라는 말이 나오자 이것을 기생이 머리를 얹는다는 뜻으로 보고 기생과 하룻밤을 보낸다고 풀이하는가 하면, 머리를 땋아서 귀 위로 올린다는 뜻으로 보고 여자가 시집을 갔다는 뜻으로 해석하기도 했다. 인적조차 끊어져 가는 성문 밖 저물녘의 어둑한 거리 풍경을 보여 주는데 거기 왜 술집 기생이 등장하고 시집가는 여자가 나오겠는가? 이 작품 한 편만을 읽고 뜻을 짐작하려고 하지 말고 「적경」, 「미명계」로부터 이어지는 백석 시의 흐름 속에서 시를 감상해야 할 것이다.

제목을 '성외城外'라 했으니 이것은 성문 안과 구분되는 외곽의 지대다. 이것은 백석이 늘 관심을 갖던 평범하면서도 애잔한 삶의 공간이다. 성문은 성의 안과 밖을 이어 주는 통로이니 그곳으로 많은 사람들이 지나가고, 성문에 인접한 바깥쪽에는 특히 장사하는 사람들이 많이 오가게 된다. 백석은 「적경」이나 「미명계」처럼 몇 개의 장면만을 무심한 듯 던져 보인다.

제일 처음에 돼지를 몰고 가는 사람이 나온다. 대낮이라면 평범하게 보였을 이 장면이 날이 저문다는 시간적 배경 때문에 의미 있게 다가온다. 천방지축 달아나려고만 하는 돼지를 모는 것도 쉽지 않은데 날까지 저무니 돼지건 사람이건 헤매게 될 것은 뻔한 일이다. 그러니 발걸음은 빨라지고 마음은 급해질 수밖에 없다. 이 장면은 일견 우스꽝스러우면서도 저물녘에 볼 수 있는 마지막 장면이라는 아쉬움도 느끼게 한다. 이 사람이 지나가고 나면 성문 밖 거리에는 적막만이 감돌 것 같기 때문이다. 그러니까 돼지를 몰고 가는 장면은 적막한 풍경 앞에 놓인 잠깐의 소극笑劇 같은 느낌을 준다.

"엿방 앞에 엿궤가 없다"라는 것은 다가올 적막의 한 전조와도 같다. 엿을 파는 집이라면 당연히 엿목판이 있어야 할 터인데 더 찾을 사람이 없다고 생각해서인지 아니면 엿을 다 팔아서인지 엿목판이 치워져 있다. 하루 장사가 끝난 것이다. 이렇게 날이 저물고 하루의 일과가 종료되는 것은 매일 되풀이되는 일이지만 텅 빈 듯한 풍경 자체는 아늑한 적막감이나 삶의 허망함 같은 것을 느끼게 한다.

이때 밤을 지새워 장터로 가는 상인인지 달구지 하나가 강원도 가는 길로 접어드는 것이 보인다. 달구지에 실은 양철통이 흔들려 소리가 난다. 그 소리에 밤길의 사람이나 짐승이 달구지를 피할 수 있을 것이다. 강원도로 간다면 험한 산길을 넘어가야 할 터인데, 철야의 여로가 그리 순탄할 것 같지 않아서 일말의 불안감이 느껴진다. 어느 주막에서 하루 묵고 가는 것이 좋지 않을까 하는 생각이 든다.

그러한 생각이 구체적으로 실현된 것이 바로 마지막 장면이다. 주막에서 하루를 묵는 나그네가 있다. 여기 나오는 "술집"을 기생이 있는 유흥업소로 오해해서는 곤란하다. 이것은 백석의 시 「주막」에 나오는, 장꾼들이 밥과 술을 먹고 하루 묵어가기도 하는 바로 그 주막이다. "그느슥한"은 어둡고 희미한 상태를 가리키는 말인데 여기서는 외양의 연약함도 함께 나타낸다. 여윈 사람의 희미한 그림자가 술집 문창에 비치는데 그 사람의 몸 전체가 비치는 것이 아니라 머리 부분이 문창에 비친다. 벽에 기대어 창문에 머리를 대었다면 밖에서는 문창에 머리를 얹은 듯한 모습만 보이게 될 것이다. 이것을 백석은 "술집 문창에 그느슥한 그림자는 머리를 얹혔다"라고 표현한 것이다.

이 시의 전개 과정을 다시 살펴보면 순차적 논리 관계에 의해 장면이 연결되고 있음을 알게 된다. 장에서 돼지를 팔다 오는 사람인지 날이 저무는데 급하게 돼지를 몰고 가는 사람이 등장한 다음에는 장사를 끝내고 엿목판을 치운 엿방을 보여 준다. 다음에는 새로운 장터를 찾아 밤길을 가는 장꾼의 달구지가 나온다. 그다음에는 주막에서 하룻밤을 묵어가는 지친 사람의 그림자가 나온다. 이 장면들은 지극히 일상적인 삶의 단면인데 세상을 어렵게 살아가는 서민들의 모습이라 그런지 그렇게 밝지 않고 그야말로 "그느슥한" 느낌으로 다가온다. 이 장면을 두고 부질없이 근대를 끌어들여 근대의 외곽으로 밀려가는 생의 비애를 나타냈다고 부연할 필요는 없다. 백석은 슬픈 듯 기쁜 듯 그느슥하게 살아가는 서민들의 삶에 관심을 가지고 그것을 간결한 영상으로 보여 주었을 뿐이나.

추일산조 秋日山朝

아침볕에 섶구슬이 한가로이 익는 골짝에서 꿩은 울어 산울림과
장난을 한다

산마루를 탄 사람들은 새꾼들인가
파란 하늘에 떨어질 것같이
웃음소리가 더러 산 밑까지 들린다

순례巡禮중이 산을 올라간다
어젯밤은 이 산 절에 재齋가 들었다

무릿돌이 굴러 내리는 건 중의 발꿈치에선가

- **섶구슬**: 구슬댕댕이의 열매.
- **새꾼**: '나무꾼'의 평안 방언.
- **재齋**: 부처에게 드리는 공양.

• **무릿돌**: 여러 개의 돌.

—

구슬댕댕이가 어떤 식물인지는 모르겠으나 "5~6월에 담황색 꽃이 잎겨드랑이에서 피고 열매는 잔털이 난 둥근 구슬 모양으로 9월에 익는다. 골짜기나 물가에서 자라는데 강원, 평남, 함경 등지에 분포한다"라는 사전의 설명은 시의 문맥과 부합한다. 맑은 가을 아침 햇살이 펼쳐지고 섶구슬 열매가 빨갛게 익어 가는 골짜기 어디에선가 꿩울음소리가 들려오는 한가롭고 평화로운 정경이 제시되었다. "꿩은 울어 산울림과 장난을 한다"라는 구절에서 백석 특유의 동심 어린 시선을 엿볼 수 있다. 시각과 청각이 혼융을 이루며 가을 아침의 한가로운 정취를 담백하면서도 화사하게 엮어 낸다.

나무하는 사람들은 벌써 산마루에 올라 파란 하늘에 닿을 듯 아래로 떨어질 듯 위태로운 모양으로 산을 타고 있다. 그러나 그들을 위태롭게 보는 것은 산에 익숙하지 않은 우리들의 시선이고 매일 산을 타는 그들은 오히려 산 밑으로 웃음소리를 흘려보내며 산행을 즐기는 듯하다. 이 부분에서도 백석은 시행과 시어를 매우 세심하게 구성했다. 산마루를 탄 사람들에 대해 "새꾼들인가"라고 추측형 어미를 사용하여 판단을 유보하는 어법을 취함으로써 그들에 대한 호기심이 유지되도록 했고, 웃음소리가 "더러" 들린다고 하여 그들의 웃음소리가 가을 산의 한가로운 정취를 깨뜨릴 정도는 아니라는 점을 간접적으로 드러냈다.

다시 시선이 바뀌어 "순례중"이 산을 오르는 장면을 보여 주었다.

"순례중"은 한 절에 머무르지 않고 이곳저곳을 다니며 구도의 길을 걷는 중을 뜻하는 말로 백석이 만들어 쓴 것이다. 순례중은 앞의 나무꾼들과는 아주 다른 차원을 살아가는 사람이다. 하나는 세속을 떠나 깨달음의 경지를 추구하는 사람이고 또 한 부류는 땔나무를 모아 파는 사람이다. 생업으로 나무를 하는 사람들도 가을 산의 한가로운 정취와 조화를 이루고 있고, 정처 없이 순례의 길을 걷는 승려도 산의 소속으로 편안하게 들어와 있다. 순례중은 일반적으로 탁발을 하여 먹을 것을 얻고, 한 절에 소속되어 있지 않기 때문에 절에 가서도 먹을 것을 풍족히 얻지는 못한다. 그런데 다행히 "어젯밤은 이 산 절에 재齋가 들었다"라고 했다. 부처님께 공양을 올릴 때는 음식을 많이 차리는 법이니 오랜만에 이 산사에도 음식이 풍족할 것 같고 떠돌이 중도 예기치 못한 호사를 누릴 것 같다. 늘 사실만을 이야기하고 사연은 뒤에 감추는 백석인지라 여기서도 재가 들었다는 사실만을 이야기하는 것으로 그쳤다.

여기까지 전개된 가을 산의 정경은 고요하고 움직임이 없다. 나무꾼들의 움직임도 멀리 보이고 그들의 웃음소리나 꿩 울음소리도 가끔 멀리서 들려올 뿐이다. 산을 오르는 순례중의 모습 역시 그렇게 동적인 느낌은 주지 않는다. 가을 산의 정적을 깨뜨리는 것은 마지막 시행의 무릿돌이다. 인적 끊긴 산중에 무릿돌이 언덕 아래로 굴러 내리는 것을 보며 산길을 올라간 사람은 순례중뿐이니 그의 발꿈치에 걸려 무릿돌이 굴러 내리는 것인가 생각하는 것이다. 가을 산의 한가로운 풍경을 보여 주다가 그 한가로움에 미세한 파문을 일으키는 장면을 배치했다. 백석은 "새꾼들인가"와 마찬가지로 "발꿈치에선가"라는 추정의 어법을 써서 명확한 판단을 유보하는 태도를 취했다. 그런 판단 정지의 태도가 가을 산의 맑은 정취에 어울리는 일이라고 생각했을 것이다.

광원曠原

흙꽃 이는 이른 봄의 무연한 벌을
경편철도輕便鐵道가 노새의 맘을 먹고 지나간다

멀리 바다가 보이는
가정거장假停車場도 없는 벌판에서
차는 머물고
젊은 새악시 둘이 내린다

———

- **흙꽃**: 아지랑이를 표현한 것으로 보인다. 김수업, 『백석의 노래』(휴머니스트, 2020) 109쪽에서도 아지랑이로 보았다.
- **이는**: 없던 현상이 생기다. '일어나는'의 뜻이 아니다.
- **무연한**: 아득히 너른.
- **경편철도輕便鐵道**: 차량이 작고 궤도가 좁은, 작은 규모의 철도.
- **가정거장假停車場**: 임시로 만든 정거장.

—

　고형진 교수는 이 시의 배경을 정주 인근의 안주安州 박천평야로 보고 여기 나오는 경편철도를 신안주新安州에서 개천价川까지 놓인 사설철도로 추정했다.* 오랫동안 자료를 정밀하게 조사해서 얻은 결과이니 사실에 맞는 내용일 것이다. 그러나 이 시의 신비감을 제대로 음미하기 위해서는 차라리 장소와 시간을 모르는 것이 나을지 모른다. 어느 막막한 벌판, 어느 이른 봄에 이름도 모르는 장소에서 우연히 목격한 장면으로 생각할 때 이 시의 정취가 더 가슴에 와 닿는다.

　제일 처음에 나오는 "흙꽃"에 대해 다시 생각해 볼 필요가 있다. 나도 처음에는 "흙꽃"을 단순하게 흙먼지로 보았다. 그런데 이 시의 풍경을 다시 한번 잘 음미해 보면 흙먼지가 인다는 것은 어울리지 않아 보인다. 더군다나 안주의 박천평야가 무대라면 이른 봄에 흙먼지가 일 리가 없다. 박천평야는 대령강과 청천강의 퇴적작용으로 생긴 충적토 지대라 습기를 많이 함유하고 있기 때문이다. 이른 봄이라 바람이 거세지도 않은데 흙먼지가 일 리가 없고 또 볼썽사나운 흙먼지라면 그것을 굳이 '흙꽃'이라고 표현했을 리가 없다. 이른 봄 얼음이 녹은 벌판에 피어오르는 것은 아지랑이다. 아지랑이 피어나는 망연한 벌판에 간이열차가 느릿느릿 지나가는 모습을 연상해 보라. 이 시의 문맥에 부합하지 않는가?

　이 시는 겉으로만 보면 감정을 배제하고 단순한 이미지를 제시하

＊　고형진 엮음, 『정본 백석 시집』, 문학동네, 2007, 46쪽.

는 듯하다. 그러나 면밀히 검토해 보면 제시된 정경의 배후에 우수라든가 쓸쓸함 같은 정감의 음영이 깔려 있음을 알 수 있다. 객관적인 정경의 제시처럼 보이는 이 시가 우수의 정서를 머금는 이유는 무엇일까. 우리는 여기서 백석 시 창작 방법의 비밀 하나를 포착해야 할 것이다. 이 시의 처음 두 행은 약간 황량하고 외로운 느낌을 전해 주기도 하지만 또 한편으로는 한가한 정취를 전달한다. 아지랑이 이는 넓은 벌판에 천천히 지나가는 간이열차의 모습은 그 자체로는 상당히 외롭게 받아들여지기도 하지만 "노새의 맘을 먹고 지나간다"라는 유머러스한 표현에 의해 그 외로움은 한가함으로 전환된다.

그런데 2연에서 막막한 벌판에 내리는 젊은 여자의 모습이 제시됨으로써 우수와 고적의 그림자가 드리운다. 보통의 독자라면, 가정거장도 없는 막막하고 외딴 벌판에 젊은 처녀 둘이 무슨 일로 내릴까 하는 의아심을 갖게 될 것이다. 그리고 그 의아심은 곧바로 그 여인들이 마주하게 될 외롭고 기구한 운명에 대한 연상으로 이어지기 마련이다. 이 시는 그 연상을 환기하는 단계에서 멈춤으로써 감정 절제에 성공했다. 그러나 시인이 대상을 바라보는 시선에 우수의 정감이 스며 있는 것은 사실이다. 백석의 시 전편에는 이러한 고독과 우수의 정서가 알게 모르게 스며 있다.

흰 밤*

옛 성城의 돌담에 달이 올랐다
묵은 초가지붕에 박이
또 하나 달같이 하이얗게 빛난다
언젠가 마을에서 수절 과부 하나가 목을 매어 죽은 밤도 이러한 밤
이었다

—

백석은 새것보다는 낡고 오래된 것에서 깊은 정감을 얻고 거기서
아름다움까지 느낀다. 그래서 "옛성"과 "묵은 초가지붕"이 시야에 먼
저 포착된다. 오래된 성의 돌담 위에 달이 떠올라 사방을 비춘다. 오
래된 성이니 정주성처럼 돌담이 헐리기도 했을 것이다. 달빛은 낡은
옛성의 돌담이든 오래된 초가지붕이든 차별 없이 환하게 비춘다. 초
가지붕에 열린 박은 달빛을 반사하여 마치 또 하나의 달처럼 하얗게

* 『조광』 1권 2호(1935. 12.)에 발표한 것을 재수록했다.

빛나는 모습을 드러낸다. 여기까지 이 시의 세 행은 정경의 외관을 보여 주었을 뿐이다. 이런 장면에서는 시각적 이미지가 환기될 뿐 어떤 감정의 기색은 발견되지 않는다. 다만 환하고 밝은 느낌은 얻을 수 있다.

그러나 시를 종결하는 4행은 부정적인 인간사의 단면을 삽입함으로써 감각의 정경에 애상의 감정을 착색한다. 이 마지막 행에서 대상을 관조하던 중립적 화자는 대상에 대해 의견을 말하는 시인 화자로 전환된다. 하얗게 빛나는 달밤의 정경이 수절 과부의 자살이라는 기구한 사연과 연결되는 것이다. 이렇게 달빛이 환한 밤에는 여러 가지 상념이 일어나는 법이다. 그래서 동서양을 막론하고 달이라는 소재는 인간의 감정을 움직이는 매개물로 등장해 왔다. 달을 보고 고향을 생각하거나 보고 싶은 사람을 떠올리는 것은 매우 일반적인 현상이다. 수절 과부도 이런 환한 달밤에 자신의 처지에 대한 환멸이 밀려들면서 비감한 생각에 그만 목을 매었을 것이다. 서양에서는 달이 인간을 잡아끄는 마력이 있어서 달밤에 광증이 많이 일어난다고 생각했다. 정신 이상 상태를 영어로 lunacy, 혹은 lunatic이라고 하는데 이 말은 달을 뜻하는 lunar에서 파생된 단어다. 더군다나 박이 하얗게 빛난다고 했으니 여름에서 가을로 바뀌는 시점임을 알 수 있다. 초여름부터 피던 박꽃이 지면 박 열매가 맺혀 익어 가기 때문이다. 가을의 선선한 기운이 접어드는 환절기에 달까지 환하게 비치면 보통 사람도 마음이 싱숭생숭해질 터인데 수절 과부는 더욱 마음이 어수선하여 갈피를 잡지 못했을 것이다.

정경의 외관을 관조하던 이 시는 인간사가 개입하면서 고독과 우수의 정서가 스며든다. 이 과정은 앞의 시 「광원」과 유사하다. 젊은 색시 둘이 내리는 장면에서 고독과 우수의 감정이 개입하듯이 여기서도 수절 과부의 자살이 개입하면서 애상의 감정이 개입한다. 인간은 오래된 성터와 묵은 초가지붕에서 편안한 감정을 느끼면서도 결국 고독과 우수에서 벗어나지 못할 것이라는 비관적 태도를 백석은 내면에 지니고 있었던 것 같다. 지붕 위의 박까지 하얗게 빛나는 정겨운 달밤의 정경에서도 수절 과부가 목을 매 자살하는 무서운 밤을 떠올리고 있다. 이런 특징 때문에 백석 시의 기본 정조를 쓸쓸함, 슬픔, 두려움으로 보았던 것이다.*

---

* 이숭원, 『백석 시의 심층적 탐구』, 태학사, 2006, 122~129쪽.

청시靑柿*

별 많은 밤
하늬바람이 불어서
푸른 감이 떨어진다 개가 짖는다

―

청시란 아직 익지 않은 작고 푸른 감을 말한다. 앞의 시「흰 밤」이
여름에서 가을로 바뀌는 시기를 배경으로 했듯 이 작품도 하늬바람
(서풍)이 불기 시작하는 가을을 배경으로 했다. 가을로 접어드니 대기
는 더욱 맑아지고 하늘은 더욱 높아진다. 맑은 밤하늘의 별은 마치 아
래로 포기 져 떨어질 것처럼 총총히 빛난다. 불어오는 하늬바람에 별
빛이 가물가물 스쳐 밑으로 떨어지는 듯한 느낌까지 들 때가 있다. 하
늬바람에 채 익지 못한 청시가 떨어진다. 가을이 깊어지면서 청시는
점차 홍시로 익어 가는 법인데 단단히 영글지 못한 청시는 바람에 쓸

* 「청시靑柿」에서 「노루」까지 "노루"라는 소제목으로 묶여 있다.

려 떨어지기도 한다. 고요한 가을밤, 아무 소리도 들리지 않다가 청시가 하나 떨어지면 청각이 예민한 개는 그 미세한 기척을 감지하고 컹컹 짖어 깊은 밤의 적막을 깨뜨린다.

여기서 시집의 소제목이 바뀌는 것처럼, 이 시는 앞의 시편들과 달리 서사의 개입이 없이 정경의 이미지만으로 구성되었다. 그래서인지 쓸쓸함이나 슬픔 같은 감정의 단면은 배제되어 있다. 적막의 야경이 실루엣 같은 영상으로 포착되어 있을 뿐이다. 그 야경은 미세한 움직임까지도 정밀하게 헤아리는 섬세한 감각에 포착되었다. 청시의 떨어짐을 개 짖는 소리로 연결하는 감각은 적막의 야경에 깊이 침잠한 사람만이 부릴 수 있는 경지다. 지극히 섬세하고 정밀한 감각의 촉수를 감지할 수 있다.

산비

산뽕잎에 빗방울이 친다
멧비둘기가 인다
나무등걸에서 자벌기가 고개를 들었다 멧비둘기 켠을 본다

———

• **자벌기**: 자벌레. '벌기'는 '벌레'의 방언.
• **켠**: '쪽'의 방언.

———

이 시는 일반적인 비가 아니라 산에 내리는 비를 소재로 한 것이다. 인적이 드문 깊숙한 산속에 펼쳐진, 고요하고 신비롭고 쓸쓸하면서도 정감 있는 원시적인 자연 풍경의 몇 순간을 스냅 사진 같은 영상으로 포착했다.

산뽕나무는 우리나라 전역에 자생하는 나무로 비교적 잎이 넓고 크다. 그 산뽕 잎에 갑자기 빗방울이 떨어지는 장면을 "친다"라는 짧

은 동사로 나타냈다. 원래 '치다'라는 말은 '눈보라가 치다'처럼 '비나 눈 따위가 세차게 뿌리다'라는 의미다. 고요하고 움직임이 없는 산중에 갑자기 넓은 산뽕 잎에 빗방울이 떨어지는 장면의 돌발성을 나타내기 위해 "친다"라는 말을 선택한 것이다.

산뽕 잎에 갑자기 빗방울이 떨어지자 가지에 앉아 있던 멧비둘기가 공중으로 날아오른다. 이때 백석은 '인다'라는 말을 사용했다. 이 말은 「하답夏沓」의 "짝새가 발부리에서 일은"이라는 구절에 이미 나왔던 말이다. "일다"는 단순히 '일어난다'는 뜻이 아니라 '파도가 일다'나 '거품이 일다'의 '일다'처럼 '겉으로 부풀거나 위로 솟아오르다'라는 의미에 해당한다. 「하답」에서 아이들이 논두렁에 발을 들여놓았더니 갑자기 발끝에서 새가 솟아올라 날아간 것처럼, 여기서도 갑자기 떨어지는 빗방울에 놀란 멧비둘기가 수직으로 날아오른 것이다.

그뿐 아니라 가지에 붙어 있던 자벌레도 고개를 들고 멧비둘기 쪽을 바라보았다고 했다. 자벌레는 위장술이 뛰어난 벌레다. 나무에 붙어 있으면 나뭇가지와 구분하기 어렵다. 그런데 갑자기 빗방울이 떨어지고 멧비둘기가 날아오르자 자벌레도 고개를 들고 무슨 일이 일어났는지 궁금해서 멧비둘기 쪽을 바라보았다는 것이다. 여기에는 어린아이 같은 동심의 시선이 작용하고 있다. 생활에 쫓기는 어른이라면 이런 자연의 변화에 별 관심이 없을 것이다. 자연을 투명하게 관조하고 미세한 변화까지도 정밀하게 관찰할 때 이런 정경의 단순한 극점이 포착된다. 앞의 「청시靑枾」처럼 움직이는 듯하면서도 정지해 있는 대상의 정관을 이미지로 제시했을 뿐 서사의 개입이나 감정의 표현은 배제되어 있다.

또 하나 중요한 것은 이 세 행의 짧은 시가 형식의 변화에서 굉장한 시적 탄력을 얻는다는 사실이다. 이 시를 현재의 율독 관행으로 읽으면 1행은 3음보(산뽕잎에/빗방울이/친다), 2행은 2음보(멧비둘기가/인다), 3행은 5음보(나무등걸에서/자벌기가/고개를 들었다/멧비둘기 켠을/본다)* 정도로 나뉜다. 즉 2행에서 행의 길이가 갑자기 축소되었다가 3행에서 행의 길이가 길어지면서 '-다'로 끝나는 두 개의 문장의 결합으로 작품을 종결하는 형식이다. 이러한 구문의 변화는 2행의 다급한 긴장, 3행의 이완과 또 하나의 긴장 조성 과정과 형태적·운율적으로 자연스럽게 대응된다. 다시 말하면 이 시의 호흡은 처음에 평이하고 완만하게 시작했다가 2행에서 하강하고 3행에서 다시 상승하면서 두 개의 상황을 제시하고 급격하게 끝맺는 형식을 취한다. 「청시」에서도 3행에서 두 개의 단문을 구성하여 시를 종결지은 것처럼 이 시도 그러한 방법을 취했는데 형태와 음률의 변화는 「청시」보다 더욱 확대·심화된 양상을 보인다.

---

* 이 부분을 "나무등걸에서/자벌기가/고개를/들었다/멧비둘기 켠을/본다"로 6음보로 율독할 수도 있으나 이어지는 호흡과 긴장감을 고려하면 5음보로 율독하는 것이 더 어울릴 것 같다.

쓸쓸한 길

거적장사 하나 산 뒷옆 비탈을 오른다
아- 따르는 사람도 없이 쓸쓸한 쓸쓸한 길이다
산까마귀만 울며 날고
도적갠가 개 하나 어정어정 따라간다
이스라치전이 드나 머루전이 드나
수리취 땅버들의 하이얀 복이 서러웁다
뜨물같이 흐린 날 동풍이 설렌다

- **거적장사** : 죽은 사람을 거적으로 둘러메고 지내는 장사.
- **이스라치** : 산앵두. 열매가 앵두처럼 생겼지 앵두는 아니다. 사전에 '산이스랏', '이스랏나무' 등이 등재되어 있고 '앵두'의 고어로 '이스랏'이란 말이 쓰였다.
- **이스라치전, 머루전이드나** : '전'을 무엇으로 보느냐에 따라 해석이 달라진다. '전'을 '廛'의 뜻으로 보고 "이스라치나 머루가 많이 모여 있는 곳"이라고 풀이했으나(이숭원, 『원본 백석 시집』, 83쪽) '奠'(장사 지내기 전에 간단히 술·과실 등을 차려 놓는 일)의 뜻으로 본 해석(고형진, 『정본 백석 시집』, 49쪽)을 따라 "이스라치나 머루로 전을 차리는 것인가"라는 상상의 뜻으로 해석한다.
- **하이얀 복** : 소복. 수리취와 땅버들의 표면에 난 하얀 솜털을 뜻한다.

• **뜨물**: 곡식을 씻어 내 부옇게 된 물.

———

여기서의 "거적장사"를 보통 "짚으로 엮거나, 새끼와 짚으로 걸어서 자리처럼 만든 물건을 팔러 다니는 장사꾼"*으로 해석한다. 그리고 "이스라치전"과 "머루전"은 '산이스랏이나 머루가 많이 떨어져 있는 곳'**으로 풀이한다. "하이얀 복"은 수리취와 땅버들의 하얀 솜털을 가리키는 것으로 본다. 이러한 어구 풀이에 바탕을 두고 다음과 같은 작품 해설이 작성된다.

거적장사(짚이나 새끼로 만든 자리 등을 팔러 다니는 사람)가 산비탈을 오르고, 산까마귀가 울고 날며, 도적개가 어슬렁거리며 따라가고 이스라치(앵두)와 머루가 전(무엇이 많이 모여 있는 곳)을 이루며, 수리취(엉거시과 다년생 풀), 땅버들의 복(하이얀 솜털)이 펼쳐지지만 자기 이외에는 사람이 없다. 그래서 쓸쓸하다 못해 서러운 느낌을 불러일으키는 것이다.***

그런데 김영배는 "거적장사"를 "지게에 거적대기를 덮어 지내는 초라한 장사葬事"로 풀이했다. 그러니까 어린아이가 죽었거나 가족 없는 행려병자가 죽었을 때 거적에 말아서 땅에 묻는 간소한 장사로

---

* 　송준,『백석시전집』, 학영사, 1995, 240쪽. 여기에 대해 이명찬은 아무리 궁핍한 시대일망정 거적을 사고팔 수는 없는 것이니 거적을 팔러 다니는 사람으로 읽는 것은 오독이라고 잘라 말했다. (이명찬,『1930년대 한국시의 근대성』, 소명출판, 2000, 98쪽.)
** 　송준, 앞의 책, 259·281쪽.
*** 　김영익,『백석 시문학 연구』, 충남대학교 출판부, 2000, 152쪽.

풀이한 것이다. 그리고 이스라치전과 머루전의 '전'을, 앞의 해석에서는 '전麲'으로 본 데 비해, 그는 제사상에 쓰는 '전煎'으로 보았다.[*] 이렇게 되면 "하이얀 복"은 '소복'의 뜻으로 풀이될 수 있다.

그러면 이처럼 상이한 두 가지의 해석 중 어느 것이 시적 문맥에 부합하는가를 생각하지 않을 수 없다. 이 시가 단순히 거적을 파는 장사가 혼자 걸어가는 쓸쓸한 길을 묘사했다고 보기에는 '쓸쓸함'과 '서러움'의 부피가 상당히 크게 느껴진다. 그리고 "아– 따르는 사람도 없이 쓸쓸한 쓸쓸한 길이다"에 제시된 탄식의 밀도에 부합하는 내용이 이어져야 할 것이다. 수리취와 땅버들의 흰 솜털을 서럽게 받아들이려면 거기 상응하는 의미 내용도 제시되어야 한다. 또 거적 장사를 따르는 사람이 아무도 없고 개 한 마리가 따라간다는 설정도 자리를 파는 장사의 경우라면 서러울 것이 별로 없으나 거적 덮은 초라한 장사의 경우라면 충분히 슬픔을 유발할 만하다. 이렇게 해석하면 수리취나 땅버들의 흰 솜털을 소복으로 표현한 것은 화자의 정서가 투입된 특색 있는 표현으로 설명할 수 있다. 요컨대 "거적장사"를 "거적을 덮어 지내는 초라한 장사"로 볼 때 시의 문맥이 더 확실해지고 전후 상황에 의한 의미의 합리적인 해석이 가능해진다.

그런데 거적장사를 초라한 장사로 해석하는 경우에도 "이스라치전"과 "머루전"을 이스라치나 머루를 넣고 부친 전煎으로 풀이하는 것은 어울리지 않아 보인다. 거적장사를 치르는 마당에 화전花煎을 떠올리는 것은 매우 불합리하기 때문이다. 수리취와 땅버들에 하얀 솜

* 김영배, 「백석 시의 방언에 대하여」, 『한실이상보박사 회갑기념논총』, 형설출판사, 1987, 664쪽.

털이 돋아 있고 동풍이 설렌다고 한 것으로 보아 계절은 봄철이므로 이스라치나 머루는 열매의 형태가 아니라 꽃의 형태로 피어나 있을 것이다. 초라한 거적장사가 산비탈을 오르는데 양 옆에는 산앵두꽃과 머루꽃이 피어 있다. 그것을 보고 거적장사를 치르는 처지라 이렇다 할 전물奠物도 없을 터인데, 산길 옆에 피어 있는 이 꽃들이 망자를 위해 전을 차려 준 것인가 하는 상상을 할 수 있을 것이다. "이스라치전이 드나 머루전이 드나"를 그런 식으로 해석하면 인간적 정감이 진하게 스며 나온다. 따르는 사람 아무도 없이 산까마귀만 음산하게 우지짖고 개 한 마리 어정어정 따라가는 장사지만 자연은 망자를 위해 이런 은전을 베풀어 주는 것이다. 그것에 호응하듯 수리취와 땅버들도 망자를 위해 하얀 소복을 입고 있다고 상상한 것이다. 이렇게 긍정적인 상상을 해 보지만 상주 없는 쓸쓸한 장사는 역시 서러움을 불러일으킨다. 오히려 그러한 상상이 더 슬픔을 일으키는 듯도 하다. "서러웁다"라는 말은 그런 심정을 단적으로 표현한 것이다.

잠시 산앵두꽃과 산머루꽃의 고운 빛깔과 수리취, 땅버들의 소복에 마음이 팔렸던 화자가 다시 정신을 수습해 보니 날은 뜨물같이 흐렸고 동풍은 수상하게 설렌다. 찌푸린 하늘을 뜨물에 비유한 것에서도 서민들의 생활 주변에서 흔히 볼 수 있는 사물로 정황을 비유하는 백석 특유의 '눌변의 미학'이 빛난다. 거적장사 치르는 마당에 세련된 서구적 이미지가 도입될 수는 없는 일이다. '동풍'은 김수영의 「풀」에서도 부정적인 의미로 쓰였지만, 백석도 이 한자어를 통해 부정적 상황을 표현했다. '마파람'이나 '봄바람'과는 달리 '동풍'이라는 음이 갖는 거센 음상이 부정적 의미로 이어지는 것 같다.

백석은 '쓸쓸한'과 '서러웁다'라는 형용사를 통해 마음의 상태를 표현하면서도 감정의 세부는 드러내지 않았다. 끝내 대상과 거리를 두고 정황의 묘사를 통해 간접 표현을 끌어갔다. 김기림이 일찍이 지적한 대로 백석은 "우리를 충분히 애상적이게 만들 수 있는 세계를 주무르면서도 그것 속에 빠져서 어쩔 줄 모르는 것이 추태라는 것을 가장 절실하게 깨달은 시인"이다. 뜨물같이 흐린 날과 설레는 동풍으로 시를 끝낼 뿐 그 이상의 군말은 덧붙이지 않음으로써 "주책없는 일련의 향토주의"*와 결별한 것이다.

* 김기림, 「'사슴'을 안고」, 『조선일보』, 1936. 1. 29.

석류

남방토南方土 풀 안 돋은 양지귀가 본이다
햇비 멎은 저녁의 노을 먹고 산다

태고에 나서
선인도仙人圖가 꿈이다
고산정토高山淨土에 산약山藥 캐다 오다

달빛은 이향異鄕
눈은 정기 속에 어우러진 싸움

———

- **양지귀**: 양지 바른 귀퉁이.
- **본이다**: 본고장이다. 태어나서 자라난 고장이라는 뜻.
- **햇비**: 해비. '여우비'(볕이 있는 날 잠깐 오다가 그치는 비)의 북한어.

—

『사슴』에 실린 대부분의 시가 어릴 때의 구체적인 사건을 회상하거나 구체적인 대상의 이미지를 제시하는 데 비해 이 시는 관념적이고 그래서인지 한자어의 사용도 많다. 시어에 멋을 부리려는 작위적인 의도도 보여서 이 시기 백석의 시로서는 상당히 이질적이다.

석류는 붉은 열매가 익으면 속살이 벌어지면서 수없이 많은 씨앗이 모습을 드러내는 속성 때문에 예로부터 시의 소재로 많이 등장했다. 특히 자신의 속마음을 드러내지 않고 인내 속에 사랑을 키워 가는 여인의 마음을 비유하는 사물로 많이 채용되었다. 그런데 이 시의 석류는 마치 난초처럼 정결하고 고고한 기품을 간직한 대상으로 의인화되고 있다.

1연의 1행은 석류의 원산지를 암시한 것이고 2행은 그것을 더욱 신비롭게 윤색한 장면이다. "풀 안 돋은 양지귀"라는 구절은 석류의 정결하고 고고한 속성을 암시하고 "노을 먹고 산다"라는 구절 역시 잡물을 접하지 않는 석류의 초월적 사태를 연상시킨다. 이러한 신비적 미화는 2연에서 "태고", "선인도", "고산정토", "산약" 등의 말에 의해 복고적 신비화의 차원으로 상승한다. 이 네 단어는 모두 관념적 내포가 강한 말이어서 석류에 신비화의 원광이 둘러싸이면서 정체는 더욱 모호해진다. 석류라는 식물에 이렇게 심원한 신비의 원광을 두르는 이유가 무엇인지 이해가 되지 않을 정도다.

저녁노을이 사라지고 달빛이 물드는 것은 당연한 일이다. "달빛은 이향異鄕"이라고 한 것은 남방토가 본고장이라는 말을 다시 상기시킨다. 달빛이 석류가 꿈꾸는 먼 이향의 신비로움을 환기하는 것 같다는 의미라면 마지막 행의 "눈"은 누구의 눈일까? 석류를 보는 화자의 눈인가, 아니면 달빛에 빛나는 석류의 눈일까? 처음부터 석류를 의인화했으니 달빛 속에 반짝이는 석류의 눈이 있다고 해도 어색한 해석은 아니다. "눈은 정기 속에 어우러진 싸움"이라고 했으니 '생기 있고 빛나는 기운'이 달빛 속에 광채를 발하며 달빛과 어울려 분주히 움직이는 모습을 연상시킨다.

　작품의 전후 문맥을 고려하여 의미를 재구성하면, 달빛은 남방의 이향 같은 신비로운 정황을 펼쳐 내는데 거기서 석류는 자신의 본향을 찾아내려는 듯 정기 어린 눈을 바삐 움직인다는 뜻을 얻어 낼 수 있다. 물론 이와는 다른 해석도 가능할 것이다. 이 대목의 해석상의 난점은 시어의 다의성 때문이 아니라 표현의 모호함에 그 원인이 있다. 이 시의 이질성이 어디서 발원한 것인지는 알 수 없다. 어느 시기의 작품인지는 알 수 없지만, 이 시에서 우리는 관념적 경향과 표현상의 모호함을 마주하게 된다.

머루 밤

불을 끈 방 안에 횃대의 하이얀 옷이 멀리 추울 것같이

개방위方位로 말방울 소리가 들려온다

문을 연다 머루 빛 밤하늘에
송이버섯의 내음새가 났다

———

- **횃대**: 옷을 걸 수 있게 만든 막대.
- **개방위方位**: 술방戌方. 이십사방위의 하나로 정서正西에서 북쪽으로 15도에서 30도 각도 안의 방향이다. 서북서에 해당하는 방위다.

———

제목 "머루 밤"의 뜻은 시의 문맥 속에 제시되어 있다. "머루 빛 밤하늘"이 그것이다. 잘 익은 머루 열매는 검은 자줏빛을 보이는데, 완

전히 검지 않고 보랏빛 기운이 감도는 그 색깔은 매우 강한 흡인력을 갖는다. "머루 같은 눈동자"라는 관습적 표현도 거기서 나왔다. 송이 버섯의 냄새가 난다고 했으니 계절은 가을이다. 기온이 섭씨 19도 이하로 내려가야 버섯의 균사에서 버섯이 발생하기 때문에 보통 9월이나 10월 추석을 전후하여 송이버섯이 많이 산출된다. 청명한 가을의 밤하늘이니 싱그러운 머루 빛을 띠는 것은 당연하다. 횃대에 걸린 하얀 옷이 춥게 느껴진다는 1연의 내용도 계절감을 고려하면 이해가 된다.

그런데 "멀리 추울 것같이"의 '멀리'는 왜 들어갔을까? 불을 껐으니 횃대에 걸린 흰옷이 멀리 떠 있는 것처럼 느껴진 것일까? 아니면 그 옷을 벗어 놓고 먼 곳으로 길을 떠난 어떤 사람의 모습이 떠올라 그 사람이 가을밤에 추워하지 않을까 걱정하는 심정을 담아낸 것일까? 이어지는 내용으로 볼 때 길 떠난 사람을 떠올렸다는 것이 문맥에 맞는 것 같다. 개방위에서 말방울 소리가 들려왔고 그 소리에 화자가 방문을 열어젖혔기 때문이다. 기다리는 사람이 없다면 그런 행동을 할 리가 없다. 이용악의 「두메산골 4」이라는 짧은 시는 "소곰토리 지웃거리며 돌아오는가/열두 고개 타박타박 당나귀는 돌아오는가/방울소리 방울소리 말방울소리 방울소리"의 3행으로 되어 있는데, 여기 나오는 말방울 소리는 소금을 나르는 당나귀에서 나는 소리다. 이 시의 화자 역시 방울 소리를 듣고 장사 나갔던 사람이 돌아온다는 사실을 알게 되는 것이다.

그런데 백석의 시에서는 말방울 소리가 일종의 환청이었던 것 같다. 서북쪽 어디선가 말방울 소리가 들렸던 것 같은데 정작 문을 열어 보니 머루 빛 밤하늘만 보이고 어디선가 짙게 익어 가는 송이버섯의 냄새만 풍겨 온다. 머루 빛 밤하늘은 찬란하고 송이버섯의 냄새는 향기롭기 그지없다. 가슴을 저릿하게 누르는 머루 빛 밤하늘의 시각과 송이버섯 냄새의 후각은 서로 엇갈리며 가을밤의 정취를 조성하지만, 돌아와야 할 사람이 돌아오지 않는다는 점에서 그것은 적막감을 고조하는 역할을 한다. 어두운 방의 횃대에 추울 것처럼 걸려 있는 흰옷의 임자는 아직 돌아오지 않은 상태다.

이러한 정감의 이해는 이 시를 한 번 읽어서는 이루어지지 않는다. 몇 번이고 읽어 가을밤의 심연으로 스며들듯 이 시의 정황 속으로 깊숙이 젖어 들어갈 때 비로소 그러한 풍경의 고적과 부재의 공허가 감지된다. 백석은 이 짧은 시의 배면에 과감한 생략의 어법으로 정감의 수맥을 서려 넣었다.

여승女僧

여승은 합장하고 절을 했다
가지취의 내음새가 났다
쓸쓸한 낯이 옛날같이 늙었다
나는 불경佛經처럼 서러워졌다

평안도의 어느 산 깊은 금점판
나는 파리한 여인에게서 옥수수를 샀다
여인은 나어린 딸아이를 때리며 가을밤같이 차게 울었다

섶벌같이 나아간 지아비 기다려 십 년이 갔다
지아비는 돌아오지 않고
어린 딸은 도라지꽃이 좋아 돌무덤으로 갔다

산꿩도 섧게 울은 슬픈 날이 있었다
산절의 마당귀에 여인의 머리오리가 눈물방울과 같이 떨어진 날
이 있었다

- **가지취**: 참취.「가즈랑집」에도 나온 시어다.
- **금점판**: 금광의 일터.
- **파리한**: 몸이 마르고 낯빛이나 살색이 핏기가 없는.
- **섶벌**: 일벌. 나무나 풀숲에서 흔히 보는 벌.
- **머리오리**: 머리올. 머리카락.

앞의 시들과는 달리 이 작품은 감정의 노출이 매우 빈번하다. "쓸쓸한", "서러워졌다", "울었다", "섧게 울은 슬픈 날", "눈물방울" 등 비애감을 표현하는 단어들이 많이 반복되었다. 이것은 다음에 수록된 「수라修羅」도 마찬가지다. 이 두 작품은 화자의 연민과 비애를 감추지 않고 그대로 드러내고 있다. 또 한 가지 특이한 것은 아무리 소박한 비유가 백석의 전유물이라고 하지만 이 작품에는 습작기의 티를 벗어나지 못한 어색한 표현이 그대로 노출된다는 점이다. 가지취의 냄새가 났다든가, 옛닐같이 늙었다든가, 불경처럼 서러워졌다든가, 가을밤같이 차게 울었다든가 하는 표현은 '눌변의 미학'이라는 이름으로 합리화하기 어려울 정도로 상투적이고 관념적이다. 이러한 감상성 노출과 상투적 표현에도 불구하고 이 시가 어느 정도 격조를 유지하게 된 것은 이야기의 시간적 순서를 변형한 압축적 구성 때문이다.

1연은 우연히 만난 여승이 합장을 하고 절을 하는 장면으로 시작한다. 독자인 우리는 이 장면에 호기심을 갖게 된다. 그 여승에게서 풋풋한 가지취의 냄새가 난다고 하니 호기심은 더욱 강화된다. 가지취의 냄새에서 연상되는바, 그윽하고 정갈하게 생각했던 그 여승의 얼굴은 뜻밖에도 매우 쓸쓸해 보이고 오랜 세월의 여파가 스쳐 간 것처럼 깊은 주름이 드리워 있다. 화자는 그 모습을 보고 "불경처럼 서러워졌다"라고 했는데 이 표현은 여러 가지 의미를 떠오르게 한다. 첫째로, 「미명계」에 "어데서 서러웁게 목탁을 뚜드리는 집이 있다"라는 구절이 나오는 것처럼 불경을 염송하는 소리에서 연상되는 서러움을 느꼈다는 뜻으로 풀이할 수 있다. 둘째로, 여승이 되어 속세의 번뇌에서 벗어나려고 수시로 불경을 염송할 것이니 그러한 인고의 노력에 대한 안타까운 마음을 표현한 것으로 해석할 수도 있다.

여승의 내력은 다음 연에서 비교적 소상히 피력된다. 아주 오래전 평안도 금광 부근을 지날 때 거리에서 옥수수를 팔던 파리한 여인이 있었다. 그 여인에게서 옥수수를 샀는데 여인은 어린 딸아이가 보채자 그 아이를 때리며 스스로 참담한 생각이 들어서인지 "가을밤같이 차게 울었"던 것이다. 그들의 가혹한 운명을 자책하듯 차갑게 울던 그 비탄 어린 장면을 화자는 기억하고 있다.

이어지는 3연과 4연은 여승에게 들은 파란의 사연일 것이다. 여인의 남편은 꿀을 찾아다니는 벌처럼 어디론가 나가서 십 년이 지나도록 돌아오지 않았다. 금점판에 나가 옥수수 행상을 한 것은 금광촌에 사람들이 많이 오가고 돈이 유통되는 곳이어서 행상하기에 적합했기 때문이지, 남편을 찾기 위한 것은 아니었을 것이다. 만일 남편이 금광으로 갔다면 남편을 찾아 금점판을 전전했다든가 하는 어구가 들어갔을 터인데 화자는 그냥 "지아비 기다려 십 년이 갔다"라고만 했다. 결국 남편은 돌아오지 않고 딸아이는 세상을 떠났다. 어린 딸의 죽음을 직접 말하지 않고 "도라지꽃이 좋아 돌무덤으로 갔다"라고 한 데서 어린 생명의 죽음에 대한 처연한 슬픔을 삭이려는 태도를 엿볼 수 있다.

모든 것을 잃은 여인은 속세의 인연을 끊고 입산하여 여승이 된 것이다. 이 시의 초점은 마지막 연의 비애감에 수렴된다. 이 시에 대해 가족이 붕괴될 지경에 이른 당시의 농촌 현실을 실감 나게 표현한 것이라는 해석이 나오기도 했다. 그러나 모든 선입견을 배제하고 이 시를 읽으면, 생의 고초를 겪은 후 여승이 된 한 여인의 기구한 운명과 그 여인에 대한 화자의 동정과 연민에 시상이 집약된다는 것을 알 수 있다. 그 슬픈 운명에 산꿩도 설게 울었으며 여인의 머리올이 잘려 떨어질 때 슬픈 눈물방울도 함께 마당에 떨어졌다. 이런 비련의 과거사를 알고 나니 왜 여승의 "쓸쓸한 낯이 옛날같이" 늙어 보였는지 이해가 된다. 인생의 우여곡절과 삶의 무상함을 생각하니 "불경처럼 서러워졌다"라는 구절의 의미도 가슴에 다가온다.

수라修羅

거미 새끼 하나 방바닥에 내린 것을 나는 아무 생각 없이 문밖으로 쓸어 버린다
차디찬 밤이다

어느젠가 새끼 거미 쓸려 나간 곳에 큰 거미가 왔다
나는 가슴이 짜릿한다
나는 또 큰 거미를 쓸어 문밖으로 버리며
찬 밖이라도 새끼 있는 데로 가라고 하며 서러워한다

이렇게 해서 아린 가슴이 삭기도 전이다
어데서 좁쌀알만 한 알에서 가제 깨인 듯한 발이 채 서지도 못한 무척 작은 새끼 거미가 이번엔 큰 거미 없어진 곳으로 와서 아물거린다
나는 가슴이 메이는 듯하다
내 손에 오르기라도 하라고 나는 손을 내어미나 분명히 울고불고 할 이 작은 것은 나를 무서우이 달아나 버리며 나를 서럽게 한다
나는 이 작은 것을 고이 보드라운 종이에 받아 또 문밖으로 버리며

이것의 엄마와 누나나 형이 가까이 이것의 걱정을 하며 있다가
쉬이 만나기나 했으면 좋으련만 하고 슬퍼한다

—

- **수라修羅**: 불교의 육도六道의 하나로, 싸움을 잘하는 귀신이 모여 사는 곳, 혹
  은 그 귀신. 이 시에서는 삶의 고통스러운 국면을 비유하는 시어로 쓰였다.
- **어느젠가**: 어느 사이엔가.
- **아린**: 마음이 몹시 고통스러운.
- **삭기도**: '삭다'는 "긴장이나 화가 풀려 마음이 가라앉다"라는 뜻.
- **가제**: 갓. 이제 막.
- **무서우이**: 무섭게 여겨. '무섭+이'의 형태로 보인다.

—

앞의 「여승」이 남편과 딸을 잃고 여승이 된 가련한 여인에 대한 감
정을 닦은 것처럼 이 시도 가족을 잃고 헤매는 거미에 대한 연민의
감정을 표현했다. 감정 노출의 정도는 「여승」보다 더 강화되어 있다.
제목으로 사용된 "수라"는 '아수라阿修羅'의 준말이다. '아수라'는 불
교에서 온 용어인데, 싸우기를 좋아하는 귀신을 일컫는 말로 이 귀신
이 모여 싸움을 벌이는 것처럼 혼란스럽고 어수선한 곳을 아수라장
이라고 한다. 백석은 원래의 말뜻을 변형시켜 혈육이 헤어져 만나지
못하고 헤매는 비극적인 삶의 단면을 "수라"라고 표현했다. 표면적으
로는 거미의 이야기를 들려주었지만, 사실은 우리 모두가 이런 상황

에 놓여 있다는 생각을 갖고 있는 듯하다.

시인은 동심으로 돌아가 거미를 사람같이 대하며 연민의 정감을 펼쳐 냈다. 시의 문맥을 보면 거미와의 동질감이 처음부터 생긴 것은 아니다. 처음에는 "아무 생각 없이" 거미를 문밖으로 쓸어 버렸다. 차디찬 밤이라는 생각도 그때는 그렇게 심각하게 하지 않았던 것 같다. 그런데 큰 거미가 나타난 것을 보고 화자는 비로소 혈육의 흩어짐에 가슴 아파하며 자책의 심정을 갖는다. 이어서 화자는 알에서 갓 깬 듯한 새끼 거미를 발견하고 혈육을 잃은 그들의 고통을 더욱 크게 느끼며 슬퍼한다. 앞서 새끼 거미를 밖으로 버린 것에 더하여 어미 거미마저 밖으로 내보내 이 연약한 새끼 거미를 혼자 떨어지게 한 데 대한 깊은 자책이 새끼 거미에 대한 극진한 보호의 태도로 전환된다. "고이 보드라운 종이에 받아"라는 조심스러운 동작은 어린 거미를 보호하고 싶어 하는 화자의 정성 어린 마음을 드러낸다. 차디찬 밤이지만 "엄마와 누나나 형"을 만나는 것이 따뜻한 방에 있는 것보다 훨씬 나은 일이라는 생각도 드러내고 있다. 우리는 여기서 화자인 시인이 어린 거미를 자신의 분신으로 받아들이고 있음을 알 수 있다.

"가슴이 짜릿한다", "서러워한다", "가슴이 메이는 듯하다", "서럽게 한다", "슬퍼한다" 등의 단어가 연속적으로 반복되면서 비애의 감정을 강화하는 것은 『사슴』에서 이 시가 거의 유일한 예이다. 이러한 감정 표현의 어조가 시집 이후의 작품에는 더러 나타나지만, 『사슴』의 시편들은 그야말로 "거의 철석鐵石의 냉담에 필적하는 불발不拔한 정신을 가지고 대상과 마주선다"라고* 한 김기림의 평에 부합하는 미적 거리를 유지하고 있다. 그런 점에서 이 작품은 분명 예외적인 모습을 보인다. 이렇게 감정 표현의 어조가 두드러진 점은 바로 이 시의 새끼 거미가 시인 자신의 분신이며, 거미에 대한 연민은 자신에 대한 연민이라는 해석을 가능하게 한다. 백석은 자신을 엄마와 형제를 잃고 헤매는 가련한 존재로 본 것이다. 타자에 대한 동정은 자신에 대한 연민으로 전환된다. 이 시의 감상적인 어조를 그렇게 이해할 수 있다.

* 김기림, 「'사슴'을 안고」, 『조선일보』, 1936. 1. 29.

비[*]

아카시아들이 언제 흰 두레방석을 깔았나
어데서 물큰 개비린내가 온다

———

- **두레방석:** 짚이나 부들 따위로 둥글게 엮은 방석.
- **어데서:** 『조광』 발표본의 "어디로부터"가 수정됨.
- **물큰:** 냄새가 한꺼번에 확 풍기는 모양.
- **개비린내:** 비가 내릴 때 흔히 나는 비릿한 흙냄새.

———

두레방석의 '두레'는 '두르다'에서 왔을 것이다. 농촌에서 여러 사
람이 둘러앉아 먹는 음식을 두레라고 하며, 둥근 켜로 된 덩어리를 두
레라고 하는 데서 어원을 짐작할 수 있다. 지금은 두레방석을 사용하
는 사람이 거의 없지만, 백석이 살았던 시기의 농촌 지역에서는 쉽게

* 『조광』 1권 1호(1935. 11.)에 발표한 것을 재수록했다.

접할 수 있는 생활용품이었을 것이다. 그래서 아카시아꽃이 나무 아래 둥글게 떨어진 모양을 보고 두레방석을 떠올렸다. 두레방석은 대개 짙은 갈색인데 아카시아꽃은 희니까 흰 두레방석이라고 했다.

여기서 아카시아를 의인화하여 "아카시아들이 언제 흰 두레방석을 깔았나" 하고 의문형을 구사한 점이 재미있다. 사실은 빗방울이 떨어져 꽃잎을 떨어뜨린 것인데 아카시아가 누군가를 맞이하기 위해 흰 두레방석을 깔았다고 생각한 것이다. '들'이라는 복수형을 썼으니 아카시아가 군집을 이루고 있음을 알겠고, 각각의 아카시아마다 흰 꽃이 떨어져 있으니 그 모습이 볼만하리라는 사실도 짐작할 수 있다. 그러나 화자는 장면의 아름다움에 대해서는 직접 말하지 않고 그저 '들'이라는 복수 접미사와 "흰 두레방석"이라는 사물을 통해 경관의 이채로움을 암시했다. "언제"라는 말은 이러한 자연의 변화가 단시간에 일어난 것임을 알려 준다. 비가 오는가 했더니 어느 사이에 아카시아 여기저기에 둥근 꽃 둘레가 형성된 것이다.

아카시아꽃은 향기가 강하다. 이렇게 아카시아꽃이 많이 떨어져 있다면 아카시아 향이 밀려온다고 할 수도 있었을 터인데 백석은 "물큰 개비린내가 온다"라고 썼다. 이것은 자연 현상에 부합하는 서술이다. 그러니까 백석은 머리로 정경을 떠올리며 시를 쓴 것이 아니라 현장에서의 감각을 그대로 언어로 옮겨 놓은 것이다. 아카시아꽃이 나무에 달려 있을 때는 냄새가 강하지만 일단 땅에 떨어지면 향기는 사라진다. 더군다나 비가 내려 나무 기둥이 젖고 떨어진 꽃잎도 젖어 습기에 토양과 자연물이 들뜨게 되면 특유의 비릿한 냄새가 솟아나게 된다. 이것은 아카시아 향을 압도할 정도로 코에 자극을 주기 때문에 백석은 "물큰"이라는 강한 느낌의 부사를 채용했다.

제목을 "비"로 설정했을 뿐 비가 온다는 얘기는 전혀 하지 않고 흰 두레방석과 개비린내를 통해 비 오는 날의 특징을 잡아낸 백석의 감각이 놀랍다. 백석은 이처럼 정경의 외관을 묘사하여 이미지를 구성하는 데에도 능숙한 솜씨를 보여 주었다.

노루

산골에서는 집터를 치고 달구를 닦고
보름달 아래서 노루고기를 먹었다

―

- **치고**: 논이나 물길 따위를 만들기 위해 땅을 파내거나 고르고.
- **달구**: 땅을 단단히 다지는 데 쓰는 기구.
- **닦고**: 건물 따위를 지을 터전을 평평하게 다지고. 표준어에 맞는 어법은 '달구
  로 닦고'다.

―

어느 산골에서 집을 새로 짓는지 땅을 파내서 고르게 하고 달구를
이용하여 땅을 단단히 다지는 일을 한다. 이렇게 일을 한 날 밤에는
환한 보름달 아래서 노루고기를 먹었다고 했다. 전통적 방식의 노동
현장을 통해 평북 지역 산골의 토속성을 드러내려고 했다.

이런 단순한 내용도 시가 될 수 있을까 하는 생각이 들 것이다. 이
시의 요체는 "산골"이라는 말에 있다. 문명의 손길이 닿지 않는 산골

에서는 직접 집터를 다져 집을 짓고 그렇게 힘들여 일한 다음에는 그 전에 잡아 놓은 야생 노루의 고기를 먹어 기력을 회복한다는 것이다. 등잔불 대신 보름달 빛에 의지하여 노루고기를 먹는 산골 사람들의 생활상이 간략하게 소개되어 있다. 요즘 현대식 공동주택에 사는 사람들에게는 매우 낯선 장면일 텐데, 1930년대 중반 서울에서 생활하는 백석에게도 이채로운 장면으로 기억에 남아서 시로 표현했을 것이다.

절간의 소 이야기*

병이 들면 풀밭으로 가서 풀을 뜯는 소는 인간보다 영靈해서 열
걸음 안에 제 병을 낫게 할 약이 있는 줄을 안다고

수양산首陽山의 어느 오래된 절에서 칠십이 넘은 노장은 이런 이
야기를 하며 치맛자락의 산나물을 추었다

———

- **영靈해서**: 신령스러운 능력이 있어서.
- **노장老長**: 나이든 중을 높여서 부르는 말.
- **추었다**: 추렸다.

* 「절간의 소 이야기」에서 「삼방三防」까지 "국수당 넘어"라는 소제목으로 묶여 있다. '국수당'은
'서낭당'의 별칭으로, 마을을 지키는 동신洞神을 모신 국사당國師堂이 변형된 말로 짐작된다. 「오
금덩이라는 곳」에 나오는 "국수당 돌각담의 시무나무 가지에"라는 구절과 관련지어 소제목을 정
했을 것이다.

수양산은 황해도에 있는 산이다. 해발 899미터라 하니 비교적 높은 산이다. 그 산에 있는 오래된 절에서 하루를 묵을 때 칠십 넘은 노장이 한 말을 소개한 시다. 높은 산, 오래된 절, 늙은 노장은 백석이 애호하는 대상이다. 백석은 그렇게 멀리 떨어져 있고 나이 들고 오래된 것에 애착을 느낀다. 공간적으로 현실 세계와 격리되고 시간적으로 오랜 축적의 과정이 쌓인 곳에서 진정한 지혜가 형성된다고 믿는다. 자연과 인생의 깊은 예지를 갖춘 듯한 노장은 그러나 그렇게 대단한 일을 하고 있지는 않다. 치맛자락에서 산나물을 추리고 있을 뿐이다. 여기서 치맛자락이란 승려의 의복인 장삼을 지칭한 것이지 이 노장이 여승이란 뜻은 아닐 것이다. 절에서는 모든 승려가 가사를 분담하기 때문이다.

노장의 입을 통해 화자가 들려준 이야기도 그렇게 새로운 내용은 아니다. 모든 동물은 자신의 자생적 치유력을 갖고 있고 초식동물인 소가 자신에게 약이 될 만한 풀을 스스로 찾아낸다는 얘기는 널리 알려져 있다. 시골에서 성장한 백석이 이런 이야기를 처음 들었을 리가 없다. 그러나 화자는 그것을 매우 신기한 이야기인 것처럼 전달했다. 여기에는 문명과 자연을 대립적으로 보는 시인의 의도와 의식이 담겨 있다. 문명의 진화를 중시하는 사람들은 자연 상태 그대로 있는 것을 야만이라고 여긴다. 그러나 근대 문명의 지식으로 찾아내지 못하는 약을 소는 본능적으로 찾아낸다. 자연은 그 나름의 합리적 요소를 내장하고 있다는 뜻이다. 즉 인간 문명의 근대성과는 다른 차원의 섭리가 자연에 존재한다는 논리가 깔려 있다. 칠십 넘은 노장의 말이기에 문맥에 더 어울린다. 백석 시 전편에 흐르는 반근대적 지향이 하나의 이야기로 제시된 작품이다.

통영*

    옛날엔 통제사가 있었다는 낡은 항구의 처녀들에겐 옛날이 가지 않은 천희千姬라는 이름이 많다

    미역 오리같이 말라서 굴 껍질처럼 말없이 사랑하다 죽는다는

    이 천희의 하나를 나는 어느 오랜 객줏집의 생선 가시가 있는 마루방에서 만났다

    저문 유월의 바닷가에선 조개도 울 저녁 소라 방등이 불그레한 마당에 김 냄새 나는 비가 내렸다

———

- **미역 오리:** 미역 줄기.
- **소라 방등:** 소라 껍질로 만든 등잔.

* 『조광』 1권 2호(1935. 12.)에 발표한 것을 재수록했다. '뜰'이 '마당'으로, '실비'가 '비'로 교체되었다.

—

　이 시는 백석에게 "낡은 항구"로 비친 통영의 인상적 단면을 묘사했다. "저문 유월"이라고 했으니 여름철 비 내리는 계절에 통영을 방문한 것이다. 통영은 '통제사의 병영'이라는 뜻이다. 이 지명은 이순신 장군이 1592년 한산도 대첩의 승리로 1593년에 3도 수군통제사를 맡아 이 지역에 병영을 둠으로써 성립되었다. 한때 3도 수군통제사의 병영이 있었던 이곳은 백석이 방문했던 1935년에는 옛 이름만 전설처럼 남은 낡은 항구의 모습으로 남아 있었다.

　그곳에는 "천희"라는 예스러운 이름을 가진 처녀가 많은데, 그들은 미역 줄기처럼 마르고 굴 껍질처럼 부서져 사라진다 해도 그때까지 말없이 사랑을 바치는 헌신적 사랑의 소유자들이라는 것이다. 그 지독한 사랑의 주인공을 어느 오래된 객줏집에서 만났다는 것인데, 그 마루방에 생선 가시가 있다고 한 것으로 볼 때 항구 도시의 다소 어수선한 객줏집인 것을 알 수 있다. 소라 껍질로 만든 등잔에 희미한 불이 켜져 있고, 김 냄새를 풍기는 비가 축축하게 내리는 분위기는 비극적 사랑의 결말을 예고하는 배경 같기도 하다. "바닷가에선 조개도 울을 저녁"이라는 표현도 우수와 비애의 정조를 조성한다. 그 비애의 정조는 천희라는 여인의 비극적 사랑과 호응한다.

　그러면 여기 등장하는 "천희"가 백석이 사모했다는 박경련이라는 여인인가? 송준과 박태일은 모두 박경련에 대한 관심이 투영된 작품으로 보았으나, 그렇게 보기에는 무리가 있다. 그 사람을 그리워하는 내용이라면 당연히 긍정적인 심상으로 제시되었을 것이다. 그런데 이 시에 등장하는 "천희"는 오래된 객줏집 생선 가시가 있는 마루방에서 손님을 맞이하는 여인이다. 그 여인이 자신을 그런 비극적 사랑의 주인공이라고 고백했는지는 알 수 없으나 화자는 그런 여인의 하나인 것처럼 서술했다. 그 여인이 경성에서 고등보통학교를 다니는 18세 처녀의 표상이 될 수는 없다.

오히려 이 시의 분위기는 『사슴』에 수록된 「가키사키柿崎의 바다」와 맥이 통한다. '柿崎'(가키사키)는 일본 도쿄 근처 이즈 반도 남단에 있는 항구의 이름이다. 이 시에는 비가 내리는 우울한 항구의 풍경을 배경으로 저녁상을 받고도 참치 회를 먹지 못하는 "가슴 앓는 사람"이 나온다. 그는 새벽달같이 해쓱한 얼굴의 처녀를 바라보다가 "미역 냄새 나는 덧문을 닫고 버러지같이" 자리에 눕고 마는 것이다. 일본 유학 시절 목격한 장면이 시상의 모티프가 되었는지는 모르겠으나 비극적 사랑의 분위기를 담아냈다는 점에서 "미역 오리같이 말라서 굴 껍질처럼 말없이 사랑하다 죽는다는" 천희의 모습과 통한다. 그런 비극적 정조를 조성하기 위해 "조개도 울을 저녁", "소라 방등이 불그레한 마당", "김 냄새 나는 비" 등의 소재가 동원되었다. 젊은 시절 흔히 있을 수 있는 감상적인 사랑의 정조를 반영한 작품으로 보는 것이 옳을 것이다.

오금덩이라는 곳

  어스름 저녁 국수당 돌각담의 시무나무 가지에 여귀의 탱을 걸고
나물 메 갖추어 놓고 비난수를 하는 젊은 새악시들
  ─잘 먹고 가라 서리서리 물러가라 네 소원 풀었으니 다시 침노
말아라

  벌개늪역에서 바리깨를 뚜드리는 쇳소리가 나면
  누가 눈을 앓아서 부증이 나서 찰거머리를 부르는 것이다
  마을에서는 피 성한 눈숡에 저린 팔다리에 거머리를 붙인다

  여우가 우는 밤이면
  잠 없는 노친네들은 일어나 팥을 깔이며 방뇨를 한다
  여우가 주둥이를 향하고 우는 집에서는 다음 날 으레이 흉사가
있다는 것은 얼마나 무서운 말인가

- **오금덩이:** 뜻을 알 수 없는 지명으로 '오금팽이'(오금이나, 오금처럼 오목하게 팬 곳을 낮잡아 이르는 말)와 관련된 뜻이 아닌가 짐작된다.
- **국수당:** '서낭당'의 별칭으로, 마을을 지키는 동신洞神을 모신 국사당國師堂이 변형된 말로 짐작된다.
- **돌각담:** 다듬지 않은 돌로 쌓아 올린 담.
- **시무나무:** 느릅나무과에 속하는 나무. 「너먼집 범 같은 노큰마니」에도 나오는 시어다.
- **여귀:** 여귀厲鬼는 '재앙이나 돌림병으로 죽은 사람의 귀신'을 통칭하는 말이지만, 여기서는 그냥 귀신을 지칭하는 말로 쓰였다.
- **탱:** 탱화는 부처, 보살, 성현들을 그려서 벽에 거는 그림을 뜻하는 불교 용어인데 여기서는 그냥 그림이라는 뜻으로 사용되었다.
- **나물 메:** 나물과 메(제사 때 신위 앞에 놓는 밥).
- **비난수:** 귀신에게 비는 소리.
- **서리서리 물러가라:** '서리서리'는 '뱀 따위가 몸을 둥그렇게 감고 있는 모양, 혹은 감정이 그렇게 복잡하게 얽혀 있는 모양'을 나타낸다. 서리서리 맺힌 한을 풀고 물러가라는 뜻이다.
- **벌개늪역:** 들판의 늪 언저리. '벌'은 '벌판', '벌논'처럼 평평한 땅을 의미하고, '역'은 '언저리'란 뜻이다.
- **바리깨:** 주발의 뚜껑. 「여우난골족」에도 나오는 시어다.
- **부증:** 부증浮症. 부종浮腫. 몸의 일부가 붓는 증상.
- **피 성한 눈숡:** 피 멍이 든, 혹은 핏발이 선 눈시울.
- **깔이며:** '깔려지게 하며'에 해당하는 말이니 '뿌리며'라는 뜻이다.

절간의 소 이야기를 들려주고 통영의 쓸쓸한 풍경을 보여 준 백석은 이번에는 문명의 세례를 받지 못한 궁벽한 곳의 토속적인 생활상을 소개하고 있다.

1연은 서낭당에서 젊은 여인들이 소원을 비는 장면을 보여 주었다. 서낭당은 원래 마을을 수호하는 신을 모시는 사당이었는데 시간이 가면서 개인적인 기복 신앙의 장소로 대중화되었다. 서낭당에는 보통 크고 작은 돌로 쌓아 올린 돌탑이 있거나 간단한 돌담이 있고 그 가운데 서낭목이 있는 것이 일반적인 형태다. 이 시의 첫 부분은 그러한 서낭당의 모습을 압축적으로 서술했다. 날이 어둑해지는 저녁 무렵 서낭목인 시무나무 나뭇가지에 귀신의 형상을 그려 놓고 간소한 제사상을 차려 놓고 젊은 여인들이 소원을 빌고 있다. 젊은 여인들은 자신들의 복을 비는 것이 아니라 제물을 올리고 귀신에게 물러나 달라는 액막이 기원을 하고 있다. 산골 사람들의 척박한 삶 속에서는 바로 앞에 닥친 재앙에서 벗어나는 것이 일차적인 소망이었을 것이다. "어스름 저녁"에 "서리서리 물러가라"라고 기원하는 여인들의 모습 자체가 어딘지 모르게 처량하게 느껴진다.

  2연은 문명 세계에서는 상상도 하기 힘든 토속적인 민간요법을 소개하고 있다. 동물의 피를 빨아먹는 거머리의 습성을 이용하여 나쁜 피를 제거하는 치료법이다. 치음에는 들판의 늪지 근처에서 주발 뚜껑을 두드리는 소리가 난다는 사실만 이야기하여 호기심을 자아낸다. 쇳소리를 듣고 모여드는 속성이 있는 거머리를 잡기 위해 그런 행동을 하는 것이다. 눈에 다래끼가 나서 벌겋게 부어오르거나 팔다리가 붓고 저리면 그곳에 거머리를 붙여 피를 빨아먹게 한다. 거머리가 병든 피를 빨아 먹으면 병이 낫는다고 믿기 때문이다. 거머리 치료법은 지금도 심심치 않게 소개되는데, 변변한 의료 시설이 없었던 당시의 산골 마을에서는 거머리 치료법이 돈 안 드는 효과적인 방법으로 통용되었을 것이다.

3연은 팥과 오줌에 관련된 축사逐邪의 의식이다. 여기서는 "팥을 깔이며"라는 말을 제대로 이해해야 한다. 여기서 '깔이며'는 '깔다'의 사동형 '깔이다(깔게 하다)'의 활용으로, '뿌리다'라는 의미로 해석된다. 산골에는 밤에 여우가 우는 때가 많은데 여우가 주둥이를 향하고 운 집에서는 다음 날 흉사가 생긴다는 불길한 속설이 있다. 그러니 밤에 여우 울음소리가 들리면 나이 많은 노인들은 더욱 불안한 생각이 든다. 그래서 밤에 일어나서 팥을 마당에 뿌려 깔면서 방뇨를 한다는 것이다. 이것은 팥이 지닌 축사의 기능을 이용하여 액운을 피하려는 주술적 행동이다. 민간 신앙에서는 팥을 뿌리는 것과 오줌을 누는 것이 둘 다 액운과 악귀를 몰아내는 축사의 기능을 가진다고 본다. 요즘도 집을 새로 짓거나 이사를 하는 경우에 지붕이나 방 여기저기에 팥을 뿌리는 것을 볼 수 있으며, 좋지 않은 일이 있을 때에 방뇨 대신에 소금을 뿌리는 것을 볼 수 있다.

과학적 견지에서 보면 여우가 주둥이를 향하고 운다고 해서 그 집에 흉사가 일어난다는 것은 근거 없는 속설이요, 오줌과 팥으로 흉사에 대처해 보겠다는 것도 비논리적인 유추다. 그러나 산골 마을 사람들은 정말로 그런 믿음을 가지고 하루하루를 살아갔다. "다음 날 으레이 흉사가 있다는 것은 얼마나 무서운 말인가"라는 마지막 구절은 마을 사람들의 노력이 결국은 무위로 끝나고 만다는 사실을 암시한다. 인간의 노력에도 불구하고 불행과 병고와 죽음이 찾아온다는 사실에 대한 두려움의 표현이다.

이 시의 각 연은 유사한 구조를 지니고 있다. 처음에는 사실을 제시하고 다음에 그것의 의미나 이유를 제시했다. 이것은 처음에 호기심을 유발한 다음에 그것을 풀어 주는 긴장의 고조와 이완의 역할을 한다. 동시에 그것은 이상하게 보이는 토속적 생활상을 이해의 차원으로 끌어올리는 기능도 한다.

이러한 소재를 시에 끌어들인 내적 동인을 이 시에서는 직접 찾기 힘들지만, 『사슴』에 수록된 여러 시편과 그 이후의 시편에 나타나는 토속적인 것에 대한 지속적인 관심으로 미루어 볼 때, 백석의 관심이 근대의 영향을 받기 이전의 세계에 향해 있었음을 알 수 있다. 1930년대 중반 일본 유학을 거친 신문사 기자로 근대의 중심지에서 생활하면서도 그의 관심은 전근대적인 토속적 세계를 향하고 있었던 것이다.

가키사키柿崎*의 바다

저녁밥 때 비가 들어서
바다엔 배와 사람이 흥성하다

참대창에 바다보다 푸른 고기가 꿰이며 섬돌에 곱조개가 붙는 집
의 복도에서는 배창에 고기 떨어지는 소리가 들렸다

이즉하니 물기에 누긋이 젖은 왕구새자리에서 저녁상을 받은 가
슴 앓는 사람은 참치 회를 먹지 못하고 눈물겨웠다

어득한 기슭의 행길에 얼굴이 해쓱한 처녀가 새벽달같이
아 아즈내인데 병인病人은 미역 냄새 나는 덧문을 닫고 버러지같
이 누웠다

---

* 우리말 한자음은 '시기'지만 '시기의 바다'라고 하면 원시의 의미가 전달되지 않기 때문에 '가
키사키의 바다'라고 적는다.

- **가키사키**崎柿: 일본 도쿄 아래쪽 이즈伊豆 반도 남단에 있는 해안 도시.
- **참대창**: 참대를 뾰족하게 깎아서 만든 꼬챙이.
- **곱조개**: 표면이 매끄럽고 광택이 있는 돌을 '곱돌'이라고 하는 것으로 미루어 표면에 광택이 있는 조개를 지칭한 것으로 짐작된다.
- **배창**: 선창船倉. 배 안 갑판 밑에 있는 바닥. 「꼴두기」에도 나오는 시어다.
- **이즉하니**: 시간이 꽤 지나서.
- **누긋이**: 누긋하게, 메마르지 않고 좀 눅눅하게.
- **왕구새자리**: 왕골자리.
- **행길**: 사람이 많이 다니는 큰 길.
- **아즈내**: '초저녁'의 방언.

가키사키는 도쿄 남서쪽에 있는 시즈오카현靜岡縣 이즈 반도 남단의 해안 도시 이름이다. 백석은 1930년에서 1934년까지 도쿄에 있는 아오야마 가쿠인靑山學院에 4년간 유학했고 졸업을 앞둔 시기에 이즈 반도 지역을 여행했다. 그 체험을 담아 조선일보 장학생들의 친목단체인 '이심회以心會'에서 발행한 회지에 산문 「해빈수첩海濱手帖」을 발표했다.*

이즈 반도 여행 체험은 시집 이후 발표작인 「伊豆國湊街道」(이즈노쿠니미나토 가도, 『시와 소설』, 1936. 3.)에도 투영되어 있다. 여행 중에 써 두었던 작품을 시집에 수록한 것인지, 아니면 그때의 기억을 떠올려 새로 쓴 것인지는 알 수 없지만, 외국의 풍물 체험을 표현할 때도 평

---

* 최원식, 「자료-해빈수첩 해제」, 『민족문학사연구』 22권, 민족문학사연구소, 2003, 350~355쪽.

북 방언을 구사하고 있는 점은 눈여겨볼 만하다. 시어로서의 방언 구사가 의도적인 방법론이 아니라 자연스러운 모국어의 발현으로 내면화되어 있음을 알 수 있다. 앞에서 본「통영」과 유사하게 항구의 풍경을 나타내고 있는데 비애의 정도는 더 고조되었다.

저녁 무렵을 군이 "저녁밥 때"라고 한 것은 저녁 항구의 풍성함을 나타내기 위함일 것이다. 날이 저물면 하루 일을 끝낸 어선이 항구에 들어오고, 값싸고 싱싱한 어물을 사기 위해 사람들이 항구로 몰려든다. 저녁 반찬거리를 직접 사기도 할 것이다. 거기에 비까지 뿌리니 사람들은 비를 피해 더욱 분주히 오고갈 것이다. 그렇게 배와 사람이 한꺼번에 모여들어 분주하고 떠들썩한 분위기를 연출하는 것을 "바다엔 배와 사람이 흥성하다"라고 간략하게 표현했다. 항구라는 말을 쓰지 않고 군이 '바다'라고 한 것도 넓은 바다 여기저기에 배가 들어오는 장면을 표현하려는 의도일 것이다. 삶의 활기가 넘치는 바다의 역동성을 보여 준다.

2연의 "바다보다 푸른 고기"라는 말도 바다의 역동성을 잘 나타낸다. 바다에는 배와 사람이 흥성할뿐더러 싱싱한 고기도 풍성해서 갓 잡은 고기는 바다보다 푸른빛을 띠고 있다. 그것을 참대를 깎아 창처럼 만든 긴 꼬챙이에 꿰어 둔 모습도 역동적인 신선감을 환기한다. 바다에 인접한 집의 섬돌에까지 곱조개가 올라와 붙어 있고, 그 집 복도에서 멀리 떨어진 배의 선창 밑판에 고기 떨어지는 소리를 들을 수 있다고 했으니, 그만큼 집과 항구가 인접해 있고 고기가 많이 잡힌다는 사실을 알 수 있다. 백석은 '대창'이라고 하지 않고 "참대창"이라고 하여 "푸른 고기"와 호응하는 대창의 싱싱함을 나타내려 했고, '조개'라 하지 않고 "곱조개"라는 말을 써서 구체적인 생동감을 표현하고자 했다. 이 부분을 율독해 보면 '참'과 '곱'이 붙음으로써 이 부분의 어조가 훨씬 생동감을 띠는 것을 느낄 수 있다.

여기까지 흥성거리는 바다 풍경을 보여 주던 화자는 3연과 4연에서 이와는 대조되는 슬픈 사연을 제시하면서 비애의 정조를 드러낸다. 이제 시간이 꽤 지나서 배가 정박하고 사람들도 흩어지자 사연 있는 사람들의 세부적인 움직임이 눈에 들어온 것이다. 저녁 바닷가에 비까지 내렸으니 습기가 사방에 배었을 텐데 물기에 누긋하게 젖은 왕골자리 위에서 저녁 밥상을 받은 사람이 있다. 그 정황부터가 예사롭지 않아서 우울한 느낌을 자아낸다. 저녁 밥상에 참치회가 올라왔는데 어떤 사연인지 그것을 먹지 못하고 눈물이 솟아나 밥상을 물린 것이다. "가슴 앓는 사람"이라는 말이 폐병이나 위장병을 앓는다는 뜻인지 그냥 마음이 아프다는 뜻인지 알 수 없지만, 자신의 고통 때문에 식사를 못 한 것은 사실이다. 그런 우울한 장면을 아무 설명 없이 보여 주었을 뿐 감정적 반응은 드러내지 않았다.

4연에서 화자의 시각은 해안에서 조금 떨어진 "어늑한 기슭의 행길"로 이동한다. 그곳은 사람이 다니는 길이기는 한데 어둡고 조금 외진 장소다. 그곳에 얼굴이 창백한 처녀가 새벽달같이 차갑고 쓸쓸한 모습을 드러낸다. 그 처녀가 행길에 서 있었다는 것인지, 파리한 얼굴만 내보였다는 것인지 판별하기 어렵다. 그 여인의 얼굴을 떠올리며 가슴 앓는 병자는 자리에 누웠다. "아 아즈내인데"라는 말은 아직 충분히 활동할 만한 초저녁인데 동작을 거두고 몸져누웠다는 슬픈 탄식이다. 여기에는 앞에 드러나지 않았던 감정적 반응이 노출된다. "버러지같이 누웠다"라는 말은 병든 사람의 상태가 그리 희망적이지 않아 결국은 벌레처럼 비천한 상태로 생을 마감하게 될 것이라는 예감을 전달한다.

그러면 3연과 4연의 두 사람은 어떤 관계일까? 시에는 두 사람의 연관성에 대한 언급은 없다. 상상력을 넓게 발동시켜 보면, 가슴 앓는 사람이 사모하는 여인이 얼굴 해쓱한 처녀이고, 어느 어둑한 기슭 행길에 그녀가 새벽달처럼 창백히 서 있으리라는 상상을 하면서 그 사람은 저녁상도 물리고 초저녁인데도 불구하고 덧문을 닫고 누워 버렸다고 해석할 수 있다. "버러지같이 누웠다"라는 말은 여성에게 적절치 않은 표현이므로 "병인"은 처녀가 아니라 가슴 앓는 사람으로 보아야 할 것이다. 여하튼 백석은 겉으로 흥성거리는 듯한 선창가의 배후에 이러한 비극적 인간사가 도사리고 있음을 보여 주었다. 이로써 그의 시의 기본 정조가 고독과 우수, 세계와의 불화임을 다시 확인하게 된다.

정주성定州城*

산턱 원두막은 비었나 불빛이 외롭다
헝겊 심지에 아주까리기름의 쪼는 소리가 들리는 듯하다

잠자리 조을던 무너진 성터
반딧불이 난다 파란 혼魂들 같다
어데서 말 있는 듯이 커다란 산새 한 마리 어두운 골짜기로 난다

헐리다 남은 성문이
하늘빛같이 훤하다
날이 밝으면 또 메기수염의 늙은이가 청배를 팔러 올 것이다

———

• **쪼는**: 졸아드는.

* 『조선일보』 1935년 8월 30일에 발표한 것을 시행을 조정하여 재수록했다. 이 시의 해설은 앞에서 했기 때문에 여기서 다시 하지 않는다.

- **어데서 말 있는 듯이**: 어디선가 사람의 말소리가 나는 듯이.
- **메기수염**: 메기의 수염처럼 몇 오라기만 양쪽으로 길게 기른 수염.
- **청배**: 토종 배의 한 종류로 일찍 익고 빛이 푸르다.

창의문외彰義門外

무밭에 흰나비 나는 집 밤나무 머루 넝쿨 속에 키질하는 소리만
이 들린다
우물가에서 까치가 자꾸 짖거니 하면
붉은 수탉이 높이 샛더미 위로 올랐다
텃밭가 재래종의 임금林檎나에는 이제도 콩알만 한 푸른 알이 달
렸고 희스무레한 꽃도 하나 둘 피어 있다
돌담 기슭에 오지항아리 독이 빛난다

———

- **키질**: 키로 곡식을 까부르는 일.
- **샛더미**: 나뭇더미.
- **임금林檎나**: 능금나무.
- **희스무레한**: 조금 옅은 빛으로 허연.
- **오지항아리**: 오짓물을 발라 구운 항아리.

정주 지역에도 창의문이 있는지 모르겠으나 이 시의 배경인 창의
문은 서울의 사소문四小門의 하나인 창의문을 가리키는 것 같다. 자하
문이라는 이름으로 더 알려진 이 문은 효자동에서 세검정으로 넘어
가는 길에 있다. 자하문이라는 이름에서도 연상되는 것처럼 이곳은
경치가 아름답고 서울 중심에서 그리 멀지 않아서 서울 지역 사람들
이 흔히 춘경을 관상하던 곳이다. 서울에서 기자로 일하던 백석도 이
곳을 탐방하여 한 편의 시를 지은 것 같다.

무밭에 나비가 나는 것을 보니 계절은 봄이다. 밤꽃은 아직 피지
않았는지 얘기가 없고 집 주변에 밤나무가 서 있고 머루 덩굴이 퍼져
있는데 그 안쪽에서 밥 지을 곡식을 준비하는지 키질하는 소리만 들
린다. 백석은 이처럼 정경의 동적인 측면과 정적인 측면을 함께 보여
주어 실제의 현상 같은 느낌을 전달하고자 했다. 흰나비가 나는 동적
인 장면 뒤에는 밤나무와 머루 덩굴이 어우러져 있는 정적인 장면을
제시하고, 다음에 키질하는 소리로 동적인 운동감을 간접적으로 전달
했다.

키질하는 소리에 호응하듯 우물가에서 까치가 자꾸 짖고 붉은 수
탉이 다시 거기 호응하듯 샛더미 위에 올라 울어 제긴다. 수탉이 울었
다는 표현은 없지만 키질하는 소리라든가 까치가 짖는 모습은 시간
이 아침임을 암시하며 붉은 수탉이 아침에 샛더미 위로 올랐으니 한
가닥 울음을 아니 울 리 없다.

집에 딸린 작은 텃밭에는 재래종 능금나무가 있는데 능금나무는

봄에 연분홍빛 꽃을 피우고 꽃이 떨어지면 작은 열매가 맺힌다. 콩알만 한 푸른 알이 달렸다고 했으니 계절은 5월에서 6월을 향해 이동하는 시점이다. 창의문 밖 돌담이 이어진 한 기슭에는 오지항아리가 있는데 윤이 나는 오짓물을 발라 구운 항아리이기에 표면에 햇살이 반사되어 밝게 빛난다.

이 시는 한가한 늦봄 아침의 정경을 거의 주관을 개입하지 않고 열거했다. 그런 점에서 「청시」나 「산비」, 「머루밤」처럼 정경의 외관을 이미지로 제시한 작품 유형에 속한다. 행의 수가 비교적 많다는 것과 청각과 시각이 다채롭게 구성되어 있다는 점이 특징적이다.

정문촌旌門村

주홍칠이 날은 정문이 하나 마을 어귀에 있었다

"효자노적지지정문孝子盧迪之之旌門"—먼지가 겹겹이 앉은 목각木刻
의 액額에
  나는 열 살이 넘도록 갈 지 자 둘을 웃었다

아카시아꽃의 향기가 가득하니 꿀벌들이 많이 날아드는 아침
  귀신은 없고 부엉이가 담벽을 띠쫗고 죽었다

기왓골에 배암이 푸르스름히 빛난 달밤이 있었다
  아이들은 족제비같이 먼 길을 돌았다

정문집 가난이는 열다섯에
  늙은 말꾼한테 시집을 갔것다

- **날은**: 빛깔이 바랜. '날다'가 기본형.
- **정문**: 충신, 효자, 열녀 들을 표창하기 위하여 그 집 앞에 세우던 붉은 문.
- **효자노적지지정문**孝子盧迪之之旌門: 효자 노적지의 정문.
- **목각**木刻**의 액額**: 편액. 종이, 비단, 널빤지 따위에 그림을 그리거나 글씨를 써서 방 안이나 문 위에 걸어 놓는 액자.
- **띠쫓고**: 들이쪼고. 밖에서 안으로 마구 쪼고.
- **말꾼**: 말몰이꾼.

"정문"이란 조선 시대에 충신, 효자, 열녀 등을 표창하기 위해 그 집 앞에 세우던 문을 말한다. 붉은 칠이 칠해져 있어서 홍문 또는 홍살문이라고도 한다. 양반 가문에서는 정문이 서는 것을 영광으로 알고 효자나 열녀를 의도적으로 조작해 내기도 했다. 비슷한 시기에 오장환은 「정문」이라는 제목으로 억지로 수절 과부를 만들어 정문을 받아 가문의 권위를 높이려는 양반의 위선을 풍자하는 작품을 발표했다. 위의 시에는 그러한 풍자의 의도는 없고 시대의 변화에 대한 씁쓸한 비애의 감정이 노출되어 있다. "주홍칠이 날은"이나 "먼지가 겹겹이 앉은" 등의 어구가 상황의 변화에 의해 퇴락해 가는 정문의 모습을 나타내고 있다. 이것은 「정주성」의 "헐리다 남은 성문"에 대응하는 시대적 의미를 지닌다.

마을 어귀에 정문이 서 있어서 사람들이 그 마을을 "정문촌"으로 불렀을 텐데, 퇴락한 그 정문은 과거의 자랑스러운 의미는 이제 없고 시대의 뒷전으로 물러가는 퇴보의 의미를 지닌다. 나무로 된 액자에는 '孝子盧迪之之旌門'이라는 한문 글귀가 새겨져 있다. 정문을 하사받은 효자의 이름이 공교롭게도 "노적지"이기 때문에 그다음에 소유격 토씨인 '之'가 붙어 '갈 지' 자가 두 번 반복되는 형태가 되었다. 철이 없는 화자는 그것이 잘못된 것인 줄 알고 열 살이 넘어서도 웃었다는 것이다.

짐작건대 정문을 받은 그 마을의 사람들은 양반의 권위를 끝까지 지키려 했을 것이고 그렇다 보니 시대의 변화에 제대로 적응하지 못하여 결국 경제적으로 몰락의 길을 걸었던 것 같다. 낡은 집은 흉가 같은 인상을 주어 귀신이 나온다는 소문이 퍼지기도 했다. 아카시아꽃이 만발해서 꿀벌이 날아드는 화려한 계절에도 우울한 침체의 늪을 벗어나지 못한 그 집에는 어느 날 아침 귀신 대신 담벼락을 들이받고 죽은 부엉이가 발견되기도 했다. 환한 달밤에는 그 집 기왓골을 더듬고 지나가는 뱀이 보이는 것 같아 겁이 난 아이들은 일부러 먼 길로 돌아서 그 집을 피해 갔다고 한다. 이렇게 사람들로부터 격리된 채 시대의 변화에 적응하지 못했던 그 집안 사람들은 결국 가난에서 헤어나지 못하게 되어 그 집의 딸아이는 열다섯 어린 나이에 늙은 말꾼에게 시집을 가는 불행한 일을 겪게 된다. 말꾼은 양반의 시각에서 보자면 말을 부리는 천한 일을 하는 사람이지만, 짐을 운반하여 돈을 모을 수 있었기에 젊은 처녀를 아내로 맞이할 기회를 얻었다. 화폐 가치가 중시되어 가는 시대의 변화 속에서 그 변화에 적응하지 못하고 몰락해 가는 보수적인 집안의 불행한 단면을 감정을 개입시키지 않고 담담하게 그려 냈다. 고향에 대한 연민과 향수가 배어 있다는 점에서 「정주성」과 상통하는 측면이 있다.

여우난골

박을 삶는 집
할아버지와 손자가 오른 지붕 위에 하늘빛이 진초록이다
우물의 물이 쓸 것만 같다

마을에서는 삼굿을 하는 날
건넛마을서 사람이 물에 빠져 죽었다는 소문이 왔다

노란 싸릿잎이 한벌 깔린 토방에 햇칡방석을 깔고
나는 호박떡을 맛있게도 먹었다

 어치라는 산새는 벌배 먹어 고읍다는 골에서 돌배 먹고 아픈 배
를 아이들은 띨배 먹고 나았다고 하였다

———

• **삼굿**: 삼의 껍질을 벗기기 위해 구덩이에 쪄 내는 일.

- **한벌:** 일정한 범위의 공간에 사람이나 물건 따위가 쭉 널려 있는 모양. 「황일黃日」, 「박각시 오는 저녁」에도 나오는 시어다.
- **어치:** 비둘기보다 좀 작은 새.
- **벌배:** 고형진 교수의 고증을 따라 '팥배나무'의 열매로 본다.
- **돌배:** 야생 돌배나무의 열매.
- **딸배:** 딸광이, 산사 열매.

———

여름에서 가을에 이르기까지 "여우난골"에 있었던 여러 장면을 기억의 흐름을 따라 열거했다. 얼핏 보면 무작위적으로 나열한 것 같지만 사실은 시인의 미학적 의도가 철저하게 작용했다.

1연은 박을 삶는 계절이니까 가을의 이야기다. 대개 추석이 지나고 10월쯤이면 박을 따서 속을 발라낸 다음 작은 박은 그냥 말리고 큰 박은 단단하게 만들기 위해 찌고 말리는 과정을 반복한다. 박을 삶는 일은 마을 전체의 행사가 아니라 가구 단위로 하는 일이기 때문에 "박을 삶는 집"이라는 말을 썼다. 그 일에 참여한 사람은 할아버지와 손자다. 박 따는 일 정도는 노인이나 소년도 충분히 할 수 있다. 박을 따러 오른 지붕 위에는 파란 가을 하늘이 펼쳐져 있다. 시리도록 푸른 가을 하늘을 백석은 그냥 "진초록"이란 말로 표현했다. 그 이상의 정교하고 세련된 표현은 그의 관심 밖에 있었다. 그다음에 그가 덧붙인 말이 "우물의 물이 쓸 것만 같다"다. 백석 시의 화자가 대부분 어린아이로 생각되는 것은 바로 이런 대목의 순박성 때문이다. 진초록빛 하늘이 우물에 그대로 비치어 있으니 우물물의 맛이 쓸 것 같다고 생각한 것이다. 이런 생각은 어른의 것이라기보다는 아이의 생각에 가깝다.

2연은 시간을 거슬러 삼굿을 하는 여름으로 갔다. 삼을 찌는 일은 한여름에 한다. 진초록으로 잘 자란 삼대를 잘라 삼단을 엮어 돌무더기 위에 얹고 밑에서 장작으로 가열하여 강렬한 수증기를 이용하여 삼을 찐다. 이 일은 마을 사람 대부분이 참여하는 마을 단위의 행사이며 일이 끝난 다음에는 음식을 나누어 먹고 즐겁게 놀기 때문에 일종의 마을 축제라고 할 수 있다. 한여름에 뜨겁게 불을 놓아 삼을 찌기 때문에 삼굿을 하는 날은 어느 때보다 덥다. 자기 마을에서 삼굿 축제가 벌어지는데 건넛마을에서는 더위를 식히려고 물놀이를 하다가 물에 빠져 죽었다는 소식이 들려온다. 흥겨운 축제와 불행한 흉사가 동시에 겹치는 것이 우리의 삶이다. 삼굿에 직접 참여할 수 없었던 어린 아이에게 삼굿보다는 사람이 물에 빠져 죽었다는 무서운 소문이 더 기억에 남았을 것이다.

3연은 다시 가을이다. 여기서 아이 화자의 면모가 더 분명히 드러난다. 가을에 수확한 늙은 호박으로 호박떡을 만들어 먹는데 늦게 딴 것일수록 당도가 높다. 이렇다 할 간식이 없었던 그 시절에는 호박떡이 가장 맛있는 기호 식품이었을 것이다. 노랗게 물들어 떨어진 싸릿잎을 깔아 놓은 토방에서 새로 엮은 칡덩굴 방석을 깔고 앉아 호박떡을 먹는 것은 정말 신나는 일이었을 것이다. 그 기억을 되살리며 마치 군침이 도는 듯이 "맛있게도 먹었다"라고 시인은 적었다. 무척 신나는 일이었기에 노란 싸릿잎도 햇칡방석도 생생히 기억에 남아 있는 것이다.

4연은 어린아이들의 재미있는 말놀이가 담긴 대목이다. 아이들의 언어유희를 "벌배, 돌배, 떨배"라는 유사한 단어의 연속으로 표현했다. "돌배"는 '똘배'라고도 하는데 산에 야생하는 배로 맛이 시고 떫다. "떨배"는 '떨광이'라고도 하는 산사 열매로 체한 데 먹는 약재로 쓰인다. "어치"는 비둘기보다 좀 작은 새인데 울음소리가 곱고 다른 새의 소리도 곧잘 흉내 낸다고 한다. 그러니까 이 시행은 어치라는 산새는 벌배 열매를 먹어 고운 소리를 내고, 아이들은 야생 돌배 열매를 먹고 배가 아팠는데 산사 열매를 먹고 낫게 되었다는 뜻이다. 아이들의 말을 그대로 이어 붙여서 의미보다 리듬이 앞선 구성을 취했다. 마치 우리가 어릴 때 말 잇기 놀이를 하던 것처럼 이 시행도 '배'를 끝말로 한 언어유희를 벌인 것이다. 호박떡의 그리운 미각이 어린 시절 흥겹게 되뇌던 아이들의 말놀이까지 연상시켰다.

그러면 2연의 여름 장면은 왜 삽입된 것일까? 그것은 1연의 끝부분 "우물의 물이 쓸 것만 같다" 때문일 것이다. 우물물의 쓴맛을 떠올리는 순간 한여름의 찌는 듯한 삼굿 장면이 떠올랐고 그때 들었던 건넛마을의 불길한 익사 소식도 함께 연상된 것이다. 어린 시절의 기억이 재미있고 흥겨운 것만 남는 것이 아니라 무섭고 불길한 사건도 오래 남는다는 사실을 알면 이 시행 구성의 전후 관계를 이해할 수 있을 것이다.

삼방三防*

갈부던 같은 약수터의 산 거리엔 나무 그릇과 다래나무 지팡이가
많다

산 너머 시오리十五里서 나무뒝치 차고 싸리신 신고 산비에 촉촉
이 젖어서 약물을 받으러 오는 두메아이들도 있다

아랫마을에서는 아기 무당이 작두를 타며 굿을 하는 때가 많다

———

- **삼방三防**: 함경남도 안변군(현재의 편제로는 강원도 세포군 삼방리)에 있는 유명
  한 약수.
- **갈부던**: 갈잎으로 만든 노리개.
- **나무뒝치**: 나무의 속을 파서 뒤웅박처럼 만든 것.

* 『조광』1권 1호(1935. 11.)에 「山地」로 발표했다. 제목이 교체되고 7연 14행이 3연 3행으로 대
폭 축소되며 전면적으로 개작되었다.

앞에서 「산지山地」를 해설할 때 언급한 것처럼 '三防'은 함경남도에 있는 유명한 약수의 이름이다. 「산지」가 「삼방」으로 축소되면서 시상도 약수와 관계있는 내용으로 압축되어 세 행으로 정리되었다. 「산지」에서는 깊은 산중임에도 불구하고 유명한 약수터기 때문에 여인숙이 즐비하다는 사실을 소개하고, 이어서 산중에 흐르는 시냇물이라든가 승냥이, 염소, 부엉이 등을 통해 인적 끊긴 산중의 어둡고 무거운 분위기를 드러냈다. 약수를 받으러 멀리서 오는 아이에 대해서도 아이의 아버지가 앓고 있기 때문에 약수를 받으러 왔을 것이라는 사실적 관계를 언급했다. 문명의 혜택에서 멀리 떨어져 병이 들어도 약수에 의존할 수밖에 없는 산지의 생활상을 암시한 것이다. 약수를 먹어도 병이 낫지 않으면 무당의 주력에 의존할 것이다. 그래서 아기 무당이 작두를 타며 굿을 하는 주술적 장면의 제시로 시가 끝났다.

「삼방」에는 이러한 정서를 환기할 만한 정황들이 제거된 채 정조가 은폐된 정경의 외관만이 제시되었다. 여러 갈래로 갈라진 약수터 산 거리에 나무 그릇과 지팡이가 많다는 것으로 사람의 왕래가 잦다는 사실을 알려 준 다음, 곧바로 먼 곳에서 약수를 받으러 오는 산골 아이들의 모습을 소개했다. 이어지는 마지막 행은 "많다"가 붙어 표기되어 있을 뿐 「산지」와 동일하다. 아버지가 앓는다는 사실이 빠짐으로써 죽음과 관련된 불길한 정조는 은폐되고 문명 세계에서 멀리 떨어진 토속적 세계의 단면을 제시하고 있을 뿐이다. 시인의 관점이 크게 바뀐 것은 아니고 장황한 묘사나 서술을 배제하고 압축의 묘미를 살리기 위해 형식을 바꾼 것으로 보인다. 「산지」보다 「삼방」이 미학적 의도가 더 개입한 형태라고 설명할 수 있다.

시집『사슴』이후 발표 작품

통영

　구마산舊馬山의 선창에선 좋아하는 사람이 울며 내리는 배에 올라서 오는 물길이 반날
　갓 나는 고장은 갓 같기도 하다

바람맛*도 짭짤한 물맛도 짭짤한

　전복에 해삼에 도미 가자미의 생선이 좋고
　파래에 아가미에 호루기의 젓갈이 좋고

　새벽녘의 거리엔 쾅쾅 북이 울고
　밤새껏 바다에선 뿡뿡 배가 울고

　자다가도 일어나 바다로 가고 싶은 곳이다

　집집이 아이만 한 피도 안 간 대구를 말리는 곳
　황아장수 영감이 일본 말을 잘도 하는 곳

* ‘물맛’은 사전에 등재되어 있지만 ‘바람맛’은 그렇지 않다. 그러나 ‘물맛’과 호응하는 말이므로 붙여 쓴다.

처녀들은 모두 어장주한테 시집을 가고 싶어 한다는 곳*

산 너머로 가는 길 돌각담에 갸웃하는 처녀는 금錦이라던 이 같고
내가 들은 마산 객줏집의 어린 딸은 난蘭이라는 이 같고

난이라는 이는 명정明井골에 산다는데
명정골은 산을 넘어 동백나무 푸르른 감로 같은 물이 솟는 명정샘이 있는 마을인데
샘터엔 오구작작 물을 긷는 처녀며 새악시들 가운데 내가 좋아하는 그이가 있을 것만 같고
내가 좋아하는 그이는 푸른 가지 붉게붉게 동백꽃 피는 철엔 타관 시집을 갈 것만 같은데
긴 토시 끼고 큰머리 얹고 오불고불 넘엣거리로 가는 여인은 평안도서 오신 듯한데 동백꽃 피는 철이 그 언제요

옛 장수 모신 낡은 사당의 돌층계에 주저앉아서 나는 이 저녁 울 듯 울 듯 한산도 바다에 뱃사공이 되어 가며
영 낮은 집 담 낮은 집 마당만 높은 집에서 열나흘 달을 업고 손방아만 찧는 내 사람을 생각한다

－『조선일보』, 1936. 1. 23.

---

* 『조선일보』 원본에는 이곳에서 단이 바뀐다. 문맥이 바뀐 것으로 보고 연을 나누어 적는다.

—

- **갓 나는**: 갓[笠]이 생산되는.
- **아가미**: 젓갈을 담그는 대구나 명태의 아가미.
- **호루기**: '꼴뚜기'의 방언.
- **피도 안 간**: 핏기도 가시지 않은. 잡은 지 얼마 안 된다는 뜻.
- **황화장수**: 집집을 찾아다니며 자질구레한 일용 잡화를 파는 사람.
- **들은**: 귀로 듣는다는 뜻이 아니라 방이나 집 등에 거처를 정해 머문다는 뜻이다.
- **오구작작**: 어린아이들이 한곳에 모여 떠드는 모양.
- **타관 시집**: 다른 지역으로 시집을 감.
- **토시**: 추위를 막기 위해 팔뚝에 끼는 것.
- **영**: '지붕'의 방언.
- **손방아**: 사전에는 '디딜방아'의 잘못된 말이라고 나온다. 그러나 젊은 처녀가 달밤에 디딜방아를 찧을 리는 없다. 손절구를 찧는다는 뜻일 것이다.

—

이 시는 매우 흥겨운 율동감을 자아낸다. 길이도 길고 연도 여러 번 나누어지며 그때마다 시적 대상도 달라진다. 새로 보는 풍물에 신기해하며 다양한 상상을 하는 화자의 설레는 마음을 느낄 수 있다. 시인의 여행 체험을 담았기 때문이기도 하지만, 한 여인에 대한 연정을 담은 것이기에 그런 느낌이 두드러지게 표현되었을 것이다.

이 시에 의하면 백석은 구마산 선창에서 연락선을 타고 통영으로 갔다. 19세기 말에 마산이 개항을 해서 일본인과 러시아인이 들어와 새 시가지를 형성했는데 그 지역을 신마산이라고 하고 그전부터 한국인들이 몰려 살던 지역을 구마산이라고 불렀다. 백석은 첫 시행에서부터 "좋아하는 사람이 울며 내리는 배"라는 말을 넣어 연모의 감정을 표현하면서 실연의 예감 같은 것을 배면에 담아 놓았다. 구마산에서 통영으로 배를 타고 오며 통영을 바라보니 그 모양이 그 지역의 특산물인 갓처럼 보인다고 말했다. 수면 위로 미륵산이 높이 솟아 있는 통영의 모습이 정말 갓처럼 보였을 것이다.

비릿한 갯내가 감도는 해안의 느낌을 짭짤하다는 미각으로 압축해서 말한 후 눈에 띄는 통영의 풍물을 상당히 자세하게 소개했다. 새벽부터 거리에서 "쾅쾅 북이 울고" 밤새껏 바다에서 "뿡뿡 배가" 우는 역동적인 항구의 모습을 재미있는 의성어로 흥겹게 표현했다. 그다음에 나오는 "자다가도 일어나 바다로 가고 싶은 곳이다"라는 구절에서 바다에 경이감을 느끼는 화자의 감정이 직접적으로 표현된다. 당시 마산과 통영은 일본인들이 많이 들어와 살았기 때문에 경제적으로 상당히 활기찬 모습을 보여 주었을 것이다. 집집마다 커다란 대구를 말리는 모습이라든가 처녀들이 모두 어장주한테 시집을 가고 싶어 한다는 구절에서 재화의 유통이 활발히 이루어지는 지역임을 짐작할 수 있다. 집집을 찾아다니며 일용 잡화를 파는 황아장수 영감은 일본인을 상대로도 장사를 하기 때문에 겉으로는 무식해 보여도 일본말을 제법 잘했다.

이 시에 "열나흘 달"이라는 말이 나오는 것으로 볼 때 통영을 방문한 시점은 음력 12월 14일, 양력으로는 1936년 1월 8일임을 알 수 있다. 이때 백석은 신현중과 함께 통영에 갔는데 공무도 있었겠지만 간 김에 자신이 좋아하는 여인을 만날 생각도 했다고 한다. 그 여인은 이 시에 "난蘭"이라는 이름으로 등장한다. 이해 1월 20일자로 시집 『사슴』이 간행된 것으로 볼 때 시집 낼 준비를 끝낸 다음 홀가분한 마음으로 좋아하는 여인을 만나러 갔을지 모른다. 그 여인의 집은 충무공의 사당에서 가까운 명정골 396번지에 있었다고 한다.* 여기 나오는 "금錦이라던 이"와 "난蘭이라는 이"는 백석이 전에 한 번 보았던 사람을 이름을 바꾸어 호칭한 것이다. 무심히 두 여성의 이름을 든 것 같지만, '라던'과 '라는'이라는 말의 차이에서 두 사람에 대한 감정의 차이가 은밀히 드러난다. 요컨대 "금"은 과거에 한 번 보았던 사람의 이름이고 "난"은 지금도 자기가 마음에 담아 두고 있는 사람의 이름임을 나타낸 것이다.

그는 명정골의 이름과 유래, 풍정까지 언급하면서 그곳에 사는 여인 '난'에 대한 연모의 감정을 간접적으로 내비치고 있다. "동백꽃 피는 철엔 타관 시집을 갈 것만 같은데"라는 말을 통해서 다른 지역의 사람과 혼인할 가능성을 암시하는가 하면, 느닷없이 평안도에서 온 여인을 등장시켜 평안도 출신인 자신의 존재를 간접적으로 드러낸다. 말하자면 타향인 평안도에서 온 사람과 동백꽃 피는 철에 결혼을 하면 어떻겠느냐는 생각이 이 구절에 은밀히 담겨 있는 것이다. 일반 독자를 대상으로 한 기행시이기 때문에 더 이상이 감정 표현은 자제했던 것이겠지만, 당시의 상황을 아는 신현중이나 '난'이라는 여인이 볼 때는 은밀한 구애의 시로 받아들였을 공산이 크다.

그런데 백석은 그 여인을 만나지 못하고 그녀의 외사촌 서병직의 대접만 받고 돌아왔다고 한다. 마지막 시행에 담긴 고립과 단절의 정황은 여인을 만나지 못한 허전함과 실망감의 표현일 것이다. 한 사람

---

* 박태일, 「백석과 신현중, 그리고 경남문학」, 『지역문학연구』 4, 1999. 4, 33쪽.

은 돌층계에 주저앉아 슬픈 표정을 짓고 있고 또 한 사람은 달을 바라보며 손방아만 찧고 있다. 그는 자신과 그 여인 사이에 가로놓인 마음의 단층을 시각적 형상을 통해 표현했는데 "영 낮은 집 담 낮은 집 마당만 높은 집"이 바로 그것이다. 지붕도 낮고 담도 낮아서 쉽게 접근할 것 같았는데 뜻밖에 마당이 높아 순조로운 접근을 가로막고 있다는 암시다. 그런 상황이기 때문에 자신이 돌층계에 주저앉아 있지만 실제로는 한산도 앞바다를 정처 없이 헤매는 뱃사공 같다는 느낌이 든 것이다. 안타깝게도 도입부의 흥겨움은 이렇게 쓸쓸한 슬픔의 정서로 마무리되고 만다.

오리

오리야 네가 좋은 청명淸明 밑께 밤은
옆에서 누가 뺨을 쳐도 모르게 어둡다누나
오리야 이때는 따지기가 되어 어둡단다

아무리 밤이 좋은들 오리야
해변 벌에선 얼마나 너희들이 욱자지껄하며 메기기에
해변 땅에 나들이 갔던 할머니는
오리새끼들은 장 모이나 하듯이 떠들썩하니 시끄럽기도 하더란
숭인가

그래두 오리야 호젓한 밤길을 가다
가까운 논배미들에서
까알까알 하는 너희들의 즐거운 말소리가 나면
나는 내 마을 그 아는 사람들의 지껄지껄하는 말소리같이 반가웁
구나
오리야 너희들의 이야기판에 나도 들어
밤을 같이 밝히고 싶구나

오리야 나는 네가 좋구나 네가 좋아서

벌논의 늪 옆에 쭈그렁 벼알 달린 짚검불을 널어놓고

닭이짓* 올코에 새끼 달은 치를 묻어놓고**

동둑 넘에 숨어서

하루 진일 너를 기다린다

오리야 고운 오리야 가만히 안겼거라

너를 팔아 술을 먹는 노盧장의 영감은

홀아비 소의원 침을 놓는 영감인데

나는 너를 백통전 하나 주고 사오누나

나를 생각하던 그 무당의 딸은 내 어린 누이에게

오리야 너를 한 쌍 주더니

어린 누이는 없고 저는 시집을 갔다건만

오리야 너는 한 쌍이 날아가누나

—『조광』 2권 2호, 1936. 2.

---

* 하나의 방언으로 보고 붙여 쓴다.
** '널어놓다'는 사전에 올라 있는데 '묻어놓다'는 올라 있지 않다. 그러나 이 시에서 두 단어는 호응하는 관계에 있기 때문에 붙여 쓴다.

- **청명淸明 밑께**: 청명 무렵의.
- **따지기**: 얼었던 흙이 풀리려고 하는 초봄 무렵. 「내가 생각하는 것은」에도 나오는 시어다.
- **욱자지껄**: 와자지껄.
- **메기기에**: 소리를 내기에. 「국수」에도 '메기고'라는 시어가 나온다.
- **장 모이나 하듯이**: 시장에 모이기나 하듯이.
- **숭인가**: 흉인가.
- **쭈구렁 벼알**: 제대로 여물지 못한 벼알.
- **닭이짓 올코**: '닭이짓'은 '닭'의 방언 '닭이'에 '깃'의 방언 '짓'이 결합된 형태다. 여기에 '올코'(올가미)가 붙어서 닭의 깃털을 붙여 만든 올가미란 뜻이 되었다.
- **새끼 달은 치**: 새끼줄을 매단 덫. 「여우난골족」, 「오리 망아지 토끼」에 '오리치'라는 말이 나온다.
- **동둑 넘에**: 크게 쌓은 둑 너머에.
- **하루 진일**: 하루 종일.
- **노盧장의 영감**: 노씨 성을 가진 장의掌醫 영감. 원래 장의는 조선 시대에 의약에 관한 일을 맡아보던 종구품 궁인직 벼슬의 명칭인데 민간에서는 내의원 종사자를 통칭하는 말로 쓰였던 것 같다.
- **소의원**: 소에게 침을 놓아 치료하는 의원. '소침쟁이'라는 말이 사전에 등재되어 있다.

———

　백석의 오리에 대한 관심은 「오리 망아지 토끼」에도 나타나 있는데 이 시에서 동심의 화법과 연결되어 다시 등장한다. 청명 무렵이 되어 땅이 녹고 대기가 훈훈해지면 겨울에 움츠려 있던 오리들이 물가로 몰려들어 떠들며 장난을 치기 시작한다. 그것을 백석은 "네가 좋은"이라는 말로 표현했다. 이것은 화자가 오리인 너를 좋아한다는 뜻이 아니라 '네가 좋아하는'이라는 뜻이다. 청명 지난 해토 무렵의 어두운 밤을 오리가 좋아한다는 사실을 얘기하면서 "옆에서 누가 뺨을 쳐도 모르게 어둡다누나"라고 재미있게 표현했다.

오리의 천성은 달랑거리며 돌아다니고 꽥꽥거리며 떠드는 것이다. 날씨가 따뜻해지고 사람들이 오가지 않는 밤이 되면 오리의 그런 행동은 더욱 고조된다. 특히 하천이 많은 지역에서는 더욱 그러할 것이다. 해변 가까운 지역으로 나들이 갔던 할머니의 말을 통해 오리의 그런 속성을 이야기했다. 오리새끼들이 마치 장터에 사람들이 모여 떠들듯이 그렇게 시끄럽게 굴더라고 할머니가 흉을 보았다는 것이다. 할머니의 구어적 화법으로 오리의 속성을 다시 한번 재미있게 표현했다.

남들은 오리가 이렇게 시끄럽다고 불평하지만 화자는 오리를 정다운 친구처럼 여긴다. 그래서 "까알까알 하는 너희들의 즐거운 말소리"가 들리면 "내 마을 그 아는 사람들의 지껄지껄하는 말소리같이" 반가움을 느끼며 오리와 친구가 되어 밤새도록 이야기하고 싶어 한다. "까알까알"과 "지껄지껄"이라는 말에 오리를 향한 정겨움이 듬뿍 담겨 있다. 이렇게 오리를 좋아하는 화자는 덫을 놓아 오리를 잡으려 한다. 늪 가에 짚 검불을 깔고 거기 설익은 벼알을 미끼로 달고 닭의 깃털로 위장한 올가미에 새끼를 매단 바구니 모양의 덫을 설치해 놓고 동둑 너머에 숨어서 하루 종일 오리를 기다린다고 했다.

그러나 오리를 잡는 것이 그렇게 쉬운 일은 아니다. 오리가 잡히지 않으면 돈을 주고 사는 수밖에 없는데 공교롭게도 오리를 파는 사람은 "노蘆장의 영감"이다. 이 영감에 대해 "홀아비 소의원 침을 놓는 영감"이라고 소개했는데 이 구절은 이해하기 어렵다. 나는 "노盧장의 영감"을 "노씨 성을 가진 장의掌醫 영감'으로 본다. 원래 장의는 조선 시대 내의원의 종구품 궁인직 벼슬의 명칭인데 민간에서는 내의원 종사자를 통칭하는 말로 쓰였다. 그러니까 "노盧장의 영감"은 한때 내의원에 있었으나 1910년 이후로는 일자리를 잃고 홀아비로 지내면서 침을 놓으며 살아가는 노인이다. "소의원"은 소에게 침을 놓아 병을 치료하는 의원으로 보는데, '마의馬醫'라는 직책도 있고 '소침쟁이'라는 말이 남아 있어서 그런 해석의 신빙성을 높인다. 이 노인이 어떻게 오리를 얻게 되었는지는 알 수 없으나 「여우난골족」에도 술을 좋아하는 삼촌이 오리치를 잘 놓는 기술이 있었던 것처럼 이 노인도 그런 재주가 있었을지 모른다.

마지막 연은 어린 시절의 일을 회상했다. 나를 좋아하던 무당의 딸이 있었는데 그녀는 내가 오리를 좋아하는 것을 알았는지 누이를 통해 내게 오리 한 쌍을 주었다. 무당의 딸이라면 화자의 집안에서 좋아할 리가 없다. 두 사람 사이에 연정이 있었다고 해도 성사되기 어려웠을 것이디. 시간이 흘러 오리를 받았던 누이는 세상을 떠났고 무당의 딸은 시집을 갔다. "한 쌍"을 준 것은 오리처럼 사이좋게 살아 보자는 뜻이었을 텐데 곁에 있던 사람들은 모두 떠나가고 오리 한 쌍이 사이좋게 날아가는 모습이 보인다. 그것이 또다시 자신의 고독을 반추하게 한다. 오리의 즐거운 말소리로 시작한 이 시도 결국은 고독과 우수의 정조로 끝맺는다.

연자간

달빛도 거지도 도적개도 모두 즐겁다
풍구재도 얼럭소도 쇠드랑볕도 모두 즐겁다

도적괭이 새끼락이 나고
살진 족제비 트는 기지개 길고

홰냥닭은 알을 낳고 소리치고
강아지는 겨를 먹고 오줌 싸고

개들은 게모이고 쌈짓거리하고
놓여난 도야지 둥구잡혀 오고

송아지 잘도 놀고
까치 보해 짖고

신행길 말이 울고 가고
장돌림 당나귀도 울고 가고

대들보 위에 베틀도 차일도 토리개도 모두들 편안하니

구석구석 후치도 보습도 쇠스랑도 모두들 편안하니

─『조광』 2권 3호, 1936. 3.

─

- **풍구재:** 풍구(곡물에 섞인 쭉정이, 겨, 먼지 따위를 날려서 제거하는 농기구)의 평안도 방언.
- **얼럭소:** 털이 가지런하지 않아 얼룩얼룩하게 보이는 소. 정지용의 「향수」에 나오는 얼룩빼기 황소와 같은 것이다.
- **쇠드랑볕:** 창살 사이로 들어온 햇살. 같은 작품에 '소시랑'(쇠스랑)이란 말이 나와 있기 때문에 '쇠드랑볕'을 '쇠스랑 볕'으로 보지 않는다. '쇠드랑'은 '쇠든'(시든)이란 말과 관련이 있어 보인다. 즉 날이 밝아 문창살 사이로 스며드는 그렇게 밝지 않은 햇살을 가리키는 말로 짐작된다.
- **새끼락:** 야생동물이 성장하며 나오는 발톱.
- **홰냥닭:** 홰에 올라앉은 닭.
- **게모이고:** 게걸스럽게 모이고.
- **둥구삭여 오고:** 둥그렇게 안겨서 잡혀 오고. '둥구'는 '두멍'(물을 많이 담아 두는 큰 독)의 방언이다.
- **보해:** 계속해서. '뻔질나게'의 평북 방언이 '뽀해'다.
- **신행길:** 결혼할 때 신랑이나 신부가 처음 상대의 집으로 가는 것.
- **차일:** 햇볕을 가리기 위하여 치는 포장.
- **토리개:** 목화의 씨를 빼는 도구. 씨아.
- **후치:** '극젱이'의 방언으로 땅을 가는 데 쓰는 농기구. 쟁기와 비슷하나 쟁깃술이 곧게 내려가고 보습 끝이 무디다.
- **보습:** 쟁기나 극젱이의 술바닥에 맞추는 삽 모양의 쇳조각.
- **쇠스랑:** 땅을 파헤쳐 고르거나 두엄, 풀 무덤 따위를 쳐내는 데 쓰는 갈퀴 모양의 농기구.

—

    이 시를 발표한 1936년 3월에 백석은 여러 편의 작품을 한꺼번에 발표했다. 같은 지면에 「황일黃日」이 실려 있으며, 같은 달에 나온 『시와 소설』 1호에 「탕약湯藥」과 「이즈노쿠니미나토 가도伊豆國湊街道」가 발표되었고, 3월 5일부터 나흘간 『조선일보』에 「남행시초」 네 편이 연재되었다. 각 시편은 성격을 달리하는데 「연자간」은 봄날의 흥거운 정경이 흥청거리는 반복의 운율과 호응하여 백석다운 표현의 특징을 잘 드러내고 있다.

    연자간은 연자방앗간의 준말로 소나 말 같은 동물을 이용하여 연자매를 돌려서 곡식을 찧는 방앗간을 말한다. 밤에는 곡식을 찧지 않으니 달빛만 환하게 비치고, 지나가던 거지가 잠시 몸을 눕히기도 하고, 도둑개가 먹을 것을 찾아 숨어들기도 한다. 날이 밝아 아침이 되자 볕살이 갈라져 들어오고, 풍구가 커다랗게 드러나 보이며, 연자방아를 돌리는 얼룩소도 보인다. 이처럼 밤이건 낮이건 연자간 주변의 자연물이나 사람은 차별 없이 즐거운 모습을 보여 주며, 많은 것을 포용하는 융화의 상태를 보인다. 봄이 되니 도둑고양이도 추위에서 벗어나 영양 상태가 좋아졌는지 발톱이 새로 돋아나고, 족제비도 살이 올라 편안해졌는지 길게 기지개를 켠다. 홰대에 올라선 닭은 알을 낳았다고 소리치고 강아지는 땅바닥에 떨어진 겨를 주워 먹고 여기저기 오줌을 싸 댄다. 큰 개들은 게걸스럽게 모여 싸움짓거리하고 우리에서 나와 도망갔던 돼지는 둥그렇게 감싸 안긴 상태로 잡혀 온다. 송아지도 잘 놀고 까치도 연이어 짖어 댄다.

여기까지 자연의 즐겁고 흥성거리는 모습을 열거했는데 다음 대목에 인간의 일이 개입된다. 연자간 앞을 지나가는 사람들의 두 가지 양상을 제시했다. 원문의 '신영길'은 "신행길"의 구어적 표기다. "신행"이란 결혼할 때 신랑이나 신부가 처음 상대의 집으로 가는 것을 말한다. 신행길의 말은 신랑을 태우고 봄날의 첫 결혼을 알리는 즐거운 울음소리를 내며 갈 것이다. 장을 돌아다니는 당나귀도 봄을 맞이하여 새로운 짐을 싣고 장꾼을 따라 거기 맞는 울음소리를 내며 걸어간다. 결혼의 싱그러움과 장터의 풍요로움이 이 대목에서 환기된다.

다시 연자간 안으로 시선을 돌리니 대들보 위에 얹어 놓은 베틀이 보이고 해가 쨍쨍한 날 치게 될 포장도 보이고 목화씨를 발라내는 토리개도 보인다. 이제 봄이 되었으니 시간이 지나면 적절한 시기에 각기 제구실을 할 것이다. 연자간 구석 여기저기에는 후치, 보습, 쇠스랑 등 밭을 일구는 데 사용될 농기구들이 놓여 있다. 이 기구들도 곧 사람 손에 쥐어져 제구실을 충실히 하게 될 것이다. 이 모든 연자간의 풍경이 다 같이 즐겁고 편안하다고 화자는 반복해서 말한다. 연자간 안으로 모여드는 존재들도 즐겁고, 연자간 주변에 모여 사는 모든 가축과 동물도 풍요로운 모습을 보이고, 연자간 앞을 지나가는 사람들도 생동감이 있고, 연자간 안의 기구들도 모두 편안한 모습이다. 여기에는 삶의 고통이나 애환이 스며들 여지가 없다.

이 시의 소박한 반복의 어조는 농촌 마을의 연자간 풍경을 농촌 사람의 시선으로 담백하게 펼쳐 낸다. 이것은 「정주성」이나 「정문촌」에 제시된 삶의 단면이나 「미명계」의 정서와는 상당한 거리가 있다. 반면에 「모닥불」에 나타난 평등 화합의 정신과 통하는 면이 있다. 「모닥불」처럼 평화로운 삶에 대한 소박한 꿈이 담겨 있다.『조광』이라는 대중 종합지의 성격으로 볼 때 새봄을 맞는 시점에서 소박한 희망의 세계를 보여 주는 것이 필요했을지 모른다. 그러나 그것과는 별개의 차원에서, 우리는 이 시를 통해 백석이 추구하던 '풍속'과 '인정'과 '말'이 어우러진 평화로운 삶에 대한 동경을 아주 편안한 마음으로 음미하게 된다.

황일黃日

한 십 리 더 가면 절간이 있을 듯한 마을이다. 낮 기울은 볕이 장글장글하니 따사하다 흙은 젖이 커서 살같이 깨서 아지랑이 낀 속이 안타까운가 보다 뒤울안에 복사꽃 핀 집엔 아무도 없나 보다 비인 집*에 꿩이 날아와 다니나 보다 울밖 늙은 들메낡에 티티새 한 벌 앉았다 흰 구름 따라가며 딱정벌레 잡다가 연둣빛 잎새가 좋아 올라왔나 보다 밭머리에도 복사꽃 피었다 새악시도 피었다 새악시 복사꽃이다 복사꽃 새악시다 어데서 송아지 매 – 하고 운다 골개논 두렁에서 미나리 밟고 서서 운다 복사나무 아래 가 흙장난하며 놀지 왜 우노 자개밭둑에 엄지 어데 안 가고 누웠다 아랫동리선가 말 웃는 소리 무서운가 아랫동리 망아지 네 소리 무서울라 담 모서리 바윗잔등**에 다람쥐 해바라기하다 조은다 토끼삼 한잠 자고 나서 세수한다 흰 구름 건넌산***으로 가는 길에 복사꽃 바라노라 섰다 다람쥐 건넌산 보고 부르는 푸념이 간지럽다

* 사람이 살지 않는 '빈집'은 붙여 쓴다. 그러나 여기서는 현재 사람이 없는 집이라는 뜻이므로 띄어 쓴다. 원본의 '뷔인'의 음절 수와 음감을 살려 '비인'으로 적는다.
** 표준어에 '바윗등'이 있으므로 그대로 적는다.
*** 사전에 '건넛산'의 북한어라고 나온다.

저기는 그늘 그늘 여기는 챙챙 -

저기는 그늘 그늘 여기는 챙챙 -

−『조광』2권 3호, 1936. 3.

———

- **장글장글**: 내리비치는 햇살이 아른아른 빛나면서도 따사로운 모양. 「산곡山谷」, 「귀농歸農」에도 나오는 시어다.
- **젖이 커서 살같이 깨서**: 날이 따뜻해지자 흙의 수분이 부풀어 햇살같이 퍼지는 것을 표현한 것으로 짐작된다.
- **들메낡**: 들메나무. 물푸레나뭇과의 낙엽 활엽 교목. 높이는 30미터 정도이며, 잎은 마주나고 겹잎이다.
- **티티새**: 개똥지빠귀. 「월림月林장」에도 나오는 시어다.
- **한벌**: 하나 가득. 「여우난골」, 「박각시 오는 저녁」에도 나오는 시어다.
- **골개논두렁**: 좁은 지역에 만든 논의 두렁.
- **자개밭둑**: 자갈밭둑.
- **엄지**: 짐승의 어미. 「오리 망아지 토끼」, 「주막」에도 나오는 시어다.
- **토끼잠**: 깊이 들지 못하고 자주 깨는 잠.

———

「황일」은 「春郊七題」라는 큰 제목 아래 묶인 일곱 편의 글 중 하나인데 다른 필자로는 이은상, 이태준, 김기림, 이원조, 이상, 함대훈 등 쟁쟁한 필진이 동원되었다. 또 하나의 필자를 구하지 못하여 편집 기자인 백석이 궁여지책으로 자신의 글을 채워 넣은 것 같다. 그래서 그런지 시인지 산문인지 명확히 구분하기 어려우며 작품의 짜임새도 다소 성글다.

"한 십 리 더 가면 절간이 있을 듯한 마을"이라 했으니 산속으로 꽤 들어온 마을이다. 내리비치는 햇살은 따사롭고 땅 위에는 아지랑이가 끼어 있다. 주인이 자리를 비운 집엔 복사꽃만 피어 있고 꿩이 날아 들어와 돌아다닌다. 그만큼 산에 가까운 마을임을 알 수 있다. 오래된 들메나무에는 티티새가 여러 마리 가득히 앉아 있고 논두렁에는 송아지가 울며 서 있다. 전체적으로 매우 평화로운 정경이다.

"골개논두렁"과 "자개밭둑"의 대조가 재미있는데, 어미 소는 자갈밭둑에 누워 있는데 어미를 찾는 송아지는 좁은 논두렁에서 미나리를 밟으며 어미를 찾는 울음소리를 낸다. 송아지가 우는 이유를 아래 동리에서 나는 말 울음소리가 무서워서라고 하고, 이어서 아래 동리 망아지는 오히려 네 울음소리가 무서워서 울 것이라고 둘러댄 것도 재미있다. 동면을 끝낸 다람쥐도 바위 위에서 해바라기하다 잠시 졸려 토끼잠을 잔 후 다시 얼굴을 비빈다. 흰 구름도 하늘을 떠가다가 복시꽃을 바라보려 잠시 머물고, 나람쉬는 자기가 가야 할 건넛산을 바라보고 봄이 무르익지 않았다는 불평을 작게 소곤거린다. 그 푸념의 내용이 "저기는 그늘 그늘 여기는 챙챙"이라는 것이다.

이 구절은 '그늘 그늘'과 '챙챙'을 대조적으로 배치했는데 '그늘 그늘'은 '그늘'이라는 명사를 중첩하여 그늘진 정경을 나타내는 의태어의 기능까지 하도록 활용했다. 즉 이곳은 볕이 챙챙한데 산 쪽은 아직 그늘이 깔려 있다는 뜻도 되면서 저곳은 이곳의 챙챙함과 대조되는 어둑한 상태로 남아 있음을 나타낸 것이다. 이러한 시어의 교묘한 활용이 진술로 일관한 이 작품의 끝부분에 배치되어 시다운 윤기를 머금게 했다. 티티새나 송아지의 거동을 놓고 어린이의 시각으로 서술하는 백석 특유의 동화적 발상도 이 작품을 시의 반열에 올려놓는 데 한몫 거들었다.

탕약湯藥

눈이 오는데

토방에서는 질화로 위에 곱돌탕관에 약이 끓는다.

삼에 숙변에 목단에 백복령에 산약에 택사의 몸을 보한다는 육미탕六味湯이다.

약탕관에서는 김이 오르며 달큼한 구수한 향기로운 내음새가 나고

약이 끓는 소리 삐삐 즐거웁기도 하다.

그리고 다 달인 약을 하이얀 약사발에 받아 놓은 것은

아득하니 깜하여 만년 옛적이 들은 듯한데

나는 두 손으로 고이 약그릇을 들고 이 약을 내인 옛사람늘을 생각하노라면

내 마음은 끝없이 고요하고 또 맑아진다.

-『시와 소설』 1호, 1936. 3.

- **곱돌탕관**: 곱돌로 만든 약탕관.
- **숙변**: 숙지황
- **육미탕六味湯**: 숙지황, 산약, 산수유, 백복령, 목단피, 택사를 넣어서 달여 만드는 보약인데 여기서는 산수유가 인삼으로 대체되었다.
- **밭아**: 밭다(건더기와 액체가 섞인 것을 체나 거르기 장치에 따라서 액체만을 따로 받아 내다)의 활용.

백석은 오래되고 낡은 것에 친근감과 애정을 느끼며 정신적 가치를 부여한다. 그리고 희고 정갈한 대상을 선호한다. 그러한 성향이 이 짧은 시에도 그대로 나타난다. 겨울철 하얗게 눈 내리는 날이 배경으로 설정된 것 역시 희고 깨끗한 상태에 대한 백석의 기호에 의한 것이다. 그렇게 정갈한 겨울날 토방에서 질화로 위에 약탕관을 올려놓고 약을 달이는 모습을 보여 준다. 그 모습은 고요하고 단정하다. 눈 오는 날의 차가움과 약이 끓는 뜨거움이 대조를 이루고 눈의 흰빛과 곱돌탕관의 검은빛이 대조를 이루어 미학적 장면을 연출한다.

백석의 시가 대부분 그렇듯 여기서도 시각에 후각과 미각과 청각이 결합된다. 한약 달이는 냄새를 "달큼한 구수한 향기로운 내음새"로 표현한 것이 독특하다. 한약 달이는 냄새를 좋아하는 사람도 있지만 그 냄새가 달콤하다거나 구수하다고 느끼는 사람은 별로 없다. 그러나 백석은 몸을 보하는 약의 가치보다도 그것을 달이는 냄새에 더 호감을 표시한다. 그래서 약이 끓으며 내는 소리도 즐겁다고 말했다.

"약이 끓는 소리 삐삐 즐거웁기도 하다"라는 시행은, "삐삐"를 중심으로 앞뒤 두 호흡 군으로 갈라지면서, 경쾌한 율동감을 자아낸다.

이런 과정을 거쳐 백석이 애호하는 "하이얀" 약사발에 검은 탕약이 담겨 나왔다. 하얀 약사발에 담긴 약을 마치 순결함의 정수에 해당하는 것처럼 공경하는데 그 이유를 한 줄 시행으로 간단하게 제시했다. "아득하니 깜하여 만년 옛적이 들은 듯한데"가 그것이다. 이 약에 오래전부터 끝없이 이어져 온 무량한 시간과 많은 지혜가 응축되어 있다고 본 것이다. 자신의 시간의 척도로 헤아릴 수 없는 아득한 과거가 담겨 있기에 탕약을 애호하고 공경한다. 마치 종교의 신물神物을 대하듯이 "두 손으로 고이 약그릇을 들고" 이 약을 만들어 낸 아득한 과거의 사람들을 머리에 떠올린다. 그렇게 "만년 옛적"과 "옛사람"을 생각하는 것만으로도 마음은 벌써 "끝없이 고요하고 또 맑아"진다.

여기서 "끝없이"라는 말은 매우 중요하다. 인간의 유한한 의식을 초월한 무량한 과거에 대한 동경이 나의 마음을 영원히 정화한다는 뜻이다. 약을 먹지 않아도 느낌만으로 벌써 병이 치유되는 경지. 그 과거가 어떤 것인지 밝히지 않았지만, 백석은 아득한 과거에 대한 동경이 자신의 내면을 정화할 수 있다고 믿었다. 그런 사유를 선명히 드러낸 작품은 이것이 처음이며 이 작품 이후의 시편에서 그러한 성향은 더욱 강화되고 확장된다. 아울러 '고요함'과 '맑음'이 등가로 제시되고 있는 것도 눈여겨볼 만하다. 이후의 시편에서 '고요함'은 내면의 정화를 암시하는 말로 자주 등장하게 된다. 그러므로 「탕약」은 백석시의 전개 과정에서 매우 중요한 의미를 지닌 작품이다. 이 점을 특별하게 강조하고 싶다.

이즈노쿠니미나토 가도伊豆國湊街道*

옛적본의 휘장마차에

어느메 촌중의 새색시와도 함께 타고

먼 바닷가의 거리로 간다는데

금귤이 눌한 마을 마을을 지나가며

싱싱한 금귤을 먹는 것은 얼마나 즐거운 일인가.

－『시와 소설』1호, 1936. 3.

—

- **예적본**: 옛날식. 옛날 모양. 「남향南鄕」에도 나오는 시어다.
- **어느메**: '어디'의 방언. 「고야古夜」, 「가즈랑집」에도 나오는 시어다.
- **촌중**: 시골 마을. 한자어 '村中'에서 온 말이다.
- **눌한**: 누렇게 익은.

* '가도'는 지금도 사용하는 한자어이므로 '이즈노쿠니미나토'까지만 일본 음으로 적는다.

―

『사슴』에 나오는 「가키사키柿崎의 바다」가 도쿄 남서쪽에 있는 시
즈오카현 이즈 반도 남단의 해안 도시 가키사키를 배경으로 한 것이
듯, 이 작품도 이즈 반도 지역의 여행 체험을 표현한 것이다. 이즈쿠
니伊豆國는 이즈 반도 지역을 지칭하는 말이고 미나토카이도湊街道는
해안으로 가는 가도라는 뜻이다. 백석은 대학 졸업을 앞두고 이 지역
을 여행했는데, 그때 써 두었던 작품을 나중에 발표한 것인지, 아니면
그때의 기억을 떠올려 새로 쓴 것인지는 알 수 없지만, 「가키사키柿崎
의 바다」와 마찬가지로, 외국의 풍물 표현에도 백석 식의 시어가 구
사되고 있는 것을 볼 수 있다.

정지용의 「황마차幌馬車」(『조선지광』, 1927. 6.)라는 시에는 서구풍 장
식의 황마차가 낭만적 동경의 대상으로 설정되었는데, 백석의 이 시
에는 옛날 풍의 휘장마차가 등장한다. 오래되고 낡은 것에 관심을 두
는 취향이 여기에서도 그대로 드러난다. 이즈 반도 지역은 도시와 멀
리 멀어진 곳이기에 오래된 휘장마차가 자량 대신에 운행되었고 거
기 어느 시골 마을의 새색시가 함께 탄 것이다. 낡은 휘장마차에 새색
시가 앉아 있는 장면은 대조적인 정황에서 오는 즐거움을 안겨 준다.
먼 바닷가의 항구 지역을 향해 마차는 달리고 도로 주변에는 금귤이
누렇게 익은 마을들이 연이어 있고 마차는 그러한 풍경을 스치고 지
나간다.

금귤나무는 남방 지역에 자라는 것으로 겨울철이 되어서야 열매가
누렇게 익는다. 따뜻한 남방 지역의 해안가라 날씨는 그렇게 춥지 않

았을 것이다. 백석은 누렇게 익은 금귤을 보며 싱싱한 금귤을 먹는 즐거움을 떠올린다. 문장의 구성은 "마을 마을을 지나가며/싱싱한 금귤을 먹는 것은"이라고 되어 있지만 마을을 지나며 금귤을 먹었다는 뜻은 아닐 것이다. 금귤을 먹는 장면을 떠올리며 즐거운 기분을 느꼈다는 뜻이다. 금귤은 맛이 달지 않고 새큼한데 싱싱한 금귤이라고 했으니 그 맛이 더욱 시게 느껴졌을 것이다. 먹는 것에 대한 백석의 관심이 여기서도 뚜렷하게 나타나는 것을 볼 수 있다.

남행시초南行詩抄 1: 창원도昌原道

솔포기에 숨었다
토끼나 꿩을 놀래 주고 싶은 산허리의 길은

엎데서 따스하니 손 녹이고 싶은 길이다

개 데리고 호이호이 휘파람 불며
시름 놓고 가고 싶은 길이다

괴나리봇짐 벗고 땅불 놓고 앉아
담배 한 대 피우고 싶은 길이다

승냥이 줄레줄레 달고 가며
덕신덕신 이야기하고 싶은 길이다

떠꺼머리총각은 정든 임 업고 오고 싶을 길이다

—『조선일보』, 1936. 3. 5.

- **괴나리봇짐**: 걸어서 먼 길을 떠날 때 보자기에 싸서 어깨에 메는 작은 짐.
- **땅불**: 땅에 아무렇게나 붙이는 불.
- **덕신덕신**: 여러 가지 이야기를 이어서 하는 모양.
- **떠꺼머리**: 상투를 틀지 않고 길게 늘어뜨린 머리.

앞의 "이즈노쿠니미나토 가도"가 이즈노쿠니미나토를 향해 가는 길이듯 "창원도昌原道"는 창원 지역을 향해 가는 길이다. 창원으로 향하는 길은 여유와 평화로 가득 차 있다. 자연과 하나가 되어 자연 속에 노닐며 장난치고 뒹굴고 싶은 마음이 넘친다. 인적은 물론이고 산짐승이 지나간 자취도 없어 솔포기에 숨어 있다가 토끼나 꿩을 놀래주고 싶은 생각까지 들게 하는 그런 호젓한 길을 걸어간다. 그 길이 너무나도 아늑해 보이므로 엎드려서 따스하게 손 녹이고 싶은 마음이 든다고 말했다.

그러면 이 시가 배경으로 삼고 있는 계절은 언제인가? 다음에 볼「남행시초 2: 통영」에 "열이레 달이 올라서"라는 말이 나오는데 이것을 음력 1월 17일로 보면 양력으로는 2월 9일에 해당한다. 그러니까 여기 묘사된 정경은 봄이 오기 직전인 2월 중순의 풍광을 그린 것이다. 그것은 "손 녹이고 싶은 길"이라는 말에서도 알 수 있다. 아직 겨울이지만 "동지섣달에도 눈이 오지 않는"(백석, 「편지」, 『조선일보』, 1936. 2. 21.) 따뜻한 남쪽 지역이므로 엎드려 손 녹이고 싶은 마음이 들 정도로 햇볕이 길을 따스하게 비추고 있다. 그러나 괴나리봇짐을 벗고 쉴 때는 아직 찬 기운이 남아 있는 산길인지라 땅불을 지펴 몸을 녹이고 싶은 마음이 드는 것이다. 그런 점에서 볼 때 『조선일보』의 이 '남행시초' 연재는 봄소식이 먼저 찾아오는 남쪽 지역을 답사하여 신춘의 흥겨움을 앞서 전해 보려는 의도로 기획된 것으로 짐작되며 그러한 의도가 시 전편에 스며들어 있다.

산짐승도 보이지 않는 산길을 걷자니 여유 있게 개를 데리고 가볍게 휘파람을 불면서 가고 싶은 마음이 든다. 그렇게 산길을 걸으면 마음의 묵은 시름도 다 사라질 것 같다. 가다가 힘들면 잠시 쉬면서 땅불이라도 피워 한기를 없애고 여유 있게 담배도 한 대 피우고 싶은 것이다. 그렇게 자연과 하나가 된 듯한 느낌을 가지니 사나운 승냥이와도 친구가 될 것 같다. "줄레줄레 달고 가며"라고 했으니 한 마리가 아니라 여러 마리가 뒤를 따라오게 하고 싶다고 말한 것이다. 그것도 그냥 걷는 것이 아니라 여러 가지 이야기를 "덕신덕신" 늘어놓고 싶다고 했다. "줄레줄레"와 "덕신덕신"이라는 의태어가 서로 호응하면서 승냥이와 친구가 되어 이야기를 나누는 정겨운 영상을 자연스럽게 만들어 낸다.

마지막 시행은 지금까지 전개되던 자연의 호젓한 정경과는 달리 노총각을 등장시켜 연정의 흥겨움을 나타냈다. 여기에는 앞의 「통영」(『조선일보』, 1936. 1. 23.)이라는 시에서 보았던, 백석이 만나고 싶어 하는 한 여인에 대한 연모의 감정이 은연중 투영된 것으로 보인다. 떠꺼머리총각이 정든 임을 등에 업고 고개를 넘는 장면은 생각만 해도 흥겹다. 백석 스스로가 연정의 주인공이 되어 그런 흥겨운 산행을 하고 싶었을 것이다. 그래서인지 이 마지막 시행은 "싶은"이라고 하지 않고 "싶을"이라고 표기했다. 이것이 단순한 오기인지 의도적인 시어 선택인지 판별하기 어렵지만, 시인 자신의 희망이 포함된 의도적인 변용이라고 볼 때 시의 맛이 더 살아나는 것은 사실이다. 자연과 동화된 여유 있는 산행의 흐름에서 벗어나 낭만적 연정을 암시하자니 "싶을"이라는 변형이 필요했을 것이다.

남행시초 2: 통영

통영 장 낫대들었다

갓 한 닢 쓰고 건시 한 접 사고 홍공단 단기 한 감 끊고 술 한 병 받아 들고

화륜선 만져 보려 선창 갔다

오다 가수내 들어가는 주막 앞에
문둥이 품바타령 듣다가

얼이레 달이 올라서
나룻배 타고 판데목 지나간다 간다

서병직徐丙織 씨에게

-『조선일보』, 1936. 3. 6.

- **낫대들었다**: 내달아 들어갔다. '내닫다'의 고어인 '낫돋다'와 '들었다'의 합성어로 보인다.
- **홍공단 단기**: 홍공단紅貢緞은 붉은 빛깔의 윤기 있는 비단. 단기는 원래 베틀의 실을 끊는다는 뜻인데 옷감을 자른다는 말로 전의轉義되어 쓰인다. '한 감'은 "치마 한 벌을 뜰 수 있는 크기"를 뜻하기 때문에 '단기'를 '댕기'로 풀이할 수는 없다.
- **화륜선**: 화륜선火輪船. 옛날에 기선汽船을 일컫던 말.
- **가수내**: 경남 방언 '가시내'의 다른 말로 보기도 하지만, 지명으로 보는 것이 문맥에 어울린다.
- **판데목**: 통영과 미륵도 사이의 수로水路 이름.
- **서병직**: 백석이 좋아하던 여인의 외사촌으로 백석이 통영에 머무르는 동안 그를 대접했다고 한다.

이 시는 매우 흥겨운 어조로 빠르게 전개된다. 통영의 새로운 문물을 대하는 흥겨움이 그대로 반영되어 있다. 앞서 발표한 「통영」(『조선일보』, 1936. 1. 23.)에도 새로운 풍물에 신기해하며 다양한 상상을 하는 화자의 설레는 마음을 느낄 수 있었는데, 이 작품에서는 조금 더 간결한 어조로 즐거움을 압축하고 있다. 통영은 항구 도시고 갓의 명산지이기 때문에 장이 서면 사람들도 많이 모이고 물건도 많이 쌓여서 상당히 흥청스러운 느낌을 주었을 것이다. 신나는 일이 벌어질 것 같은 장터에 바쁜 마음으로 내달아 들어가는 모습을 백석은 "낫대들었다"라는 말로 나타냈다.

그다음 시행은 통영 장에서 이것저것 물건을 사는 장면을 빠른 어조로 급하게 서술했다. 갓과 건시, 홍공단과 술 한 병으로 이어지는 품목의 열거가 무척 재미있다. 통영의 특산물인 갓을 사서 쓰고 겨울철 별미인 건시도 한 접 사고 선물용으로 쓸 것인지 홍공단도 한 감 끊고 낭만적인 시인답게 술도 한 병 샀다. 그렇게 통영 장을 구경한 다음에는 장소를 바꾸어 커다란 기선이 들어와 있는 선창으로 갔다. 화륜선을 만져 보러 갔다고 했지만 실제로 손으로 만져 본다는 뜻이라기보다는 가까이에서 본다는 뜻으로 읽는 것이 좋을 것이다. 정주와 도쿄, 경성에서 생활한 그에게는 선창에 정박해 있는 커다란 기선이 신기하게 보였을지 모른다.

선창에서 돌아오는 길에 어떤 주막 앞에서 각설이패들이 장타령을 하며 구걸하는 장면을 보았다. 문둥이 품바타령이라고 했지만 실제로 문둥이가 품바타령을 한 것은 아니고, 문둥이 행색을 한 각설이가 신나게 장타령을 불러 젖혔을 것이다. 그렇게 돌아다니며 여러 가지 구경을 하다 보니 어느덧 날이 저물었다. 보름이 지난 열이렛날이라 보름달 못지않게 달빛이 꽤 환했을 것이다. 교교한 달빛이 비치는 판데목 바다 위를 나룻배를 타고 지나가는 모습은 외롭기도 하면서 신비로운 느낌을 준다. 도입부의 활달하고 경쾌한 기색은 종결부에서 낭만적인 정적의 아름다움으로 변모한다. 그야말로 표표한 나그네의 심정으로 한 척 나룻배에 의지하여 달빛이 비치는 통영의 명물 판데목 수로 위를 지나가는 장면으로 마무리된다.

끝에 "서병직 씨에게"라는 헌사가 붙어 있는데 서병직 씨는 백석이 좋아했다는 박경련의 외사촌이다. 이때의 통영 여행에서 백석은 그 여인을 직접 만나지 못하고 외사촌 서병직의 대접만 받고 돌아왔다고 한다. 백석은 달밤의 쓸쓸한 나그네로 자신의 모습을 끝맺은 이 시를 서병직에게 보내는 형식을 취함으로써 박경련에 대한 그리움과 서병직에 대한 고마움을 함께 나타내고자 했던 것 같다.

남행시초 3: 고성가도固城街道

고성 장 가는 길

해는 둥둥 높고

개 하나 얼린하지 않는 마을은

해바른 마당귀에 맷방석 하나

빨갛고 노랗고

눈이 시울은 곱기도 한 건반밥

아 진달래 개나리 한창 피었구나

가까이 진치가 있어서

곱디고운 건반밥을 말리우는 마을은

얼마나 즐거운 마을인가

어쩐지 당홍치마 노란 저고리 입은 새악시들이

웃고 살을 것만 같은 마을이다

－『조선일보』, 1936. 3. 7.

- **얼린하지 않는**: 어른거리지 않는.
- **해바른**: 양지바른. 「산곡山谷」에도 나오는 시어다.
- **눈이 시울은**: 눈이 부신.
- **건반밥**: 잔치 때에 쓸 세반細飯 가루.

"고성가도"라는 제목은 "이즈노쿠니미나토 가도"나 "창원도"와 마찬가지로 고성으로 가는 도로라는 뜻이다. 고성 장터로 가는 길에 해가 높게 떠 있는데 그것을 "해는 둥둥 높고"라고 표현하니 고요하면서도 평화로운 느낌이 든다. 개 한 마리 어른거리지 않는 조용한 마을에는 사람도 보이지 않고 다만 양지바른 마당귀에 맷방석을 깔아 놓고 그 위에 건반밥을 말리는 장면이 눈에 들어온다. 그 건반밥의 모양을 빨갛고 노란 진달래와 개나리에 비유했다.

여기 "진달래 개나리 한창 피었구나"라는 구절이 나오기 때문에 진달래 개나리가 만발한 봄날의 풍광을 그린 것으로 오해하는 경우가 있다. 그러나 이것은 진달래 개나리가 활짝 핀 모습을 표현한 것이 아니라 이 시에 나오는 대로 "건반밥"을 말리는 장면을 묘사한 것이다. "건반밥"은 다식이나 강정을 만들 때 쓰려고 물감을 들여 말린 쌀가루를 말한다. 쌀 다식을 만들려면 쌀이나 찹쌀로 밥을 지어 말린 후 노랗게 볶아서 가루를 낸 다음 틀에 찍어서 만든다. 세반강정을 만들 때도 찹쌀을 쪄서 말린 후 가루를 내서 강정에 옷을 입혀 만든다. 쌀이나 찹쌀을 익혀서 가루를 낸 것을 세반細飯이라고 한다. 그러니까 여기서의 건반밥은 한과 제조에 쓰이는 세반을 지칭한 것이며, 그 세반에 붉은 물감과 노란 물감을 들여 말리고 있는 장면을 진달래 개나리가 한창 핀 것처럼 비유한 것이다.

시에 나타난 정황을 다시 정리하면 이렇다. 양지바른 마당귀에는 맷방석 위에 빨갛고 노랗게 물을 들인 세반(건반밥)을 말리는 정경이 보인다. 그 고운 모습은 눈이 부실 정도여서 마치 진달래 개나리가 한창 피어 있는 것 같다. 이렇게 세반을 말리는 것을 보니 흥겨운 잔치를 앞둔 것 같다. 개 한 마리 어른거리지 않는 조용한 마을이지만 그 안에서는 이렇게 즐거운 일들이 펼쳐지고 있을 것이다. 빨갛고 노란 세반의 모양에서 당홍치마에 노랑 저고리를 입은 처녀의 모습이 연상되고, 그들이 웃음꽃을 피우며 지내는 정겨운 장면이 떠오른다. 문맥에는 직접 표시되지 않았지만 젊은 처녀가 새봄에 혼사를 맞는 모습까지 연상한 것 같다. 이곳이 그가 좋아하는 여인이 가까이 사는 지역이기에 그러한 생각이 떠올랐을 것이다. 잔치를 앞둔 사람들의 즐거운 웃음을 높게 떠 있는 해와 눈이 부시게 아름다운 건반밥을 통해 나타냈다. 한적한 농촌에서 가난하지만 순량하고 따뜻한 마음으로 살아갔던 소박한 사람들의 생활상을 잘 담아냈다.

남행시초 4: 삼천포

졸레졸레 도야지 새끼들이 간다
귀밑이 재릿재릿하니 볕이 담복 따사로운 거리다

잿더미에 까치 오르고 아이 오르고 아지랑이 오르고

해바라기하기 좋을 볏곡간 마당에
볏짚같이 누우런 사람들이 둘러서서
어느 눈 오신 날 눈을 치고 생긴 듯한 말다툼 소리도 누우러니

소는 기르매 지고 조은다

아 모두들 따사로이 가난하니

— 『조선일보』, 1936. 3. 8.

- **귀밑이 재릿재릿하니:** 햇볕이 비쳐 귀 밑 쪽에 따뜻한 자극이 느껴지는 상태.
- **담복:** 넉넉할 정도로 가득한 모양. '담뿍'보다는 작은 느낌의 말.
- **누우런:** 누런. 「이즈노쿠니미나토 가도伊豆國湊街道」에 나오는 "눌한"과 통하는 말이다.
- **기르매:** '길마'의 방언. 짐을 싣거나 수레를 끌기 위해 소나 말의 등에 얹는 안장.

이 시에도 역시 조용하고 평화로운 정경이 펼쳐진다. 백석이 여행했던 1936년 2월의 경상남도 지역은 정말 이렇게 고요한 모습이었을까? 돼지 새끼들이 졸레졸레 줄을 지어 가는 데도 돼지 소리에 대한 묘사는 없고 돼지를 몰고 가는 사람에 대한 언급도 없다. 백석에게는 무성영화의 화면 같은 시각적 영상만 포착된 것일까? "졸레졸레"라는 의태어도 시각 영상에 흐뭇한 느낌을 얹어 주고, 큰 돼지가 아니라 돼지 새끼들이 간다는 것도 정겨운 느낌을 준다. 거기에 볕살이 따사로워 귀밑에 재릿재릿한 느낌이 들 정도다. 겨우내 움츠렸던 혈관과 근육이 풀리는 느낌이 드는 것이다. 이런 것을 보면 백석이 지닌 예민한 감각이 적절한 의태어를 통해 시에 최대로 구현된 것을 알 수 있다. "졸레졸레"와 "재릿재릿하니"를 앞부분에 배치하여 독자의 느낌을 이끌어 내고자 한 것이다.

설날도 지나고 정월 대보름도 지나 봄이 다가오니 묵은 볏짚이나 잡동사니들을 태워 비료를 만들기 위한 잿더미가 마련되었다. 그것이

높직하게 솟아 있으니 까치가 그 위에 오르기도 하고 철없는 아이가 올라가 수선을 피우기도 한다. 그곳에서는 봄을 예고하는 아지랑이가 피어오른다. 까치와 아이와 아지랑이를 동등하게 배치하여 자연과 친화된 삶의 모습을 천진하게 나타냈다.

벼를 쌓아 둔 곳간 마당에는 햇살이 따스하게 비쳐 해바라기하기 좋은 상태를 이루고 있는데 따뜻한 마당에 모인 사람들의 모습을 모두 "볏짚같이 누우런 사람들"이라고 표현한 것이 흥미롭다. 농사를 지으며 살아가는 소박한 사람들이라 햇빛에 그을려 누런 황톳빛 피부를 지니고 있다. 그것을 볏짚 빛깔에 비유하여 토착적 친화감을 불러일으킨 데서 백석의 개성이 드러난다. 모인 사람들 가운데에서 다소 큰 소리도 들려와서 말다툼을 하는 것인가 하는 생각도 드는데, 그 소리를 "어느 눈 오신 날 눈을 치고 생긴 듯한 말다툼 소리"라고 표현한 데서 역시 백석다운 훈기가 느껴진다.

이것을 백석이 여행하는 삼천포 지역에 눈이 내린 것으로 오해해서는 곤란하다. 귀밑이 재릿재릿할 정도로 햇살이 담복 따사로운 거리인데 어디 눈이 남아 있겠는가? 다만 말다툼 소리의 수위가 그 정도의 수준으로 들린다는 뜻이다. 한겨울에 눈이 많이 오면 집 앞이나 골목 안의 눈을 치울 텐데 그러다 보면 어느 한쪽에 눈이 몰리게 되어 사소한 말다툼이 생기기도 한다. 이것은 극히 사소한 말다툼이어서 시간이 지나면 그야말로 눈 녹듯 사라진다. 그러니까 이곳 곳간 마당에서 간혹 말다툼 소리 같은 것이 들리기는 하지만 그것은 그저 눈을 치우다 생긴 다툼 정도의 미미한 소란에 그친다는 뜻이다. 그리고 그 말소리 또한 누런 황토빛을 생각나게 해서 토속적인 정감을 자아낸다고 했다. 거기서 눈을 돌려 소가 묶여 있는 곳을 바라보니 아직 겨울이 다 가지 않은 상태라 아무 할 일 없이 길마를 진 채 졸고 있다. 짐을 끌 일도 밭을 일굴 일도 아직은 없는 것이다.

이렇게 느리고 평화롭고 순량한 풍경을 바라보며 백석은 따사로운 온기와 함께 '가난'을 떠올렸다. 이 단어는 남행시초 네 편의 연재를 마치는 자리에 최초로 들어간 말이다. 백석은 이 여유와 흥겨움과 즐거움과 온기로 가득 찬 연재시의 종결부에 왜 "가난하니"라는 말을 넣었을까? 사실은 그들의 실상이 가난했을 것이다. 이것은 도시에 사는 사람이 시골에 가면 자연스럽게 감지하게 되는 요소다. 그러나 백석은 앞의 세 편의 시에서는 이러한 점을 전혀 드러내지 않고 맨 마지막 작품의 끝부분에서 빙산의 일각을 드러내듯 지나가는 말처럼 작게 속삭였다. 이것 역시 현실의 부정적 측면을 표면에 드러내지 않으려는 백석의 독특한 방법론이다. 그는 가난이라는 경제적 조건 속에서도 여유롭고 흥겹고 즐겁고 따스하게 살아가는 우리나라 사람들의 삶에 진정으로 애정 어린 눈길을 보내고 있다. 또한 그러한 애정도 표 나게 드러내지 않는 질제의 정신을 오랫동안 유지했다.

북관北關*

명태 창난젓에 고추무거리에 막칼질한 무이를 비벼 익힌 것을
이 투박한 북관을 한없이 끼밀고 있노라면
쓸쓸하니 무릎은 꿇어진다

시큼한 배척한 퀴퀴한 이 내음새 속에
나는 가느슥히 여진女眞의 살내음새를 맡는다

얼근한 비릿한 구릿한 이 맛 속에선
까마득히 신라 백성의 향수도 맛본다.

－『조광』 3권 10호, 1937. 10.

---

* 『조광』 3권 10호(1937. 10.)에 "함주시초咸州詩抄"라는 묶음으로 「북관北關」, 「노루」, 「고사古寺」, 「선우사膳友辭」, 「산곡山谷」 등 다섯 편이 발표되었는데, 이것은 1년 7개월간의 공백기를 거친 후 그동안 써 놓았던 작품을 한꺼번에 발표한 것이기 때문에 연작이라기보다는 각각의 개별적인 작품으로 보아야 할 것이다.

- **고추무거리**: '무거리'란 원래 "곡식의 가루를 내고 남은 찌꺼기"를 뜻하지만, 여기서는 고춧가루에 양념을 섞어 무친 것을 의미한다.
- **무이**: '무'의 방언.
- **끼밀고**: 끼어들어 자세히 맛을 느끼고.
- **배척한**: 배척지근한. 비린내가 나는.
- **가느슥히**: 희미하게. 「성외城外」의 "그느슥한", 「고사古寺」의 "그느슥히"와 관련된 말이다.

'함주시초' 5편은 1936년 4월 영생고보 영어교사로 취직하여 서울을 떠난 지 1년 6개월 후에 발표한 작품들이다. '함주시초'라는 부제가 암시하는 것처럼 함흥에서의 체험이 반영되어 있다. 백석은 평북 정주의 농촌 마을에서 태어났지만, 일본 도쿄에서 4년간 유학했고 서울에서 2년간 기자 생활을 했으며, 함경남도의 중심 도시인 함흥에서 1년 이상 영어 교사로 일하고 있는 상태였다. 서울에서 기자를 하던 때의 인물평이나 영생고보 재직 시절의 사진 자료 및 제자들의 회고담을 보아도 대단히 세련된 외모에 현대적 취향을 지닌 인물임을 감지할 수 있다. 그러한 그가 "시큼한 배척한 퀴퀴한" 냄새와 "얼근한 비릿한 구릿한" 맛 속에서 무한한 향수와 공감의 심경에 젖어 드는 장면은 참으로 이채롭다.

그는 이러한 후각과 미각으로 표상되는 북관 지역의 생활상에 동화된 자신의 상태를 "끼밀고 있노라면"이라는 말로 표현했다. 이 말의 뜻을 정확히 파악하기는 힘들지만 상당히 복합적인 의미가 들어 있다는 것은 짐작할 수 있다. 이것을 단순히 '깨물고 있다'는 뜻으로 보게 되면 전후의 문맥이 어색해진다. 어떤 음식을 한없이 깨물고 있을 수는 없기 때문이다. 국어의 '끼다'나 '끼우다'에는 "끼어들거나 섞이다"라는 의미가 들어 있다. 그러니 '끼밀다'라는 말에는 대상에 끼어들거나 대상과 하나가 된다는 의미가 내포되어 있는 것이다. 요컨대 백석은 "투박한 북관北關"을 자신의 삶의 일부로 껴안으면서 그것과 동화된 상태에서 외형적 표상의 내면에 담겨 있는 정신의 영역을 탐색하려는 시도를 벌이고 있다.

그러면 그에게 "투박한 북관"에 동화되려는 의식을 갖게 한 매개물은 무엇인가? 백석은 "명태 창난젓에 고추무거리에 막칼질한 무이를 비벼 익힌 것"을 먹고 있다고 했다. 이 시행의 내용에 대해서는 약간의 설명이 필요하다. '창난' 자체가 명태의 창자를 일컫는 말이므로 굳이 "명태 창난"이란 말을 쓸 필요는 없지만 관용적인 어법을 차용해서 썼다. "고추무거리"란 '고추'와 '무거리'의 합성어인데, '무거리'란 "곡식 따위를 빻아서 가루를 내고 남은 찌꺼기"를 말한다. 그래서 "고추무거리"에 대해 "고추를 빻아 체에 쳐서 가루를 빼고 남은 찌끼"라는 설명이 나오기도 한 것이다. 그런데 창난젓을 담글 때나 창난젓에 다른 재료를 섞어 버무릴 때 고추무거리를 쓰는 일은 없다. 곱게 간 고춧가루를 섞어 버무리는 것이 원칙인데, 그렇게 되면 고춧가루의 붉은 물이 우러나기 때문에 "고추무거리"란 말을 썼을 것이다. 백석이 먹은 음식은 남쪽에서 '창난젓 깍두기'라고 부르는 것으로, 무를 소금에 절여 물기를 뺀 다음 창난젓에 고춧가루와 버무려 만든 음식이다. '막칼질한 무를 비벼 익혔다'고 한 표현으로 볼 때 무를 가지런하게 썰지 않고 되는 대로 듬성듬성 썰어 넣은 것을 알 수 있다. 그만큼 음식에서 풍기는 소박하고 서민적인 정취를 나타내고자 한 것이다.

그는 북방의 토속 음식인 창난젓의 맛과 냄새에서 "투박한 북관"의 향취를 느끼며 그 퀴퀴하고 비릿한 향토의 세계에 젖어 든다. 그런데 그는 단순히 토속 음식의 맛과 냄새에만 관심을 갖는 것이 아니라 함경도 지역의 역사에도 관심을 갖는다. 시집『사슴』에 담긴 토속적 세계와 북관 시편의 차이는 바로 여기서 나타난다. 유년의 시점으로 바라본『사슴』의 토속적 세계는 '풍속과 인정과 말이 어우러진 평화로운 삶의 재현'*에 집약되지만, 성인의 시점으로 관찰한 북관 거주기의 풍속 시편은 역사성의 인식을 포함하고 있다. 음식의 냄새와 맛을 통해 풍속과 인정의 세계를 드러낸 점에서 이 작품은『사슴』의「여우난골족」이나「고방」,「고야古夜」와 통한다. 다른 점은 풍속과 인정의 세계가 역사성을 확보한 점이다.

시인은 창난젓의 냄새에서 "여진女眞의 살내음새"를 맡고, 창난젓의 맛에서 "신라 백성의 향수"를 맛본다고 적었다. 함경도 지역에 여진인들이 많이 살았고 고려시대 이후 그들을 북쪽으로 몰아내는 데 주력했다는 것은 널리 알려진 역사적 사실이다. 그러면 신라 백성의 향수를 맛본다는 것은 어떤 역사적 사실을 나타낸 것일까? 우선 신라의 진흥왕이 국토의 영역을 확장하여 서기 540년에서 576년까지 36

* 이숭원, 「풍속의 시화와 눌변의 미학」, 『한국 시문학의 비평적 탐구』, 삼지원, 1985, 261쪽.

년간 함흥지역 남쪽이 신라의 영토가 된 사실을 떠올릴 수 있다. 진흥왕은 함흥 지역에 황초령순수비와 마운령순수비를 세워 그곳이 신라의 영토임을 표시했다. 함경도 지역과 옛 신라 땅인 경상도 지역의 관계는, 고려 말과 조선 초에 여진인을 몰아낸 함경도 지역에 경상도 사람을 이주시킨 사실에서 다시 한번 확인된다. 백석이 과연 이러한 두 가지 역사적 사실을 인식하고 "신라 백성의 향수"를 맛본다고 적었는지는 알 수 없지만, 진흥왕의 순수비는 역사적 유물로 남아 있었을 터이니 거기에서 신라와의 연결점을 찾은 것은 부인할 수 없는 사실일 것이다.

그런데 백석의 역사에 대한 의식은 어떤 확고한 인식의 차원에 이르지는 않은 것 같다. 그것은 "가느슥히"와 "까마득히"란 부사어의 어감에서 감지된다. "가느슥히"는 "꽤 가느스름하게, 희미하게"의 뜻으로 공간적인 윤곽을 나타내는 말이고, "까마득히"는 공간적 거리감을 나타내기도 하지만 일반적으로는 "아주 오래되어 아득한"이라는 시간적 거리감을 나타내는 말로 쓰인다. 그러니까 창난젓의 퀴퀴한 냄새와 비릿한 맛에서 감지되는 역사적 사실에 대한 인식은 아직 아득하고 희미한 상태에 머물러 있음을 알 수 있다. 그러나 투박한 북관에의 귀의를 "무릎은 꿇어진다"로 서술한 것으로 보아 평범한 생활 풍속에서 삶의 실체를 발견하고 정신의 단면을 발견하려는 지향성은 어느 정도 수립된 것으로 보인다.

노루

장진長津 땅이 지붕 넘에 넘석하는 거리다
자귀나무 같은 것도 있다
기장감주에 기장차떡이 흔한 데다
이 거리에 산골 사람이 노루 새끼를 데리고 왔다*

산골 사람은 막베 등거리 막베 잠방둥에를 입고
노루 새끼를 닮았다
노루 새끼 등을 쓸며
터 앞에 당콩 순을 다 먹었다 하고
서른닷 냥 값을 부른다
노루 새끼는 나문다문 흰 점이 박히고 배안의 털을 너슬너슬 벗고
산골 사람을 닮았다

산골 사람의 손을 핥으며
약자에 쓴다는 흥정 소리를 듣는 듯이

* 원본은 여기에서 쪽이 바뀐다. 문맥으로 보아 연이 바뀐다고 보고 연을 나누었다.

새까만 눈에 하이얀 것이 가랑가랑한다.

— 『조광』 3권 10호, 1937. 10.

———

- **넘에:** '너머에'가 줄어든 말.
- **넘석하는:** 크게 힘을 들이지 않고도 갈 만큼 가까운.
- **기장차떡:** 기장으로 만든 찰떡.
- **막베:** 거칠고 성기게 짠 베.
- **등거리:** 등만 덮을 만하게 걸쳐 입는 홑옷.
- **잠방둥에:** 잠방이. 가랑이가 무릎까지 내려오도록 짧게 만든 홑바지. '둥에'는 '고의'(남자의 여름 홑바지)의 방언이다.
- **당콩:** 강낭콩.
- **다문다문:** 드문드문.
- **배안의 털:** 배내털. 배 속에서 자라날 때 돋은 털.
- **너슬너슬:** 길고 연한 풀이나 털 따위가 부드럽게 성긴 모양.
- **약자:** 약의 재료.
- **가랑가랑:** 눈에 눈물이 넘칠 듯이 가득 고인 모양.

———

'함주시초' 중 「노루」, 「선우사膳友辭」 등의 작품은 약자에 대한 연민이 나타난 점에서 『사슴』의 「여승」, 「수라」, 「통영」 같은 시편과 통한다. 장진은 함경남도 북서부에 있는 지역으로 함주군 바로 위에 있다. 그러니까 화자가 처한 지점은 장진 땅이 지붕 너머로 가깝게 보이는 함주의 북쪽 산간 지역의 장터거리에 있다. 그곳에는 북방에서 흔히 볼 수 없는 자귀나무 비슷한 나무도 보인다. 산간 지역이기 때문에 기장을 많이 재배하여 기장쌀로 담근 감주나 찰떡을 팔고 있다. 백석은 어느 경우든 그곳의 음식을 이렇게 먼저 이야기한다. 음식이 그곳의 풍정과 생활상을 가장 잘 드러내기 때문이다.

이 거리에 어느 산골 사람이 어린 노루 한 마리를 데리고 와서 팔고 있다. 그 사람의 모습은 허술하기 짝이 없다. 짤록한 막베 등거리에 막베 잠방이를 입고 있다. 아무리 여름철이라고 하지만 맨살이 다 드러난 옷을 입고 큰 거리에서 노루 새끼를 파는 모습은 어쩐지 처량해 보인다. 그런 그의 모습이 영문도 모른 채 끌려와 팔려 가기 위해 서 있는 노루 새끼와 닮아 보인다. 산골 사람은 어떤 기회에 노루 새끼를 우연히 잡았을 것이고 그것이 돈이 될까 하여 자기가 잡아먹지 않고 큰 거리로 팔러 나온 것이다. 터 앞에 강낭콩 순을 다 먹을 정도로 식성이 좋고 건강하다고 자랑하며 팔고 있다. 아직 새끼기 때문에 몸에는 희끗희끗한 얼룩무늬가 있고 배내털이 이제야 겨우 벗어져 너슬너슬해진 상태다. 이렇게 노루를 묘사한 다음에 화자는 그 노루가 산골 사람을 닮았다고 이야기한다.

여기서 우리는 백석 나름의 의도적인 구성 방법을 주시할 필요가 있다. 산골 사람의 초라한 옷차림을 묘사한 후 노루 새끼를 닮았다고 했고 노루 새끼의 어린 모습을 보여 준 후 산골 사람을 닮았다고 했다. 세상에서 힘을 쓰지 못하는 초라하고 연약한 모습이 일치한다고 본 것이다.

이제 이 연약한 두 존재는 약자로서의 동질적 교감을 나누는 듯하다. 노루는 자기를 팔려는 산골 사람의 손을 핥고 있다. 산골 사람은 사려는 사람과 값을 흥정하며 몸을 보하는 약재로는 그만이라고 너스레를 놓았을 것이다. 이제 자신이 죽음의 길로 가리라는 것을 아는지 어린 노루가 "새까만 눈에 하이얀 것이 가랑가랑한다"라고 했다. 여기서 우리는 노루의 천진무구한 까만 눈과 그 눈에 맺히는 눈물방울을 떠올린다. 어째서 약한 초식동물은 그렇게 순하고 예쁜 눈을 가진 것일까? 우리는 산골 사람의 눈 또한 그럴 것이라고 연상하게 된다. 산골 사람은 노루 새끼를 팔면 뜻밖의 행운에 즐거워하며 산골로 돌아갈 것이다. 그래도 강낭콩 순을 먹이며 잠시 맺었던 인연의 정을 생각하며 어린 노루를 바라보는 그의 눈에도 하얀 것이 가랑가랑 고일 것인가? 어쩐지 그럴 것 같다는 생각이 든다. 아무 것도 아닌 듯한 정경을 절제의 어조로 묘사한 이 시는 뜻밖에도 약자에 대한 연민의 감정을 애잔하게 드러낸다.

고사古寺

부뚜막이 두 길이다
이 부뚜막에 놓인 사닥다리로 자박수염 난 공양주는 성궁미를 지
고 오른다

한 말 밥을 한다는 크나큰 솥이
외면하고 가부 틀고 앉아서 염주도 세일 만하다

화라지송침이 단째로 들어간다는 아궁지
이 험상궂은 아궁지도 조왕님은 무서운가 보다

용마루며 바람벽은 모두들 그느슥히
흰밥과 두부와 튀각과 자반을 생각나 하고

하품도 남 직하니 불기와 유종들이
묵묵히 팔짱 끼고 쭈그리고 앉았다

재 안 드는 밤은 불도 없이 캄캄한 까막나라에서
조왕님은 무서운 이야기나 하면

모두들 죽은 듯이 엎데었다 잠이 들 것이다

(귀주사 – 함경도 함주군)

—『조광』 3권 10호, 1937. 10.

- **자박수염**: 끝이 비틀리면서 아래로 젖혀진 콧수염.
- **공양주**: 절에서 밥 짓는 일을 주로 하는 사람.
- **성궁미**: 부처에게 공양하는 쌀.
- **가부 틀고**: 가부좌 틀고.
- **화라지송침**: 길게 자란 소나무 가지를 꺾어 말린 땔나무.
- **아궁지**: '아궁이'의 방언.
- **조왕님**: 조왕竈王신. 부엌을 맡은 신으로 집안의 길흉을 판단함.
- **용마루**: 지붕 가운데 부분에 있는 가장 높은 수평 마루.
- **그느슥히**: 어둡고 희미하게 보이는 상태. 「성외」, 「북관」에도 나온 시어다.
- **불기**: 부처에게 올릴 밥을 담는 놋그릇.
- **유종**: 놋으로 만든 작은 그릇.
- **재 안 드는 밤**: 불공이 없는 밤.

일제강점기에 전국 1,300여 사찰을 31개 구역으로 구분하여 본산本山을 두고 그것을 31본산이라고 했다. 그중 함경남도의 유일한 31본산의 하나가 귀주사다. 귀주사는 함경남도 함주군 설봉산雪峰山에 있는데 조선 태조 이성계가 개국하기 전 이 절 독서당에서 공부한 것으

216

로 유명하다. 그렇기 때문에 조선 건국 후 사찰의 규모를 크게 확대하여 관북 지역의 큰 사찰이 된 것이다. 백석은 이 시가 함경도 함주군의 귀주사를 소재로 한 것임을 작품 끝에 밝혔다.

이 시는 불전이나 전각 같은 사찰의 본모습에 대해서는 한마디도 하지 않고 부엌의 구조를 통해 절의 규모가 큰 것을 간접적으로 드러냈다. 그만큼 백석은 민간인들의 생활상에 관심을 둔 것이다. 시의 첫 장면은 "부뚜막이 두 길이다"라는 말로 시작한다. '한 길'이라고 하면 보통 어른 키 정도의 길이를 뜻한다. 부뚜막의 규모가 어른 두 사람 크기 정도 된다는 것인데 이것은 부뚜막의 길이보다는 높이를 표현한 것으로 보인다. 다음에 공양주가 부뚜막에 놓인 사닥다리로 쌀을 지고 오르는 장면이 제시되고 있기 때문이다. 백석은 공양주를 이야기하면서도 무심히 지나치지 않고 "자박수염난 공양주"라고 구체적인 모습을 제시했다. 구체적인 생활상을 드러내는 데 관심이 있었기 때문이다. 부뚜막 가운데에는 한 말 분량의 밥을 하는 커다란 솥이 걸려 있는데 솥의 묵중한 모습이 등을 돌린 채 가부좌 틀고 염주를 세는 승려를 연상시킨다고 했다. 절간의 솥을 스님으로 의인화하여 표현한 것인데, 여기서부터 부엌의 사물들에 화자의 심정이 투영되어 주관화된다.

부뚜막에 솥이 걸린 밑부분에는 장작으로 불을 때는 아궁이가 있는데 이 아궁이의 규모도 역시 커서 솔가지를 묶어 놓은 땔감 한 묶음이 통째로 들어갈 정도로 입구가 넓다. 그런 아궁이의 모습은 마치 커다란 암흑의 동굴 같아서 무서운 느낌을 준다. 그런데 그렇게 험상궂은 아궁이도 부엌의 "조왕님"은 무서워할 것이라고 했다. 여기서 우리는 백석의 가신신앙家神信仰에 대한 관심을 확인할 수 있다. "조왕님"은 부엌을 지키는 조왕신을 말한다. 한국 민간신앙에서 조왕신은 불을 때는 아궁이를 관장하기 때문에 화신火神으로 인식되고, 부엌에서 음식을 만들고 방을 덥히는 등 가정생활의 대부분이 이루어지기 때문에 재물신으로도 인식되어 인간의 길흉화복을 좌우하는 상당히 중요한 신격으로 추앙되어 왔다. 백석은 일제강점기의 물질적 변모 속에서 전반적으로 소외되어 가는 민간신앙에 눈길을 돌리고, 그 속에서 한국적 사유의 원형과 삶의 뿌리를 찾는 노력을 기울였다. 그래서 큰 절간에 와서도 불상이나 전각보다 조왕님에 관심을 둔 것이다.

날이 저무는지 부엌 안쪽이 어둑어둑해서 용마루나 바람벽의 윤곽은 뚜렷하지 않다. 부엌에서 모든 음식이 만들어지므로 절간의 대중적인 음식인 흰밥, 두부, 튀각, 자반 등이 떠오르는데 대상에 자신의 심리를 투영하여 용마루와 바람벽이 오히려 그러한 음식을 생각한다고 표현했다. 선반에 쌓인 불기佛器와 유종鍮鍾들에 대해, 아무 일이 없으니 곧 하품이 터져 나올 듯 "묵묵히 팔짱 끼고 쭈그리고 앉았다"라고 묘사한 대목은 웃음을 자아내고 천진한 동심의 시각을 엿보게 한다. 동심의 시선은 계속 다음 장면으로 이어진다. 불사佛事가 없는 밤이면 부엌 안의 모든 소도구들은 불도 없는 까막나라에서 지루한 시간을 보낼 수밖에 없다. 그 침묵을 깨뜨리고 조왕님이 무슨 무서운 이야기를 하면 모두들 죽은 듯이 엎드리고 그 이야기를 듣다가 잠이 들 것이라고 했다. 마치 동화의 한 장면을 보여 주듯이 조왕님의 권위에 순종하는 부엌의 사물들을 이야기한 것이다. 귀주사 부엌의 거대한 규모에서 시작하여 조왕님의 절대성에 순종하는 구성물들의 조화로움을 이야기하고 끝을 맺었다. 이 부분의 "조왕님은 무서운 이야기나 하면"에서 조사 '은'의 사용은 부자연스럽다. 이 부분의 문맥은, 조왕님이 무서운 이야기를 하면 모두 죽은 듯이 엎드렸다 잠이 들 것이라는 뜻이다. "조왕님이"의 오기가 아닌지 모르겠으나 지면에 실린 것이 전부이므로 확인할 길은 없다. 조왕님의 신격성을 강조하려는 백석의 무의식적 지향이 조사 '은'을 선택하게 한 것인지도 모른다.

선우사 膳友辭

낡은 나조반에 흰밥도 가자미도 나도 나와 앉아서
쓸쓸한 저녁을 맞는다

흰밥과 가자미와 나는
우리들은 그 무슨 이야기라도 다 할 것 같다
우리들은 서로 미덥고 정답고 그리고 서로 좋구나

우리들은 맑은 물밑 해정한 모래톱에서 하고긴* 날을 모래알만
헤이며 잔뼈가 굵은 탓이다
바람 좋은 한 벌판에서 물닭이** 소리를 들으며 단이슬 먹고 나이
들은 탓이다
외따른 산골에서 소리개 소리 배우며 다람쥐 동무하고 자라난 탓
이다

우리들은 모두 욕심이 없어 희어졌다

---

* '하고많은'이라는 말은 있어도 '하고긴'이라는 말은 없다. 그러나 백석의 뜻을 살려 '하고긴'으
로 적는다.
** 평안도 말에는 동물 이름 다음에 '이'를 붙이는 관습이 있어서 그대로 적는다.

착하디착해서 세과슨 가시 하나 손아귀 하나 없다
너무나 정갈해서 이렇게 파리했다

우리들은 가난해도 서럽지 않다
우리들은 외로워할 까닭도 없다
그리고 누구 하나 부럽지도 않다

흰밥과 가자미와 나는
우리들이 같이 있으면
세상 같은 건 밖에 나도 좋을 것 같다

-『조광』 3권 10호, 1937. 10.

- **나조반**: 나주에서 만든 소반. 나좃대(신랑 집의 예물이 오는 날 신부 집에서 불을 켜는 물건)를 받쳐 놓는 쟁반이 나조반이라는 설명이 있는데, 그런 쟁반에 음식이 담겨 나오는 것은 적절하지 않다. "낡은 나조반"이라고 했으니 나주반의 뜻일 것이다.
- **해정한**: 깨끗하고 단정한.
- **나이 들은 탓이**: 끝에 '다'가 누락되었다.
- **세과슨**: 억센. '세과지'(억척스럽고 거센 모양)라는 함경 방언이 사전에 등재되어 있다.
- **밖에 나도**: 바깥으로 밀어 두어도.

「선우사膳友辭」라는 제목의 뜻은 무엇일까? '膳'은 음식이라는 뜻도 있고 선사한다는 뜻도 있다. 그래서 이 제목은 '음식친구에 대한 글'이라는 뜻과 '친구에게 바치는 글'이라는 의미로 해석될 수 있다. 그런데 '膳'이 음식의 뜻으로 쓰일 때에는 어선御膳, 두부선豆腐膳, 별선別膳처럼 뒤에 오는 것이 일반적이다. 원래 이 글자는 육달월(月=肉)부의 뜻에서도 짐작되는 것처럼 제물로 바치는 희생 고기를 뜻하는 말이었다. 그래서 바친다는 뜻과 음식이라는 뜻으로 함께 사용되어 온 것이다. 나는 이 시의 문맥에 어울리는 제목의 뜻은 '친구에게 주는 글'이라고 생각한다. 친구란 물론 시에 제시된 흰밥과 가자미를 말한다. 화자는 흰밥과 가자미가 가난하고 외로운 상황에서도 깨끗하고 욕심 없는 삶을 영위해 가려는 자신과 마음을 나눌 수 있는 벗이라고 보고 그들에 대한 동질감과 애정을 노래하고 있다.

흰밥과 가자미는 함경도 지역의 식단에서 가장 손쉽게 접할 수 있는 먹을거리다. 함흥은 함경도에서 거의 유일하게 평야가 있는 지역으로 쌀을 생산하기 때문에 조금 여유 있는 집에서는 백미를 주식으로 삼을 수 있었다. 또 한대 해역인 함경도 해안에서는 가자미가 많이 잡히기 때문에 식단에 자주 올랐다. 가자미를 주재료로 한 가자미식해가 함경도의 토속 음식이 된 것도 그 때문이다. 백석은 흰밥과 가자미가 지니고 있는 정갈한 빛깔, 유순하고 연약한 속성, 세상의 욕심을 버린 듯한 태도 등을 열거하며 그들이 자신의 가장 미덥고 정다운 벗임을 강조한다.

그러나 그것은 백석의 주관적 인식의 결과이며 자신이 추구하거나 소망하는 내용을 사물에 투사한 내용일 따름이다. 그러니까 이 시에서는 흰밥과 가자미의 속성보다도 백석이 자기 자신을 어떻게 인식하고 있는가를 파악하는 것이 중요하다. 우선 화자가 "낡은 나조반"에 앉아서 "쓸쓸한 저녁을 맞는다"라고 한 것에 주목할 필요가 있다. 더군다나 그는 "흰밥도 가자미도 나도 나와 앉아서"라고 자신이 먹는 음식을 자신과 동격으로 열거하고 있다. 그런데 화자의 밥 먹는 모습은 풍요롭지가 않고 초라하고 외로워 보인다. 백석은 자신의 옹색한 밥상을 나조반처럼 작고 낮은 모양이라고 생각했고 가족 없이 늘 혼자 밥을 먹는 처지를 생각하여 쓸쓸한 저녁이라고 했다. 혼자 먹는 쓸쓸함을 달래 보려고 자신이 먹는 음식인 흰밥과 가자미를 벗으로 설정하고 그들이 자신과 함께 저녁을 맞이한다고 표현한 것이다.

그다음 대목에서는 자신을 포함한 친구 셋의 맑고 천진하고 욕심 없는 특징을 나타내기 위해 여러 가지 사항을 열거했다. 맑은 물밑 해정한 모래톱은 흰밥과는 관련이 없는 것인데 맑고 단정한 속성을 말하기 위해 동원했고, 물닭의 소리, 단이슬, 소리개소리, 다람쥐 등도 가자미나 흰밥과는 직접적인 관련이 없는 것이지만 도시의 번잡스러움과 대조된 순박성을 나타내는 요소로 설정되었다. 이렇게 착하고 정결하고 욕심 없는 세 친구는 세상을 살아가기에는 너무나 무력한 처지에 있다. 억센 가시나 드센 손아귀도 없이 파리한 모습을 보일 뿐이다.

그러나 이렇게 가난하고 약한 모습이지만 슬퍼하거나 외로워하지 않으며 다른 누구를 부러워하지도 않는다. 그 연약함 자체가 순수함의 증표이며 타락한 세상과 동화되지 않는다는 신념의 표현이기 때문이다. 가난하고 약한 존재이지만 이 어진 벗들이 함께 있다면 세상의 이해관계 같은 것은 저 바깥으로 밀어 놓아도 좋을 것 같다. 여기서 "세상 같은 건 밖에 나도 좋을 것 같다"라는 구절은 세상으로부터 그들이 소외되어도 좋을 것 같다는 뜻이 아니다. 왜냐하면 그들 셋은 이미 "우리들이 같이 있으면"이라는 동류적 합일 의식을 갖고 있고 그런 의미에서 세상에 대해 "세상 같은 건"이라고 비하적 태도로 호명하고 있기 때문이다. 요컨대 힘이 없어서 세상에서 밀려나는 것이 아니라 자신들이 지닌 순수성의 지향에 따라 세상을 능동적으로 거부하는 자세를 취하는 것이다. 약자의 탄식에서 벗어나 약자의 순수성으로 타락한 세상보다 우위에 서려는 시인의 자존적 의지를 엿보게 하는 작품이다.

산곡山谷

돌각담에 머루송이 깜하니 익고
자갈밭에 아주까리알이 쏟아지는
잠풍하니 볕바른 골짜기다
나는 이 골짝에서 한겨울을 나려고 집을 한 채 구하였다

집이 몇 집 되지 않는 골 안은
모두 터앞에 김장감이 퍼지고
뜨락에 잡곡 낟가리가 쌓여서
어느 세월에 비일 듯한 집은 보이지 않았다
나는 자꾸 골 안으로 깊이 들어갔다

골이 다한 산대 밑에 자그마한 돌능와집이 한 채 있어서
이 집 남길동 단 안주인은 겨울이면 집을 내고
산을 돌아 거리로 내려간다는 말을 하는데
해바른 마당에는 꿀벌이 스무남은* 통 있었다

---

* '여남은'이 사전에 등재되어 있으므로 '스무남은'으로 붙여 쓴다.

낮 기울은 날을 햇볕 장글장글한 툇마루에 걸어앉아서

지난여름 도락구를 타고 장진長津 땅에 가서 꿀을 치고 돌아왔다

는 이 벌들을 바라보며 나는

날이 어서 추워져서 쑥국화꽃도 시들고

이 바지런한 백성들도 다 제집으로 들은 뒤에

이 골 안으로 올 것을 생각하였다

−『조광』 3권 10호, 1937. 10.

———

- **돌각담**: 돌로 쌓은 담. 황해도 은율 출생으로 평양에서 성장한 김종삼의 시에도 「돌각담」이 있다.
- **잠풍하니**: 잔풍潺風에서 온 말로, 바람이 잔잔한 상태를 말한다.
- **터앝**: 집의 울안에 있는 작은 밭.
- **낟가리**: 낟알이 붙은 곡식을 그대로 쌓은 더미.
- **산대**: 산언덕. 시의 문맥상 '산꼭대기'일 수는 없다.
- **돌능와집**: 너와집. 납작납작한 돌을 기와 대신 지붕에 올린 집. 「월림장」에도 나오는 시어다.
- **남길동 단**: 남색 끝동을 단. '길동'은 '끝동'의 평안북도 방언이다. 백석의 다른 시 「절망」에도 '길동'이라는 시어가 나온다.
- **해바른**: 양지바른. 「남행시초 3: 고성가도」에도 나오는 시어다.
- **장글장글한**: 내리비치는 햇살이 따뜻하게 느껴지는. 「황일」, 「귀농」에도 나오는 시어다.
- **걸어앉아서**: 높은 곳에 엉덩이를 붙이고 두 다리를 늘어뜨리고 앉아서.
- **도락구**: 트럭.
- **날이 어서 … 것을 생각하였다**: 이 부분의 시행 처리가 원본에 매우 애매하게

되어 있다. 나는 위의 형태로 행갈이하는 것이 문맥에 맞다고 생각한다.*

———

「선우사」에서 "세상 같은 건 밖에 나도 좋을 것 같다"라고 하던 백석은 이 시에서 함경도 산골짜기로 깊이 들어가 겨울 한철을 지낼 집을 구하려 한다. 현실적 상황에 의거해 생각한다면 겨울방학 때 번잡한 도회지를 떠나 산골에서 한가한 사색의 시간을 보내려고 집을 구한다고 볼 수도 있다. 계절은 가을이어서 돌각담에 달라붙어 자란 머루나무에는 머루 알이 까맣게 익어 가고 아주까리 열매도 익어 자갈밭 여기저기 씨가 흩어진다. 그런 변화에 힘입어 바람이 잔잔한 어느 날 볕바른 골짜기 안쪽으로 집을 한 채 얻으려고 나선 것이다. 그러나 깊은 산골인지라 집도 몇 채 되지 않고 집집마다 여러 가지 농산물을 쌓아 놓고 있어서 잠시 얻어 살 만한 집은 없는 것처럼 보인다.

빌릴 만한 집을 찾아 계속 깊은 산골로 들어가자 골짜기가 다 끝난 산등성이 밑에 지그마한 너와집이 한 채 있고, 그 집에 들어갔더니 남색 끝동을 단 안주인이 있다. 남색 끝동을 단 것으로 볼 때 나이가 좀 든 소박한 산골 여인의 모습이 떠오른다. 이 집은 꿀벌을 스무 통 이상 치는 집인데 여름에는 트럭으로 장진까지 가서 꿀을 치고 왔다고 한다. 장진은 「노루」에도 나왔던 함주군 북쪽에 있는 지역이므로 화자는 함주군 내의 산골에서 거처를 찾고 있는 것을 알 수 있다. 꿀벌

* 이와 관련하여 이숭원, 『한국 현대시 연구의 맥락』(태학사, 2014), 238~242쪽에서 자세히 분석했다.

을 치는 사람은 여름에는 장진의 더 깊은 산속으로 가서 꿀을 치고 가을에는 함주 쪽으로 이주해 있다가 겨울이면 휴면기에 들어가니까 집을 비우고 아랫마을로 내려가는 것이다.

화자는 날이 어서 추워져서 부지런한 꿀벌들도 다 제집으로 들어간 후에 아무도 없는 산골에서 혼자 살게 되기를 기대하고 있다. 화자는 꿀벌들을 "이 바지런한 백성들"이라고 친근하게 지칭하면서도 세상과 격리되어 고립의 삶을 살고 싶어 한다. 햇살 따사로운 가을의 정경과 생활의 체취가 담긴 수확의 현장을 정겨운 어조로 노래한 듯하지만, 정작 화자가 지향하는 것은 이 정감 어린 정경들이 다 사라지고 난 뒤 동결과 공백으로 단절될 고립의 세계다. 백석 시 여러 편에서 볼 수 있는 현실 이탈 심리가 이 시에서는 매우 단정하고 평이한 어조로 표명되고 있다. 잠풍하니 볕바른 골짜기와 햇볕 장글장글한 가을날을 배경으로 온화한 인간의 삶을 보여 주는 듯했지만 정작 그의 의식 속에는 고립의 공간에 머물고자 하는 지향이 숨어 있다. 이 시는 백석의 내면에 자리 잡은 격리와 고립 지향이 그를 유랑으로 이끌고 간 동인이었음을 짐작하게 한다.

바다

바닷가에 왔더니
바다와 같이 당신이 생각만 나는구려
바다와 같이 당신을 사랑하고만 싶구려

구붓하고 모래톱을 오르면
당신이 앞선 것만 같구려
당신이 뒤선 것만 같구려

그리고 지중지중 물가를 거닐면
당신이 이야기를 하는 것만 같구려
당신이 이야기를 끊은 것만 같구려

바닷가는
개지꽃에 개지 아니 나오고
고기비늘에 하이얀 햇볕만 쇠리쇠리하여
어쩐지 쓸쓸만 하구려 섧기만 하구려

-『여성』 2권 10호, 1937. 10.

- **구붓하고:** 몸을 약간 구부정하게 하고.
- **지중지중:** 곧장 나아가지 않고 한자리에서 지체하는 모양.
- **개지꽃:** '메꽃'의 방언. 메꽃은 토종식물이고 나팔꽃은 외래식물이며 나팔꽃은 메꽃보다 색깔이 진하고 더 크다.
- **쇠리쇠리하여:** 눈이 부시어. 「석양」, 「귀농」에도 나오는 시어다.

여기 담긴 바다의 모습은 「통영」이나 「남행시초 2: 통영」에 등장하던 바다처럼 풍성한 모습이 아니다. 매우 쓸쓸한 바다며 단절된 바다다. 고기비늘에 하얀 햇살이 눈부시게 반사된다고 했으니 계절은 늦봄이나 초여름일 것이다. 그러한 판단을 좀 더 보강해 주는 것이 "개지꽃"이다. 개지꽃은 메꽃의 평북 방언으로 보는 것과 버들개지의 뜻으로 보는 해석이 있다. 버들개지로 본다면 "개지꽃에 개지 아니 나오고"라고 했으니 막 봄이 시작될 무렵이 되는데, 춘삼월의 햇살을 '하이얀 햇빛이 눈부시다'고 표현할 리는 없다. 따라서 메꽃이 막 피기 시작하는 6월의 정경이라고 생각하는 것이 합리적이다. 봄날 버들개지가 피어나는 장면을 백석은 "밭최뚝에 즘부러진 땅버들의 버들개지 피어나는 데서" "버들도 잎 트며 수선거리고"(「귀농」)라고 표현한 바 있다. 그러니 만일 그와 유사한 상황을 나타내는 것이라면 "개지꽃"이라는 말 대신 "버들개지"라고 썼을 것이다.

유월의 바닷가를 거닐며 당신을 생각하는 이 시에서 당신은 누구일까? 물론 시는 독자에게 열린 상태로 제시되는 것이니까 이 시의

"당신"을 군이 어느 특정인으로 한정할 필요는 없다. 백석의 생애와 관련지어 통영에 있는 박경련에 대한 그리움이 나타나 있다는 해석이 있고, 다른 한편으로 당시 함흥에서 만났던 기생 김자야를 생각하고 써서 잡지에 발표했다는 의견이 있어서, 두 의견의 타당성 여부를 검토할 필요는 있다. 백석은 한때 박경련을 좋아하기는 했으나 제대로 대화를 나누어 본 적도 없고 정식으로 대면한 적도 없다. 더군다나 이 시를 쓸 시기(1937년 6월)에는 박경련이 이미 결혼한 상태였다. 그런 마당에 함께 거리를 거닐어 본 적도 없고 이야기를 나눈 적도 없는, 거기다 이미 결혼한 사람을 떠올리며 당신이 앞선 것만 같다든가 뒤선 것만 같다든가, 혹은 이야기를 하는 것만 같다든가 이야기를 끊은 것만 같다든가 하고 상상하는 것은 상식적으로 납득이 가지 않는다. 박경련에 대한 그리움은 앞에서 본 「통영」 시편처럼 한 장의 스냅사진 같은 정적인 영상으로 나타날 뿐이다.

이 시에는 같이 바닷가를 거닐고 대화를 나누기도 하는 동적인 장면이 펼쳐지고 있다. 김자야와는 이야기도 많이 나누었고 거리를 거닐기도 했으니 이런 식의 상상이 충분히 펼쳐질 만하다. 그러므로 이 시는 김자야의 기억대로, 김자야를 대상으로 쓴 시라고 보는 것이 사리에 맞을 것이다. 김자야와 백석은 서로 좋아했지만 김자야의 신분이 기생이었기 때문에 두 사람 모두 고민이 많았고 그 점 때문에 갈등도 겪다가 나중에 결국 헤어졌다. 그러한 전후 사정을 염두에 두고 이 시를 다시 읽으면 자신이 좋아하는 한 여인에 대한 그리움과 함께 언젠가는 그 사람과 헤어지게 되리라는 불길한 예감에 고독과 비애를 느끼는 한 섬세하고 연약한 자아의 내면을 만나게 된다. "구붓하고 모래톱을" 오르고 "지중지중 물가를" 거니는 장면이 모두 화자의 고독과 슬픔을 담고 있는 모습들이다. 사랑하기 전에 먼저 이별을 예감하는 고독한 자아의 모습이 더욱 애잔한 느낌을 불러일으킨다.

단풍

빨간 물 짙게 든 얼굴이 아름답지 않으뇨 빨간 정 무르녹는 마음이 아름답지 않으뇨. 단풍 든 시절은 새빨간 웃음을 웃고 새빨간 말을 지줄댄다.

어데 청춘을 보낸 서러움이 있느뇨. 어데 노사老死를 앞둘 두려움이 있느뇨.

재화가 한껏 풍성하여 시월 햇살이 무색하다 사랑에 한창 익어서 살진 땅 몸이 불탄다, 영화의 자랑이 한창 현란해서 청청 하늘이 눈부셔한다.

시월 시절은 단풍이 얼굴이요 또 마음인데 시월 단풍도 높다란 낭떠러지에 두서너 나무 깨우듬히 외로이 서서 한들거리는 것이기로다.

시월 단풍은 아름다우나 사랑하기를 삼갈 것이니 울어서도 다하지 못한 독한 원한이 빨간 자주로 지지우리지 않느뇨.

—『여성』 2권 10호, 1937. 10.*

---

* '가을의 표정' 난에 발표한 산문인데 시적 정서가 다분하여 수록했다.

- **지줄댄다:** '지절대다'의 방언. 수다스럽게 지껄이다.
- **재화:** 재물이라는 뜻인데, 여기서는 가을의 단풍이 찬란하게 물든 상태를 재화가 풍성한 것에 비유한 것이다.
- **깨우듬히:** 비스듬히. 갸우뚱하게.
- **기로다:** 그것이로다. 그것이 제대로 된 모습이로다. '기다'는 '그것이다'가 줄어든 말.
- **지지우리지:** 짙게 우러나지.

—

이 글은 당시 조선일보사에서 여성을 대상으로 간행한 대중지『여성』에 실린 것이다.『여성』지는 시월의 기획 특집으로 '가을의 표정'이라는 난을 마련하여 문인들에게 가을에 대한 간단한 인상기를 청탁한 모양인데 백석은 단풍을 소재로 한 짧은 글을 실었다. 지면에는 백석의 사진과 함께 이 글이 한 쪽 분량으로 실려 있다. 백석은 산문을 쓸 때도 군이 시와 구분하지 않고 소박한 비유를 구사하면서 시적인 감성으로 썼기 때문에 이 짧은 산문을 시로 읽는다 해도 잘못된 일은 아니다.

첫 단락은 얼굴은 빨간 물에, 마음은 빨간 정에 비유하여 아름다운 단풍의 외면과 내면을 이야기하면서 그것이 겉으로 드러내는 새빨간 웃음과 새빨간 말의 흥성함을 이야기했다. 이어 둘째 단락에서 그 새빨간 웃음과 말 어디에 청춘을 보낸 서러움이나 늙고 죽음을 앞둔 두려움이 있겠느냐고 반문했다. 단풍은 가을이 지나면 땅으로 흩어져 지상에서 사라지고 말 것이니 노사老死의 단계에 와 있는 것인데 오히려 청춘의 정열적 광휘와도 같은 눈부신 붉은빛을 토해 내고 있으니 그 점을 이채롭게 인식한 것이다.

그래서 다음 단락에서는 단풍은 풍성한 재화를 가진 대상이고 사랑에 한창 익은 살진 몸이 불타는 것 같으며 한껏 자랑하는 현란한 영화에 오히려 청청한 하늘이 눈부셔할 정도라고 예찬한다. 이 대목에서 백석의 감성이 매우 화려하게 피어나는 것을 볼 수 있다. 단풍은 시월이라는 시점을 대표하는 얼굴과 마음인데, 단풍 중에서도 높은 낭떠러지에 기우듬히 외롭게 서 있는 두서너 그루의 나무에 붙어서 한들거리는 단풍이야말로 시월의 제대로 된 모습이라고 경탄한다. 이처럼 단풍의 고독하고 처연한 모습을 포착한 것도 시인다운 감성이 작용한 결과다. 그런데 이 부분의 묘사에서 백석은 자기 생각을 언어로 충분히 표현하지 못하고 있다. 그 결과 문장 구조가 다소 어색하게 되어 있다.

끝으로 백석은 시월 단풍의 아름다움을 즐기기만 할 뿐 그것을 사랑하지 말 것을 권유한다. 왜냐하면 단풍의 빨간 자줏빛에 "울어서도 다하지 못한 독한 원한"이 짙게 우리나 있는 듯한 인상이 남겨 있기 때문이다. 백석은 시월 단풍의 붉은빛에서 풍성하고 눈부신 아름다움과 세상에서 다 풀지 못한 원한의 심정을 함께 느낀 것이다. 이 부분에 시인다운 감성이 작용하고 있음을 알 수 있으며 그런 점에서 이 글을 한 편의 산문시로 보아도 좋을 것이다.

추야일경秋夜一景

닭이 두 홰나 울었는데
안방 큰방은 홰즛하니 당등을 하고
인간들은 모두 웅성웅성 깨어 있어서들
오가리며 섞박지를 썰고
생강에 파에 청각에 마늘을 다지고

시래기를 삶는 훈훈한 방안에는
양념 내음새가 싱싱도 하다

밖에는 어데서 물새가 우는데
토방에선 햇콩두부가 고요히 숨이 들어갔다

−『삼천리문학』 1호, 1938. 1.

———

• **홰**: 차례. 원래 '홰'는 닭이 올라앉은 나무 막대를 가리키는 말인데 새벽에 홰
를 치면서 우는 차례를 세는 말로도 쓰인다.

- **해즛하니:** 환하면서도 쓸쓸하게. '호젓하게'보다는 밝은 느낌의 말로 짐작된다.
- **당등:** '장등'의 방언. 장등長燈은 밤새도록 켜 놓는 등불.
- **오가리:** 무나 호박 따위의 살을 길게 썰어서 말린 것.
- **섞박지:** 배추와 무, 오이를 절여 넓적하게 썬 다음 여러 가지 고명에 젓국을 쳐서 한데 버무려 담은 뒤 조기젓 국물을 약간 부어서 익힌 김치.
- **청각:** 식용 해초의 하나로 김장 때 김치의 고명으로 쓰기도 하고 그냥 무쳐 먹기도 한다.
- **숨이 들어갔다:** 두부를 만드는 과정에서 간수를 넣으면 두부가 엉겨드는 현상이 일어나는 것을 말함.

———

"추야일경秋夜一景"이란 가을밤의 한 정경이라는 뜻이다. 앞에서 본 「선우사」라든가 「추야일경」처럼 한시풍의 제목을 많이 사용한 것으로 보아 백석은 한시에 많은 관심을 가졌던 것 같다. 이 시의 분위기는 『사슴』에 실린 「여우난골족」이나 「고야」의 한 대목과 통한다. 제사나 잔치를 앞둔 날 밤의 풍성하고 흐뭇한 정경을 백석 특유의 음식 연거와 냄새 환기의 수법으로 형상화했다. 특히 1연에서 시각과 미각을 결합하여 안방의 흥성스러운 정경을 제시한다든가, 2연에서 후각 이미지를 초점에 두고 '훈훈함'과 '싱싱함'이라는 대조적인 어감의 말을 배치한 점, 다시 3연에서 청각 이미지와 미각을 결합시켜서 "우는데"와 "고요히"를 대조시킨 점 등은 백석이 얼마나 세심한 배려에 의해 시행을 배치하고 있는가를 알려 주는 좋은 예이다. 이러한 수법은 그야말로 세련된 모더니즘의 기법으로 평가될 만하다. 전체적으로 감정이 절제되기는 했으나 대상을 바라보는 시인의 시선은 상당히 훈훈하고 싱싱하다. 그런데 백석의 시에서 이렇게 흐뭇하거나 흥겨운 정감을 환기하는 시는 극히 제한되어 있다.

닭이 두 번이나 울어서 새벽이 왔음을 알리는 시간인데 식구들은 밤을 새워 일을 했는지, 안방에 환하게 등을 켜 놓고 웅성거리며 여러 가지 재료를 다듬어 음식을 만들고 있다. 백석은 요즘 남자들은 잘 모를 만한 음식 재료를 능숙하게 소개할 정도로 음식에 관심이 많다. 시래기를 삶는 훈훈한 냄새와 양념의 싱싱한 냄새를 예민하게 감촉한다. 어디선가 물새도 잠에서 깨었는지 울음소리를 내고 토방에 준비했던 콩물에 간수를 붓자 두부의 형태로 엉기게 된다.

밤을 새워 음식을 장만하는 것으로 보아 추석 전야의 풍경인지도 모르겠다. 그런데 이 시는 인물이 주인공이라기보다는 음식과 냄새가 주인공인 것 같다. 닭 울음소리와 물새 울음소리는 한편으로는 가을밤의 고적한 분위기를 연상시키면서 또 한편으로는 음식이 완성되어 가는 과정의 배경적 효과음으로 기능한다. 그런 배경적 효과음에 식구들의 웅성거리는 소리도 한몫 거든다. 그렇게 해서 자연과 인간이 조력하고 조화를 이루면서 아침을 맞이한다. 그 과정은 소리가 들리는 것 같으면서도 사실은 "고요히" 이루어진다. 닭 울음소리나 사람들의 두런거리는 소리나 물새 울음소리나 모두 음식이 완성되는 고요의 시간에 기여한다. 이 시는 그러한 정적 속의 풍요로움을 우리에게 선사한다.

산숙山宿[*]

여인숙이라도 국숫집이다

메밀가루 포대가 그득하니 쌓인 윗간은 들믄들믄 더웁기도 하다

나는 낡은 국수분틀과 그즈런히 나가 누워서

구석에 데굴데굴하는 목침들을 베어 보며

이 산골에 들어와서 이 목침들에 새까마니 때를 올리고 간 사람
들을 생각한다

그 사람들의 얼굴과 생업生業과 마음들을 생각해 본다

—『조광』 4권 3호, 1938. 3.

- **들믄들믄:** 방에 불을 많이 때어 더운 느낌이 들면서 한편으로 들쿠레한 냄새
  가 나는 상태.
- **국수분틀:** 국수틀.
- **그즈런히:** '가지런히'보다 느긋하고 부드러운 느낌을 준다.

[*] 『조광』 4권 3호(1938. 3.)에 '산중음山中吟'이라는 묶음으로 이하 네 편의 작품을 발표했는데,
앞의 '함주시초'보다는 각 편의 독립성이 약하다.

—

　백석의 한시에 대한 관심은 "함주시초"라든가 "산중음" 같은 제목으로 연작시를 시도한 것에서도 알 수 있다. '산중음'이라는 큰 제목으로 발표한 네 편의 작품 중 첫 작품인 이 시에서는 세 가지 사실이 주목된다.

　첫째는 화자가 묵고 있는 여인숙이 국수집을 겸하고 있다는 사실이다. 여기에 대해 화자는 "여인숙이라도 국수집이다"라는 독특한 발언을 했다. 숙박업을 하는 곳이지만 국수도 함께 판다는 뜻인데 그것은 자는 것과 먹는 것을 한곳에서 해결해야 하는 산간 지역의 생활상을 떠올리게 한다. 북방 산간 지역에는 밀이 자라지 않고 메밀이 주로 생산되기 때문에 메밀국수가 주식이다. 국수를 삶는 온기 때문인지 메밀가루 포대가 그득히 쌓여 있는 윗간은 들쿠레한 냄새가 나고 상당히 더운 상태라고 했다. 그러니까 이 방 안은 메밀가루 포대와 낡은 국수틀과 화자 자신이 "그즈런히" 누워 있는 동류同類의 공간성을 조성한다. 화자는 메밀가루 포대나 낡은 국수틀과 동질적인 존재감을 느끼는 것이다.

　둘째는 구석에 굴러다니는 목침에 때가 새까맣게 묻어 있는데도 아랑곳하지 않고 그것을 머리에 베고 누웠다는 사실이다. 이것은 백석이 대단한 결벽증을 가지고 있었다는 증언과[*] 배치되는 사실이다. 묘한 것은 화자가 "구석에 데굴데굴하는 목침들을" 베어 보았다는 점

---

[*]　김자야, 『내 사랑 백석』, 문학동네, 1995, 110쪽.

이다. 여기서 "데굴데굴"은 앞에 나온 "들믄들믄", "그즈런히"와 호응하는 말로 대상에 대한 친숙감, 동화감을 전달한다. 화자, 메밀가루 포대, 국수분틀로 이어지는 동질감의 원주에 목침도 동참하게 된다. 그런데 그가 하나의 목침만 베어 본 것이 아니라 여러 목침을 번갈아 베어 보면서 그것을 베었을 사람들의 다양한 모습을 생각했다는 점이 특이하다. 그는 분명 자신의 폐쇄적인 영역에서 벗어나 타인의 다양한 삶을 이해하려는 방향으로 접어들고 있다.

셋째는 화자가 목침에 때를 남기고 간 사람들을 떠올리며 그들의 "얼굴과 생업生業과 마음들"을 생각해 보았다는 점이다. 여기서 "얼굴, 생업, 마음"으로 이어지는 연쇄 관계의 내포적 의미를 성찰할 필요가 있다. 이 대목은 백석 시가 매우 의미 있는 변화의 지점에 이르렀음을 알려 준다. 여기 열거된 "얼굴, 생업, 마음"은 백석이 인간사의 다양한 국면 중 어디에 관심을 두고 있는지를 알려 주는 좋은 단서가 된다.

사람의 생김새에 대한 관심은 『사슴』에 수록된 작품에서부터 두드러지게 나타나던 특징이다. 「여우난골족」에서 명절날 모인 친척들의 모습을 자세하게 묘사하는 장면이 그렇고, 「주막」에는 앞니가 뻐드러진 범이라는 아이가 나오고, 「정주성」에는 메기수염의 늙은이가, 「가키사키柿崎의 바다」에는 얼굴이 해쓱한 처녀가 나오며, 「여승」에는 파리한 여인의 쓸쓸한 표정이 묘사된다. 함경도 시편에서도 외모에 대한 관심은 그대로 이어져 「노루」에는 노루 새끼를 닮은 산골 사람이 나오기도 했다.

외모에 대한 관심은 그 사람이 하는 일, 즉 생업과 연결된다. 말하자면 그 사람의 외모와 생활환경은 밀접한 관련이 있다는 인식이 자리 잡고 있는 것이다. 사람이 하는 일을 굳이 생업生業이라는 단어로 지칭한 데도 어떤 의도가 잠복해 있을 것이다. 그것은 그들이 하는 일을 통해 삶의 국면까지도 떠올리고 싶어 하는 시인의 의식을 암시한다. 목침에 때를 묻히고 간 사람들이 그 주변의 산골 사람이건 아니면 백석 자신처럼 외부에서 온 지식인이건, 그들은 각기 다른 방법으로 삶을 이끌어 갈 것이다. 시인에게는 살기 위해 애쓰는 그들의 활동과 그들이 지닌 마음 하나하나를 다 이해하고 싶어 하는 의식이 형성된 것이다. 우리는 여기서 백석의 의식이 개인적 삶의 국면을 넘어서서 어떤 공동체적 지평을 향하고 있음을 감지하게 된다. 또 생활의 표면 내부에 도사리고 있는 마음의 영역을 향해 관심이 확대되고 있음도 확인할 수 있다.

이러한 공동체적 자각 및 내면세계에 대한 인식은 「여우난골족」이나 「모닥불」에 보이던 합일의 세계에 대한 관심보다 한 단계 더 진전한 것이다. 「여우난골족」은 명절날 모인 대가족 구성원의 특징과 가족 공동체의 평화로운 화합상을 보여 주었을 뿐 생활의 표면 내부에 놓여 있는 마음의 영역에는 관심을 기울이지 않았다. 「모닥불」 역시 잡다한 사물과 소외된 존재들이 차별 없이 포용되는 동질적이고 자족적인 공간성을 보여 주기는 했지만, 그것을 통해 어떤 내면의 가치를 상징하는 단계에는 이르지 못했다. 그러나 「산숙」은 산골 여인숙의 목침이라는 평범한 소재를 택하여 사람들의 동질적 생활상과 그 속에 담긴 마음의 공유 부분을 환기했다는 점에서 가족공동체에 대한 소박한 인식보다 한층 더 나아간 의식을 보여 주었다.

향악饗樂

초승달이 귀신불같이 무서운 산골 거리에선

처마 끝에 종이등의 불을 밝히고

쩌락쩌락 떡을 친다

감자떡이다

이젠 캄캄한 밤과 개울물 소리만이다

─『조광』 4권 3호, 1938. 3.

─

• **향악饗樂**: 잔치를 알리는 음악. 여기에서는 떡 치는 소리와 개울물 소리가 '향악'이라는 것이다.

─

이 작품은 '잔치를 알리는 음악'이라는 제목의 뜻이 암시하는 것처럼 청각 영상이 시의 중심을 이룬다. 백석은 대상에서 환기되는 느낌을 제시하면서도 대상과 거리를 지니고 객관적인 조명을 하는 듯한 자세를 취한다.

배경은 아주 궁벽한 산골이어서 초승달이 마치 귀신불처럼 무섭게 보일 정도다. 사람이 살지 않을 것 같은 깊은 산골 어느 집에 다음 날 있을 잔치를 준비하는지 깊은 밤인데도 처마 끝에 등을 밝히고 떡을 치고 있다. 산골인지라 달아 놓은 등도 유리나 헝겊이 아니라 종이로 겉을 둘러싼 "종이등"이다. 백석은 이처럼 작은 대상 하나에도 관심의 눈길을 보낸다. 떡 치는 소리를 "쩌락쩌락"이라고 의성한 데서 생활의 저변에서 우러나오는 뛰어난 언어 감각을 느끼게 된다. 깊은 산골이니 쌀이나 밀이 없어서 감자로 떡을 빚는 것인데 끈기 없는 감자로 반죽을 만들자니 떡메로 계속 쳐서 끈기를 북돋아야 했을 것이다. "쩌락쩌락 떡을 친다"라는 말을 먼저 하고 그다음에 "감자떡이다"를 쓴 것도 흥미를 유발하는 배치다. 결과를 먼저 이야기하고 소재를 나중에 밝히는 방법이다.

떡 치는 소리가 멎고 종이등이 꺼지자 "캄캄한 밤과 개울물 소리만" 남는다. 깊은 산골이라 그 시간이 몇 시쯤 되었는지는 모른다. 초승달은 초저녁 서쪽 하늘에 비치다가 곧 져 버리기 때문에 사방은 온통 캄캄하고 흐르는 개울물 소리만 들릴 뿐이다. 이 시는 이처럼 시각 영상에서 출발하여 청각 영상으로 교차되면서 산골 마을의 적막하면서도 그윽한 풍경을 구성했다. 앞의 「산숙」과 비교해 본다면 자신의 생각을 드러내거나 서사화敍事化의 경향을 보이지 않고 풍경의 외관을 묘사하는 데 머물렀다.

야반夜半

토방에 승냥이 같은 강아지가 앉은 집
부엌으론 무럭무럭 하이얀 김이 난다
자정도 활씬 지났는데
닭을 잡고 메밀국수를 누른다고 한다
어느 산 옆에선 캥캥 여우가 운다

—『조광』4권 3호, 1938. 3.

• **활씬**: '훨씬'보다 큰 음상의 말이다.

"야반夜半"이란 한밤중이란 뜻이다. 시에 나오는 것처럼 자정이 훨
씬 지난 시간이다. 그런데 이렇게 깊은 밤중에 사람들은 자지 않고 먹
을거리를 장만하고 있다. 메밀국수를 누른다고 했으니 다음 날 아침
에 먹을 음식을 준비하는 것은 아니다. 메밀국수는 물에 금방 풀어지

기 때문에 오래 저장할 수가 없다. 그러니까 긴 겨울밤 잠을 자다가 깨어나 출출한 속을 달래려 밤참을 준비하는 장면이다. 평안도나 함경도 북방 지역에서는 흔히 볼 수 있었던 정경이다.

사람들이 한밤중에 일어나 움직이니 개도 덩달아 깨어나 토방에 앉아 있다. 그런데 그 개를 "승냥이 같은 강아지"라고 표현한 것이 재미있다. 승냥이는 백석의 시에 여러 번 등장하는데 우리나라 산간 지역에 자주 출몰하는 육식성 야생동물이다. 흔한 동물이기 때문에 친숙감을 느끼기는 하지만 가축을 잡아먹기 때문에 그리 우호적인 동물은 아니다. 그런데 백석의 시에서 승냥이는 마치 백석의 벗처럼 천진한 모습으로 등장한다. 승냥이는 커다란 개 한 마리 정도의 크기인데 여기서는 강아지가 승냥이 같다고 했으니 덩치가 큰 강아지의 모습을 통해 산간 지역의 야생적 투박성을 간접적으로 표현한 것이다. 승냥이 같은 강아지를 기르는 사람은 어떠한 모습을 지녔을지 새로운 호기심이 발동하기도 한다.

강아지를 보여 준 다음에는 토방 옆에 있는 부엌에서 하얀 김이 무럭무럭 피어나는 장면을 제시했다. '모락모락'이 아니라 "무럭무럭"이라고 한 점도 유의할 필요가 있다. 이 말은 그다음에 나오는 "활씬"이라는 강한 음상의 말과 호응한다. 승냥이 같은 강아지가 있는 집이니 부엌에 피어오르는 김도 이렇게 넓고 큰 기세로 퍼져 나간다. 겨울의 추위를 녹이는 참으로 훈훈한 풍경이다. 가을에 수확한 메밀을 가루를 내어 저장했다가 그때그때 반죽을 하여 국수틀에 눌러 먹는 국수는 무엇과도 비교할 수 없는 북방 지역의 토속적 풍미를 느끼게 한다. 메밀국수에는 꿩고기를 많이 쓰지만 꿩을 잡을 수 없을 때에는 닭

고기로 대치한다. 닭을 잡아 육수와 고기를 내고 국수를 삶기 위해 부엌에서는 하얀 김이 무럭무럭 피어올랐던 것이다.

이렇게 음식을 준비하는 기척이 멀리 산허리까지 뻗쳤는지 어디선가 여우 우는 소리가 들린다. 그 여우 우는 소리를 "캥캥"이라고 의성한 것도 이 시의 문맥에서는 새롭게 울린다. 승냥이 같은 강아지, 무럭무럭 피어나는 하얀 김, 자정도 "활씬" 지난 시간, 닭을 잡고 메밀국수를 누르는 장면, 캥캥 여우가 우는 소리 등은 서로 긴밀하게 호응하면서 가난하지만 정겹고, 그래서 풍요로운 산간 지역 사람들의 전형적인 생활상을 완성한다. 짧은 서정시가 객관성을 포착한 드문 예의 하나로 이 시를 들 수 있을 것이다.

백화白樺

산골 집은 대들보도 기둥도 문살도 자작나무다
밤이면 캥캥 여우가 우는 산도 자작나무다
그 맛있는 메밀국수를 삶는 장작도 자작나무다
그리고 감로같이 단샘이 솟는 박우물도 자작나무다
산 너머는 평안도 땅도 보인다는 이 산골은 온통 자작나무다

—『조광』 4권 3호, 1938. 3.

———

• **박우물**: 바가지로 물을 뜰 수 있는 얕은 우물.

———

우선 매 행 끝에 반복되는 "자작나무다"라는 말의 운율감을 충분히 느껴 보기 바란다. 자작나무는 우리나라 중부 이북의 산간 지역에서만 자생하기 때문에 그렇게 흔히 볼 수 있는 수종이 아니다. 크기는 20미터에서 30미터까지 미끈하게 자라 오르고, 나무껍질이 백색이기

때문에 자작나무가 밀집해 있는 모습은 장관을 이룬다. 목질이 좋기 때문에 고급 가구의 재료로 사용한다. 백석이 답사한 함경도 산간 지역은 일반 지역에서는 보기 힘든 자작나무가 온통 사방을 휘덮고 있어서 하나의 진풍경을 이루었을 것이다.

귀한 건축 자재로 쓰이는 자작나무이지만 이곳에서는 워낙 흔한지라 평범한 집의 대들보, 기둥, 문살도 다 자작나무로 되어 있을 뿐만 아니라 메밀국수를 삶는 장작까지 자작나무를 쓴다고 했다. 샘이 솟아나는 우물도 돌과 흙으로 둔덕을 쌓은 것이 아니라 자작나무로 턱을 만들었다고 했다. "그 맛있는 메밀국수를 삶는"이라든가 "감로같이 단샘이 솟는"이라고 메밀국수와 박우물을 수식하는 말을 따로 덧붙인 것은 그렇게 귀한 자작나무로 장작을 만들고 우물을 만들었으니 국수 맛과 물맛이 좋을 수밖에 없으리라는 생각을 나타내고자 한 것이다.

이렇게 자작나무가 수해樹海를 이루고 있는 지역의 특성을 알리기 위해 백석은 두 행에서 간단하게 압축적인 언급을 했다. "밤이면 캥캥 여우가 우는 산"과 "산 너머는 평안노 땅도 보인다는 이 산골"이라는 두 어구가 그것이다. 그런데 이 두 구절은 조금 다른 의미를 전달한다. 밤이면 여우가 캥캥 하고 우는 산골은 앞의 「야반」에도 나왔던 구절이라 깊은 산골을 나타내는 의미임을 쉽게 알 수 있다. 그런데 산 너머에 평안도 땅도 보인다는 말은 함경도 내륙의 깊숙한 산중이라는 뜻과 함께 백석의 고향에 대한 그리움을 간접적으로 환기한다. 백석은 '평안도 땅이' 보인다고 하지 않고 "평안도 땅도" 보인다고 썼다. 함주에서 생활한 지 2년이 되어 오는 시점에서 함경도 서쪽 내륙

지방을 여행하게 되었고 저 너머가 평안도 땅이라는 말을 듣자 문득 고향에 대한 그리움이 솟아올랐던 것이다. 이러한 그리움의 연장선상에 놓인 작품이 다음에 연이어 발표한 「나와 나타샤와 흰 당나귀」, 「고향」, 「내가 생각하는 것은」, 「멧새 소리」 등의 작품일 것이다.

나와 나타샤와 흰 당나귀

가난한 내가
아름다운 나타샤를 사랑해서
오늘밤은 푹푹 눈이 내린다

나타샤를 사랑은 하고
눈은 푹푹 내리고
나는 혼자 쓸쓸히 앉아 소주를 마신다
소주를 마시며 생각한다
나타샤와 나는
눈이 푹푹 쌓이는 밤 흰 당나귀 타고
산골로 가자 출출이 우는 깊은 산골로 가 마가리에 살자

눈은 푹푹 내리고
나는 나타샤를 생각하고
나타샤가 아니 올 리 없다
언제 벌써 내 속에 고조곤히 와 이야기한다
산골로 가는 것은 세상한테 지는 것이 아니다
세상 같은 건 더러워 버리는 것이다

눈은 푹푹 내리고

아름다운 나타샤는 나를 사랑하고

어데서 흰 당나귀도 오늘밤이 좋아서 응앙응앙 울을 것이다

―『여성』 3권 3호, 1938. 3.

- **출출이**: 뱁새. 붉은머리오목눈이. 「입춘」(『조선일보』, 1939. 2. 14)에도 나온다.
- **마가리**: 오막살이.
- **고조곤히**: 고요하게, 조용하게.

우선 이 시의 첫 행에 나오는 "가난한 내가"라는 구절을 깊이 음미
해 볼 필요가 있다. 왜 "가난한"이란 어휘를 시의 맨 앞에 자신을 소
개하는 수식어로 제시한 것일까? 문맥으로 볼 때 이 말은 그다음 행
에 나오는 "아름다운 나타샤"와 대응된다. 즉 "가난한 나"와 "아름다
운 나타샤"의 이항 대립이 성립한다. 세속의 삶 속에서 아름다운 나
타샤를 사랑하기 위해서는 풍족한 생활 조건이 필요한데, 화자는 가
난한 처지이기 때문에 나타샤를 사랑하는 것이 어울리지 않는다는
의미가 포함되어 있다. 가난한 내가 아름다운 나타샤를 사랑하는 것
은 세속의 논리로 볼 때 성사되기 어려운 일이고, 그 때문에 슬픔을

자아내는 일이다. 그러한 비극적 정황에 호응하는 것이 "푹푹" 눈이 내리는 정경이다. 화자는 마치 가난한 자신이 아름다운 나타샤를 사랑하기 때문에 그것에 호응하여 눈이 내리는 것처럼 서술했다. 세상을 완전히 덮어 버릴 듯 내리는 눈은 가난한 화자가 처한 비극적 정황의 참담함과 가난 속에 유지되는 마음의 순결성을 동시에 암시한다.

나타샤를 사랑하기는 하지만 사랑의 성취를 기약할 수 없는 화자는 푹푹 내리는 눈에 마음을 달래며 소주를 마신다. 소주에 점점 취해가며, 흰 당나귀를 타고 산골로 가서 마가리(오두막집)에 살자고 독백한다. 여기 나오는 당나귀는 그 동물이 지닌 유순한 성질 때문에 백석이 여러 지면에서 자신이 좋아하는 동물로 지칭했는데,* 굳이 "흰 당나귀"라고 한 것은 푹푹 내리는 눈과 호응하여 내면의 순결성을 강조하기 위한 설정일 것이다. 가난한 화자의 처지에서 아름다운 나타샤와 살 수 있는 길은 산골로 숨어들어 가 산새의 울음소리를 들으며 오두막집에서 사는 것이 거의 유일한 선택임을 이야기하고 있다.

이 시에서 중요한 의미를 남은 부분은 3연이다. 이렇게 푹푹 내리는 눈을 바라보며 소주를 마시며 나타샤를 생각하자 어느새 화자의 내면에 나타샤가 찾아와 무어라고 고조곤히(조용히) 이야기를 한다. 나타샤는 "산골로 가는 것은 세상한테 지는 것이 아니다/세상 같은 건 더러워 버리는 것이다"라고 말한다. 이 나타샤의 속삭임을 중시할 필요가 있다. 산골로 가는 것이 세상에 져서 쫓겨 가는 것이 아니라

---

* 백석, 「나의 관심사—가재미·나귀」, 『조선일보』, 1936. 9. 3.

세상이 더러워서 능동적으로 버린다는 말을, 화자가 하지 않고 나타샤가 이야기한다는 데 이 대목의 중요성이 있다. 그것은 나타샤가 산골로 가자는 화자의 요청을 수락하고 거기서 더 나아가 그 행위가 지닌 의미까지 적극적으로 수용한다는 사실을 뜻한다. 이것은 내가 나타샤를 사랑할 뿐만 아니라 나타샤도 나를 사랑한다는 사실을 드러낸다. 이런 까닭에 4연에 "아름다운 나타샤는 나를 사랑하고"라는 구절이 자연스럽게 도출될 수 있다. 이렇게 사랑의 화합이 이루어지는 것을 축복하는 듯 흰 당나귀도 응앙응앙 운다고 표현했다.

화합과 축복의 장면으로 시가 마무리되었지만, 이 사랑의 화합은 현실의 지평에서 이루어진 것이 아니라 몽상의 영역에서 이루어진 것이다. 언제까지나 눈이 푹푹 내릴 수는 없는 노릇이고 혼자 소주를 마시며 꿈에 젖어드는 일도 일정한 시한이 있는 법이다. 눈이 그치고 술이 깨면 여전히 '나는 가난하고 나타샤는 아름다운' 상태에 그대로 있다. 현실의 국면 위에서 두 사람의 거리는 여전히 좁혀지지 않고 선명한 윤곽으로 노출될 것이다. 그렇다고 정말로 세상을 버리고 산골로 숨어들 수도 없는 일이다. 시의 문맥은 몽상의 아름다움을 펼쳐냈지만 현실의 국면에는 여전히 갈등과 고뇌가 현존한다. 여기에 시인 백석의 괴로움이 놓여 있었을 것이다. 어쩌면 그의 만주행은 그가 이 시에서 기획했던 '깊은 산골로 가서 마가리에 사는' 일의 현실적 실행이었을지도 모른다.

석양

거리는 장날이다

장날 거리에 영감들이 지나간다

영감들은

말상을 하였다 범상을 하였다 족제비상을 하였다

개발코를 하였다 안장코를 하였다 질병코를 하였다

그 코에 모두 학실을 썼다

돌체돋보기다 대모체돋보기다 로이드돋보기다

영감들은 유리창 같은 눈을 번득거리며

투박한 북관 말을 떠들어 대며

쇠리쇠리한 저녁해 속에

사나운 즘생*같이들 사라졌다

—『삼천리문학』 2호, 1938. 4.

---

* 표준어는 '짐승'이고 평안 방언은 '즘승'인데 백석의 독특한 어감이 반영된 말로 보고 그대로 적는다.

- **개발코**: 개발처럼 넙죽하고 뭉툭하게 생긴 코.
- **안장코**: 안장 모양처럼 콧등이 잘룩한 코.
- **질병코**: 질흙으로 만든 병처럼 거칠고 투박하게 생긴 코.
- **학실**: '돋보기'의 방언.
- **돌체돋보기**: 수정으로 안경알을 만든 돋보기.
- **대모체돋보기**: 대모갑玳瑁甲 즉 바다거북의 등껍데기로 테를 만든 안경.
- **로이드돋보기**: 둥글고 굵은 셀룰로이드 테의 안경. 미국의 희극 배우 로이드 Harold Lloyd(1893~1971)가 쓰고 영화에 출연한 데서 유래한다.
- **쇠리쇠리한**: 눈부신.

백석의 치밀한 관찰력과 뛰어난 언어 감각이 유감없이 발휘된 명편이다. 함경도 지역의 인물이 등장한 시로는 「노루」가 있었다. 이 시에서 백석은 막베 등거리에 막베 잠방이를 입은 산골 사람을 보여 주었다. 그 산골 사람은 아직 어린 티를 벗지 못한 순한 노루 새끼를 닮았다고 했다. 그러나 이 시에 제시한 함경도 사람은 야성적 생명력이 넘치는 영감들이다.

"거리는 장날이다"라는 첫 행은 백석의 다른 시편에서 보던 것처럼 하나의 정황으로 여러 가지 요소를 한꺼번에 드러내는 압축적 진술의 기법이다. "거리는 장날이다"라고 말하는 순간 장터를 오가는 많은 사람들과 그들이 벌여 놓은 물건들, 장터의 떠들썩거리는 소음들이 한꺼번에 밀려오는 듯하다. 사람들이 오가는 번잡한 장터 거리에 영감들이 지나간다. 백석은 "영감들은"을 한 행으로 독립시켜 영감들의 모습에 대한 기대를 갖게 하고 그것을 인상적으로 전달하기 위한 준비를 했다. 노루를 팔러 장거리에 나온 산골 사람이 노루를 닮았듯이 산길을 넘어 장터를 오가는 함경도 상인들은 야생동물처럼 투박한 모습을 하고 있다. 어떤 사람은 말처럼 얼굴이 길고, 어떤 사람은 호랑이처럼 험상궂게 생겼으며, 또 어떤 사람은 족제비처럼 약삭빠르게 생겼다. 그들은 얼굴만 특이한 것이 아니라 코의 모양도 유별나서, 개발처럼 뭉툭한 코를 가진 사람, 안장처럼 콧등이 들어간 사람, 질병처럼 코가 크고 투박한 사람 등 제각기 독특한 용모를 하고 있다. 요컨대 이 영감들의 모습은 하나같이 세련되지 못하고 거칠고 투박한 산사람의 인상을 풍기고 있는 것이다.

그런데 이 영감들은 그 야생동물을 연상시키는 코에 저마다 돋보기안경을 하나씩 걸치고 있다. 안경은 사물이나 글자를 정확히 보기 위해 쓰는 근대의 광학적 생산물이다. 글자를 모르는 사람은 돋보기를 쓸 필요가 없다. 이 함경도 상인들은 하나같이 돋보기를 걸치고 있고, 그 돋보기도 다 값나가는 명품들이다. 석영이나 수정으로 알을 만든 것이 아니면 대모갑으로 테를 만든 안경, 아니면 로이드안경처럼 최신 유행의 안경을 착용하고 있다. 이것은 무엇을 의미하는가? 그들이 상업을 하기 때문에 숫자와 글자에 밝고 경제력도 갖추고 있다는 사실을 드러낸다. 생활력이 강한 함경도 영감들은 일찍 글자를 깨치고 신식 문물을 받아들여 상인의 감각을 익힌 것이다.

어떠한 세상도 겁날 것이 없다는 듯 영감들은 돋보기 너머로 "유리창 같은 눈을 번득거리며" 사나운 세상에 충분히 맞설 만큼 "투박한 북관 말을 떠들어 대며" 거친 세상을 가로지르는 "사나운 즘생같이” 석양 속으로 사라져 간다. 그들의 뒷모습을 비추는 석양을 “쇠리쇠리”하다(눈부시다)고 한 것은 그들의 야성적 생명력에 대한 존경과 선망이 반영되었기 때문이다. 이렇게 듬직하고 믿음직스러운 함경도 상인들의 투박한 생명력에 매력을 느끼며 백석 자신도 석양의 눈부신 빛살 속으로 한없이 젖어들고 싶었는지 모른다. “사나운 즘생”처럼 살고 싶은 충동이 그의 가슴 밑바닥에서 솟아올랐던 것인지도 모른다.

고향

나는 북관에 혼자 앓아누워서

어느 아침 의원을 뵈이었다

의원은 여래 같은 상을 하고 관공關公의 수염을 드리워서

먼 옛적 어느 나라 신선 같은데

새끼손톱 길게 돋은 손을 내어

묵묵하니 한참 맥을 짚더니

문득 물어 고향이 어데냐 한다

평안도 정주라는 곳이라 한즉

그러면 아무개 씨 고향이란다

그러면 아무개 씰 아느냐 한즉

의원은 빙긋이 웃음을 띠고

막역지간莫逆之間이라며 수염을 쓴다

나는 아버지로 섬기는 이라 한즉

의원은 또 다시 넌지시 웃고

말없이 팔을 잡아 맥을 보는데

손길은 따스하고 부드러워

고향도 아버지도 아버지의 친구도 다 있었다

—『삼천리문학』2호, 1938. 4.

- **여래**: 부처의 존칭.
- **상**: 모습.
- **관공關公**: 관우.
- **막역지간莫逆之間**: 허물이 없는 아주 친한 사이.

백석이 이 시를 쓴 때는 함흥에서 지낸 지 만 2년이 되는 시점이다. 26세의 젊은 시인이자 영생고보 영어 교사인 백석은 병이 나서 한의원에게 진맥을 받는다. "나는 북관에 혼자 앓아누워서"라는 첫 행에는 아무런 돌보는 사람도 없는 객지에서 병들어 누운 자신의 적막한 처지에 대한 비감이 어려 있다. 부처님처럼 후덕한 얼굴에 관우와 같이 긴 수염도 드리운 의원은 먼 옛날의 신선을 연상시킨다. 아무 말 없이 한참 맥을 잡던 의원이 갑자기 고향이 어디냐고 묻는다. 환자의 말씨와 용태를 볼 때 평안도 사람이라고 생각했기 때문일 것이다. 백석이 자신의 고향을 조심스럽게 말하자 의원은 "그러면 아무개 씨 고향이로군" 하고 말한다. 여기서 아무개 씨는 계초 방응모로 추정된다. 방응모는 이때 함경도 지역에 조림사업을 벌이고 있었고 백석은 일찍이 그의 장학금을 받아 일본에 유학하여 평소 그를 아버지처럼 따르고 존경했기 때문이다.

방응모 씨를 아느냐는 백석의 물음에 의원은 빙긋이 웃음을 띠고 아주 친하게 지내는 사이라고 말한다. 이 웃음에는, 당신이 평안북도 정주에서 만리타향 함흥으로 와서 당신 고향 사람과 친한 인물을 만날 줄은 몰랐을 것이라는 뜻과 그 사람과 내가 막역지간이니 당신은 나를 믿고 의지해도 좋다는 관용의 의미가 담겨 있다. 내성적이고 비사교적이던 백석은 객지에서 뜻밖에 자신이 존경하는 사람과 가까운 인물을 만나게 된 것이 너무 반가워 "그분은 제가 아버지로 섬기는 분입니다"라고 말한다. 이 말 속에는 "의원님도 아버지처럼 믿고 의지해도 되겠지요"라는 뜻이 담겨 있을 것이다. 그 뜻을 헤아린 신선 같은 의원은 또 다시 넌지시 웃으며 아무 말 없이 맥을 짚는다. 백석은 그 담담한 태도에 깊은 신뢰와 애정을 느끼며 의원의 따스하고 부드러운 손길에 자신의 몸과 마음을 맡긴다. 그러자 그 손길 속에 만 리 밖 그리운 고향도, 아버지로 존경하는 그분도, 그분의 친구인 이 신선 같은 의원도 다 함께 녹아 있는 것 같은 느낌을 갖게 되는 것이다.

이 시는 아버지 같은 온후한 인물을 만나 따뜻한 대우를 받는 장면을 그려 냈다. 백석이 이런 내용을 시로 써서 남겼다는 것은 그의 내면이 그만큼 외로웠다는 사실을 방증한다. 백석의 실제 북관 생활이 이런 흐뭇한 장면의 연속이었을 것이라고 장담할 수는 없다. 지금까지의 시편에서는 북관의 색다른 음식과 정경과 풍속에 호기심을 느끼고 풍물을 맛보는 즐거움을 나타냈지만 이후의 시편에서는 생활인으로서의 외로움과 소외감과 그리움이 짙게 배어 나온다. 고향에서 멀리 떨어져 친구도 없는 가운데 혼자 생활한다는 것이 말처럼 쉽지는 않았을 것이다. 그는 시간이 갈수록 고독과 회한의 감정을 더 많이 시로 표현하게 된다.

절망

북관에* 계집은 튼튼하다
북관에 계집은 아름답다
아름답고 튼튼한 계집은 있어서
흰 저고리에 붉은 길동을 달아
검정 치마에 받쳐 입은 것은
나의 꼭 하나 즐거운 꿈이었더니
어느 아침 계집은
머리에 무거운 동이를 이고
손에 어린것의 손을 끌고
가파러운 언덕길을
숨이 차서 올라갔다
나는 한종일 서러웠다

−『삼천리문학』 2, 1938. 4.

---

* '북관의'가 현대 표기법에 맞지만 원본의 어감을 살려 그대로 적는다. '북관에 사는' 또는 '북관
에 있는'의 축약일 수 있기 때문이다.

- **길동:** 끝동. 「산곡山谷」에도 나오는 시어다.
- **동이:** 둥글고 양옆에 손잡이가 달린 질그릇. 흔히 물 긷는 데 사용한다.
- **가펴러운:** 산이나 길이 몹시 비탈진. '가파른'보다 더 강한 느낌을 준다.

　이 시의 제목은 뜻밖에도 "절망"이다. 이 제목이 의미하는 바는 앞의 "북관시초"나 "산중음" 시편의 정서와는 사뭇 다르다. 백석은 무엇에 절망한 것일까? 제목이 다소 과장된 측면은 있지만 "나의 꼭 하나 즐거운 꿈"이 사라진 데서 오는 상실의 감정을 "절망"이라고 표현했을 것이다. "한종일 서러웠다"라는 화자의 심정은 그것에 비하면 오히려 고통의 수위가 가라앉은 수사적인 표현이라고 할 수 있다. 어쩌면 이 제목은 백석이 북관 지역에서 겪은 상실이나 비애의 정도를 표현한 말일지도 모른다. 그는 우리가 알 수 없는 어떤 사연으로 인해 절망의 감정을 체험한 것이다.

　이 시가 발표된 시점은 1938년 4월이다. 되풀이하는 말이지만 이때 백석은 영생고보의 교사로 함흥에서 2년째 생활하고 있었다. 따라서 그가 "아름답고 튼튼한 계집은 있어서"라고 말할 때의 그 "계집"은 오다가다 몇 번 마주친 일반적인 여인이 아니라 구체적인 생활 속에서 백석이 관심을 가지고 지켜보던 여인이라고 해야 옳다. 그가 관심을 가진 여인은 북관 여인의 특징인 건강함과 아름다움을 둘 다 갖추고 있다. 화자는 그 여인을 '북관의 여인'이라고 두 번이나 지칭했다. 여기에는 앞의 시 「석양」에서 북관 영감들의 투박하면서도 건실한 생활력에 관심을 보였던 생활 감각이 투영되어 있다. 아름답고 튼튼한 그 여인은 "흰 저고리에 붉은 길동을 달아/검정 치마에 받쳐 입"고 있다. 이 여인의 복색이 나타내는 것은 검소함과 수수함이다. 즉 아름답고 튼튼하고 검소한 여인이 세상을 건실하게 살아가는 모습에서 그는 삶의 보람과 기쁨을 느꼈던 것이다. 그는 이것을 "나의 꼭 하나 즐거운 꿈"이라고 강조하여 말했다.

7행의 "어느 아침" 이후는 화자가 가졌던 꿈의 깨어짐을 말하는 대목이다. 자신이 느낀 서러움의 근거를 밝히기 위해 "무거운", "가파러운", "숨이 차서" 등의 어사를 연이어 의도적으로 집어넣은 것을 보면, 우리가 알 수 없는 어떤 사연이 있었음을 짐작하게 된다. 이러한 어사가 배치된 후반부의 시행은 그 여인이 상당히 힘들고 시련이 많은 길을 택해 어디론가 떠났다는 사실을 알려 준다. 여기서 "동이"의 해석이 문제인데, 원래 동이는 물 긷는 데 쓰는 둥글고 넓은 질그릇을 말한다. 그러나 여기에서는 동이의 모양처럼 보이는 짐을 머리에 인 것으로 보는 것이 좋을 것 같다. 무거운 동이를 이고 어린 것의 손을 끌고 가파른 언덕길을 숨이 차서 올랐다고 했기 때문이다.

여인은 결국 화자의 시야에서 사라져 버렸고 그 아름답고 튼튼하고 검소한 모습을 다시 볼 수 없게 되었다. "나의 꼭 하나 즐거운 꿈"이 사라졌기 때문에 화자는 "한종일" 서러웠다고 말했다. 이 "한종일"에 대해 "화자의 감정이 설령 절망이었다 하더라도 그것은 오늘의 것이요 내일에는 내일의 정감이 있을 것이다"*라고 하여 하루에 끝날 정도의 서러움으로 해석한 경우도 있으나, "한종일" 서러웠다는 것은 분명히 강도가 높은 서러움을 나타낸 표현이다. 그 여인 생각 때문에 하루 종일 아무 일도 하지 못하고 슬픔에 잠겨 있는 화자의 모습을 연상해 보면, 이 어구에 담긴 감정의 강도를 감지할 수 있을 것이다.

그러면 이 여인은 왜 짐을 싸들고 어린애를 데리고 떠나 버린 것일까? 어린애를 데리고 떠난 것으로 보아 남편 없이 혼자서 어린애를 키우는 여자라는 추측이 가능하다. 혼자서 열심히 세상을 헤쳐 가는 모습이 화자에게는 대견하게 생각되었을 것이다. 그러나 거기서 더 이상 살 수 없는 어떤 이유 때문에 그 여인은 더욱 가파른 운명의 능선을 넘어 떠나 버렸다. 그 이유에 대해서는 별다른 언급이 없고 화자의 상실감만이 표면에 노출되었다. 따라서 이 시를 막연히 "가족 붕괴의 비극"이 나타난 작품으로 보는 것도 설득력이 없어 보인다. 가족 붕괴라면 어린애와 여인이 분리된다든가 남편과 여인이 헤어진다든가 하는 맥락이 제시되어야 하는데, 여기에는 그것이 없다. 차라리 정든 고향을 등지고 떠날 수밖에 없는 척박한 현실에 대한 절망감, 소박하고 건실한 삶조차 누릴 수 없게 된 현실에 대한 환멸감이 표현된 시로 보는 것이 합리적인 것이다. 그러니 현실에 대한 환멸감은 이면에 감추어져 있고 표면에는 화자의 상실감이 전경화되어 있다.

결국 이 시는 어떤 여인에 걸었던 기대가 허물어지고 가혹한 운명이 그 여인 앞에 펼쳐질 것이라는 예감에서 오는 슬픔을 표현한 시로 이해하는 것이 가장 온당할 것이다. 여기서 또 하나 지적하고 싶은 것은, 그 여인의 가혹한 운명에 시대의 질곡이 작용했다는 단서가 작품

---

* 유종호, 『서정적 진실을 찾아서』, 민음사, 2001, 18쪽.

에 제시되지 않았다는 사실이다. 따라서 이 시의 해석에 일제강점기 현실의 의미를 과도하게 끌어들이는 일 또한 경계해야 할 것이다.

개

접시 귀에 소기름이나 소뿔 등잔에 아주까리기름을 켜는 마을에서는

겨울 밤 개 짖는 소리가 반가웁다.[*]

이 무서운 밤을 아래윗방성 마을 돌아다니는 사람은 있어 개는 짖는다.

낮배 어느메 치코에 꿩이라도 걸려서 산 너머 국숫집에 국수를 받으러 가는 사람이 있어도 개는 짖는다.

김치 가재미선 동치미가 유별히 맛나게 익는 밤

아배가 밤참 국수를 받으러 가면 나는 큰마니의 돋보기를 쓰고 앉아 개 짖는 소리를 들은 것이다.

—『현대조선문학전집』, 1938. 4.

[*] 원본에 이 부분의 행 구분이 모호한데, 두 개의 행으로 보고 나누어 적는다.

- **아래윗방성**: 아래 위 쪽으로.
- **낮배**: 낮에.
- **어느메**: '어디'의 방언.
- **치코**: 올가미.
- **김치 가재미**: 겨울에 김치를 묻은 다음 얼지 않도록 그 위에 수수깡과 볏짚단을 덮고 나무로 받쳐 보호해 놓은 움막. 「국수」에도 나오는 시어다.
- **큰마니**: '할머니'의 방언.

―

이 시가 실린 『현대조선문학전집』은 조선일보사 출판부에서 간행한 것으로 '시가집'에 백석의 시 여섯 편이 실려 있는데 그중 「여우난골족」, 「고야」, 「모닥불」, 「주막」 등 네 편은 『사슴』에 수록된 작품이고 다른 지면에서 볼 수 없는 두 편이 「개」와 「외가집」이다. 이 두 편의 시가 이전에 어디에 발표되었는지는 알 수 없지만, 여섯 편의 시가 모두 어린 시절을 회상하는 내용으로 되어 있어, 이 두 편의 작품도 초기에 창작된 것으로 짐작된다.

시의 첫 행은 소도구를 통해 이 마을이 어떤 지역인지를 암시한다. 이곳은 문명의 세계와는 멀리 떨어져 소기름이나 아주까리기름으로 불을 밝히는 궁벽한 산골이다. 소기름은 고체로 되어 있어서 접시에 담아 심지를 박아 불을 밝혔다. 액체로 된 아주까리기름은 속이 빈 소뿔에 담아 불을 밝혔다. 하지만 그렇게 밝힌 불빛은 너무도 희미해서 겨울밤의 완강한 어둠에 대적하지 못한다. 마을은 아득한 어둠에 휩싸여 있었을 것이다.

캄캄하고 고요한 겨울밤은 어린아이에게 공포감을 안겨 준다. 그런데 그 고요를 깨뜨리고 개 짖는 소리가 들린다. 그 소리는 정적이 주는 공포감을 덜어 주기 때문에 어린아이에게는 '반가운' 것이다. 캄캄하고 무서운 밤인데도 어디론가 돌아다니는 사람이 있고, 그러한 고요 속의 인기척에 개가 짖는다.

아이는 돌아다니는 사람에 대해 즐거운 상상을 한다. 아무 목적 없이 돌아다니는 것이 아니라 국숫집에 국수를 받으러 가는 것이 아닌가 생각한다. 낮에 쳐 두었던 올가미에 꿩이 걸려서 꿩고기를 얻게 되면 북방 지역 사람들은 육수를 만들고 고명을 만들어 국수에 얹어 먹었다. 집에 국수틀이 있는 경우도 있지만, 워낙 깊은 산골이라 그런 도구가 없으면 "산 너머 국숫집"으로 국수를 받으러 간다. 캄캄한 겨울밤 산길을 걸어 국수를 받으러 갔다 오는 것은 그렇게 간단한 일이 아니다. 그러나 적막한 겨울의 풍미를 위해 집안의 가장들은 그런 노역을 감수했던 것 같다. 어린아이는 개 짖는 소리만 들어도 입안에 침이 고이며 국수를 말아 먹을 동치미 맛을 떠올린다. 얼음이 둥둥 뜨는 동치미 국물에 국수를 말아 꿩고기를 얹어 먹는 기막힌 맛을 어디에 비교할 수 있을까?

어느덧 아이의 상상은 자신의 실제 체험으로 전환된다. 아버지는 국수를 받으러 고개를 넘어 갔고 나는 할머니 옆에서 아버지가 돌아오기를 기다린다. 맛난 음식을 기다리는 일이 어린아이에게는 얼마나 지루한 일인가. 할머니 옆에서 뒹굴던 아이는 지루함을 달래기 위해 장난삼아 할머니의 돋보기를 써 보기도 한다. 그렇게 지루하게 기다리다가 개 짖는 소리를 듣는다면 얼마나 반가울 것인가? 아버지가 국수를 받아서 돌아온다는 전갈을 개가 먼저 전해 주는 것이다. 백석은 더 이상 이야기를 하지 않고 "개 짖는 소리를 들은 것이다"로 끝을 맺고 그 이외의 상황은 독자의 상상에 맡겨 자유롭게 전개되도록 했다. 이 마지막 시행은 첫 부분에 나오는 "개 짖는 소리가 반가웁다"의 충분한 이유가 된다. 이처럼 처음과 끝이 긴밀하게 호응하는 구조적인 특징을 잘 갖추고 있다.

외갓집

내가 언제나 무서운 외갓집은

초저녁이면 안팎마당이 그득하니 하이얀 나비수염을 물은 보득
지근한 복족제비들이 씨굴씨굴 모여서는 쨍쨍 쨍쨍 쇳스럽게 울어
대고

밤이면 무엇이 기왓골에 무릿돌을 던지고 뒤울안 배낡에 쩨듯하
니 줄등을 헤어 달고 부뚜막의 큰 솥 작은 솥을 모조리 뽑아 놓고
재통에 간 사람의 목덜미를 그냥그냥 내리눌러선 잿다리 아래로
처박고

그리고 새벽녘이면 고방 시렁에 차곡차곡 얹어 둔 모랭이 목판
시루며 함지가 땅바닥에 넘너른히 널리는 집이다.

―『현대조선문학전집』, 1938. 4.

―

- **보득지근한:** 반들거리고 야무지게 생긴.
- **복족제비:** 복을 가져다주는 족제비라는 뜻으로, 집에 들어왔거나 집에 들어와
  사는 족제비를 이르는 말.

- **씨굴씨굴**: 사람이나 짐승이 많이 모여 자꾸 움직이는 모양.
- **쇳스럽게**: 높고 날카롭게.
- **기왓골**: 기왓고랑. 기와지붕에서 기와와 기와 사이에 빗물이 잘 흘러내리도록 골이 진 부분.
- **무릿돌**: 여러 개의 돌. 「추일산조」에도 나오는 시어다.
- **뒤울안**: 뒤란. 집 뒤 울타리의 안쪽.
- **째듯하니**: 비교적 환하게. 「고야」에도 나오는 시어다.
- **줄등**: 긴 줄에 매달린 여러 개의 등.
- **혀어 달고**: 켜서 달고.
- **재통**: '변소'의 방언.
- **잿다리**: 재통의 다리. 옛날 재래식 변소에 걸쳐 놓은 두 개의 나무.
- **모랭이**: 함지보다 작은 나무 그릇.
- **목판**: 음식을 담아 나르는 사각형의 나무 그릇.
- **넘너른히**: 여기저기 마구 널려 있는.

———

　토착어에 기반을 둔 백석의 뛰어난 구어적 언어 감각이 유감없이 발휘된 명편이다. "보득지근한", "씨굴씨굴", "짱짱 짱짱", "그냥그냥", "차곡차곡", "넘너른히" 등의 말은 백석만이 동원할 수 있는 독특한 고유어의 향연이다. 결코 세련되지 않은 어투지만, 우리말의 의미와 음감을 충분히 고려하여 조직적으로 배치한 고유어 미학의 극치를 보여 준다.

　이렇게 다채로운 고유어를 구사하여 그가 이야기한 것은 유년 시절의 독특한 체험에 대한 것이다. "내가 언제나 무서운 외가집은"이라는 첫 행은 화자가 이야기할 외갓집에 대한 독자들의 호기심을 자극한다. "언제나"라는 말은 그 무서움이 일회적인 것이 아니라 반복적이라는 사실을 나타낸다. 그런데 이 무서움은 앞의 시 「개」의 "이 무서운 밤을"이라는 구절에서도 보았던 것처럼 단순한 두려움이 아니라 무서우면서도 재미있는 이중적인 감정이다. 영어로 표현하면 exciting에 해당하는 느낌이다.

이 시의 화자가 외갓집을 무서워한다고 하면서 그 이유로 열거한 사례는 논리적으로 납득이 가지 않는 내용들이다. 초저녁이면 족제비들이 모여들어 와 시끄럽게 울어 대고, 밤이면 기와지붕에 누군가가 여러 개의 돌을 던지고, 뒤울안 배나무에 줄등을 환하게 달기도 하고, 부뚜막의 솥을 모조리 뽑아 놓기도 하고, 변소에 앉아 있는 사람의 목덜미를 눌러서 변소 밑으로 처박기도 하고, 새벽에는 고방 시렁에 차곡차곡 얹어 두었던 크고 작은 그릇들이 땅바닥에 무질서하게 널리는 집이라는 것이다. 고형진은 이 작품에 대한 자상한 설명을 통해 이것이 "세상물정을 잘 모르는 아이의 시선에 비친 천진한 공포감"에 해당한다는 것을 밝혔다.* 유년기의 낯선 체험이 안겨 주었을 공포감에 대해 합리적인 해명을 한 것이다.

요컨대 이 시가 이채로운 것은 공포감이 흥미나 호기심과 결합되어 있고 일회적인 것이 아니라 지속적이라는 점이다. 의성어와 의태어를 동반한 다채로운 고유어는 읽는 것만으로도 상당한 흥을 불러일으킨다. 화자는 분명 "내가 언제나 무서운 외가집은"이라고 말하면서도 그 집에서 일어난 일을 열거하는 것이 즐거워 못 견디겠다는 어투다. 「고야」에서처럼 자지러질 것 같은 공포감을 표현한 것이 아니

---

* 고형진, 『백석 시 바로읽기』, 현대문학, 2006, 138~140쪽.

라 믿거나 말거나 한 가공의 이야기를 들려주듯이 자신이 체험한 바를 열거하고 있다. 말하자면 자신의 집보다 더 깊은 산골의 외갓집에서는 이런 기이한 일이 얼마든지 일어날 수 있다는 식의 화법이다.

유년기의 공포감은 어른이 되면서 상당 부분 해소된다. 어릴 때는 그러한 일들이 너무나 무서웠지만 어른이 되면 공포의 기억도 즐거운 일로 회상된다. 그리고 그런 기이한 일을 모두 사실로 받아들였던 어린 시절의 천진성에 대해 그리운 마음을 갖게 된다. 백석이 고유어의 향연으로 결집해 낸 공포 체험의 즐거운 회상을 통해 우리는 어린 시절 귀신 이야기를 들으며 느꼈던 짜릿한 공포감을 다시 향유하게 된다. 그와 더불어 평안도 북방 산골 마을의 생활 풍속도 구체적인 실감으로 수용하게 된다.

내가 생각하는 것은

밝은 봄철날 따지기의 누긋하니 푹석한 밤이다
거리에는 사람도 많이 나서 흥성흥성 할 것이다
어쩐지 이 사람들과 친하니 싸다니고 싶은 밤이다

그렇건만 나는 하이얀 자리 위에서 마른 팔뚝의
새파란 핏대를 바라보며 나는 가난한 아버지를
가진 것과 내가 오래 그려 오던 처녀가 시집을 간 것과
그렇게도 살뜰하던 동무가 나를 버린 일을 생각한다

또 내가 아는 그 몸이 성하고 돈도 있는 사람들이
즐거이 술을 먹으러 다닐 것과
내 손에는 신간서 하나도 없는 것과
그리고 그 '아서라 세상사'라도 들을
유성기도 없는 것을 생각한다

그리고 이러한 생각이 내 눈가를 내 가슴가를
뜨겁게 하는 것도 생각한다

— 『여성』 3권 4호, 1938. 4.

- **따지기**: 얼었던 흙이 풀리려고 하는 초봄 무렵.「오리」에도 나오는 시어다.
- **누굿하니**: 메마르지 않고 좀 눅눅한.
- **푹석한**: 부드럽고 따스한 느낌이 있는.
- **흥성흥성**: 여러 사람이 활기차게 떠들며 계속 흥겹고 번성한 분위기를 이루는 모양.
- **살뜰하던**: 남을 위하는 마음이 자상하고 지극하던.
- **아서라 세상사**: 임방울의 단가 '편시춘片時春'의 도입부 가사.
- **유성기**: 레코드에서 녹음한 음을 재생하는 장치.

이 시에는 계절로서의 봄날의 흥겨움과 그것을 즐길 수 없는 화자의 상실감이 교차된다. 1연에서는 봄을 맞이하여 들뜬 마음으로 세상을 돌아다니고 싶은 마음을 표현한 듯하다. 새봄을 맞아 날은 풀리고 "누굿하니 푹석한 밤"이 와서 사람들은 거리를 돌아다니며 활기차게 떠들고 즐거워할 것이다. 화자는 그 사람들을 떠올리며 "어쩐지 이 사람들과 친하니 싸다니고 싶은 밤"이라고 말한다. 그러나 "어쩐지"라는 말은 이중적이다. 평소에는 사람들과 어울리지 않았으나 이 포근하고 눅눅한 봄밤에는 그런 생각이 갑자기 든다는 뜻이다. "어쩐지"라는 말이 갖는 긍정적 의미는 그다음 연에 나오는 "그렇건만"이라는 말에 의해 부정적 의미로 전도된다. 화자는 세상 사람들과 '친하게 싸다니고' 싶다고 말하면서도 실제로는 그들과 거리감을 느끼고 스스로 그들로부터 자신을 격리시킨다.

화자는 "하이얀 자리 위에서 마른 팔뚝의/새파란 핏대를" 바라볼 정도로 수척한 상태이다. 아버지로부터 물려받은 가난 때문인지 자신이 그려 오던 처녀는 다른 곳으로 시집을 가 버렸으며 살뜰하던 동무가 자신을 배반했다고 이야기한다. 이런 여러 가지 사연 때문에 화자는 괴로움에 휩싸여 있다. "몸이 성하고 돈도 있는 사람들"은 분명 "내가 아는" 사람들인데, 그들은 화자의 이런 처지에 아랑곳하지 않고 각자의 즐거움을 추구한다. 여기서 '몸이 약하고 돈도 없는 나'와 '몸이 성하고 돈도 있는 사람들'은 이항대립의 양항으로 분리된다. 그들이 즐거움을 추구하고 내가 괴로움에 잠겨 있는 것은 어찌 보면 당연한 일이기도 하다. 나도 즐거움을 추구하고 싶으나 자신의 가련한 처지가 그것을 실행하지 못하게 가로막는다. 표면적으로는 자신의 괴로움이 그렇게 대단한 것이 아니라 "신간서 하나도 없는 것"이나 "유성기도 없는 것" 등 사소한 데서 온 것처럼 말하고 있으나 이것은 위장의 어법이다. 그의 슬픔과 괴로움은 어떤 본질적인 것으로부터 유래된 것이며 타락한 세상에 놓인 순수한 자아의 소외감, 격리감 같은 것이다.

화자는 시의 끝부분에서 "이리한 생각이 내 눈가를 내 가슴가를/ 뜨겁게 하는 것도 생각한다"라는 독특한 어법을 구사했다. 어떤 우울한 생각이 나를 더욱 우울하게 하는 그 우울의 과정에 대해 다시 생각한다는 뜻이다. 세상으로부터 격리되어 혼자 시들어 간다고 생각하자 그것이 다시 슬픔의 요인이 되어 더 깊은 소외감을 일으키는 심리적 악순환이 일어난다. 그런데 자신의 생각이 슬픔을 심화한다고 하면서 그것을 "뜨겁게 하는 것"이라고 진술한 데에는 이중적 심리가 잠복해 있다. 즉 세상에 대한 소외감이 자신의 마음을 더 외롭게 하지만 그것은 자신이 점점 더 순수해지는 길이기도 하다는 일종의 자존적 방어 심리가 개재해 있다. 이처럼 백석은 소외감과 고립감에 괴로움을 느끼면서도 그것이 자신의 순수함의 결과일 수 있다는 이중적 심리를 내비친다. 이 미묘한 이중 심리가 시 창작의 동인으로 작동하고 있다.

내가 이렇게 외면하고

내가 이렇게 외면하고 거리를 걸어가는 것은 잠풍 날씨가 너무나 좋은 탓이고

가난한 동무가 새 구두를 신고 지나간 탓이고 언제나 꼭같은 넥타이를 매고 고운 사람을 사랑하는 탓이다

내가 이렇게 외면하고 거리를 걸어가는 것은 또 내 많지 못한 월급이 얼마나 고마운 탓이고

이렇게 젊은 나이로 코밑수염도 길러 보는 탓이고 그리고 어느 가난한 집 부엌으로 달재 생선을 진장에 꼿꼿이 지진 것은 맛도 있다는 말이 자꾸 들려오는 탓이다.

─『여성』 3권 5호, 1938. 5.

─

- **잠풍 날씨:** 바람이 잔잔하게 부는 상쾌한 날씨.
- **달재:** '달강어'라는 생선의 방언.
- **진장:** 오래 묵어서 아주 진하게 된 간장. 진장陳醬(검은 콩 메주로 담근 간장)은

특별한 것이어서 '가난한 집'이라는 시의 문맥과 맞지 않는다.

———

　백석과의 사연을 한 권의 책으로 엮은 김자야는 이 시에 나오는 "언제나 꼭같은 넥타이를 매고 고운 사람을 사랑하는 탓이다"의 그 넥타이가 자신이 서울에서 백석과 같이 지낼 때 명동에서 사 준 넥타이라고 술회한 바 있다.* 그러나 이 기억은 정확하지 않다. 『내 사랑 백석』을 면밀히 검토해 보면, 김자야가 백석과 교제한 것은 1937년 봄부터 1938년 3월에 이르는 함흥에서의 기간과 1938년 말부터 1939년 말에 이르는 서울에서의 기간임을 알 수 있다. 그런데 「내가 이렇게 외면하고」는 1938년 5월에 발표되었다. 1938년 5월에 발표된 시에 1939년에 서울 명동에서 사 준 넥타이가 등장할 수는 없는 일이다.

　이 시에서 "내가 이렇게 외면하고"라는 제목과 그 말의 반복은 중요한 의미를 담고 있다. "외면하고"란 무엇을 외면한다는 뜻일까? 세상의 자질구레한 이해 관계를 외면한다는 뜻이리라. 「내가 생각하는 것은」에 나온 "내가 아는 그 몸이 성하고 돈도 있는 사람들"이나 "내가 오래 그려 오던" 시집간 여인이나 나를 버린 "살뜰하던 동무"를 외면한다는 뜻이리라. "세상 같은 건 밖에 나도 좋을 것 같다"(「선우사」)라고 하고 "세상 같은 건 더러워 버리는 것이다"(「나와 나타샤와 흰당나귀」)라고 한 백석이니 속된 세상의 너저분한 잡사는 외면할 수밖

　* 김자야, 『내 사랑 백석』, 문학동네, 1995, 108쪽.

에 없었을 것이다. 속된 세상을 외면하는 대신 그의 마음에 즐거움을 안겨 주는 것은 무엇인가. 잔잔한 바람이 부는 맑은 날씨와 가난한 동무가 모처럼 새 구두를 장만한 일과 누군가가 사 준 똑같은 넥타이를 매며 그 사람만을 사랑하는 생활이다. 일상에서 벌어지는 사소한 아름다움과 그렇게 사소한 듯 지속되는 사랑의 마음으로 세속의 명리를 외면하고 세상을 걸어갈 수 있는 것이다.

바로 앞의 「내가 생각하는 것은」에서 "가난한 아버지를 가진 것"을 탄식했던 그는 "내 많지 못한 월급이" 얼마나 고마운지 모른다고 반어적으로 말한다. 세상을 외면하고 사는 것이 축복이 되려면 풍족한 월급으로 호의호식하는 삶과 거리를 두어야 할 것이다. 이렇게 그는 풍요와 친화는 타락이고 가난과 소외가 오히려 영광이 되는 반세속적 결벽성을 선언하고 있다. 백석은 코밑수염을 길러 본 적이 없는데 여기서는 "젊은 나이로 코밑수염도 길러 보는" 낭만적 취향을 끌어들여 세상을 초탈한 듯한 예술가의 포즈를 취하더니, 뜻밖에도 가난한 서민의 지극히 사소한 미각적 즐거움을 이야기하고 끝을 맺는다.

어느 가난한 집에서 흔한 달강어를 오래 묵은 간장에 슷슷이 지졌는데, 그 음식이 그렇게 맛있다는 말이 자꾸 들려온다고 했다. 고급 어종을 유별난 양념에 요리한 것이 아니지만, 그 가난한 집 식구들로서는 달강어를 지져 먹는 것도 오랜만의 일이어서 맛이 좋다는 말을 계속 반복하게 된 것이다. 그렇게 가난한 사람들의 천진하고 소박한 삶의 속삭임을 듣는 것이 세상을 외면하고 사는 삶의 즐거움이라고 백석은 생각했다. 도시적 세련성과 대중적 사교성을 스스로 거부한 눌변과 소외의 미학은 이렇게 세상의 화려함을 외면하는 데서 탄생했다.

삼호三湖[*]

문 기슭에 바다 해 자를 까꾸로 붙인 집
산뜻한 청삿자리 위에서 찌륵찌륵
우는 전복 회를 먹어 한여름을 보낸다

이렇게 한여름을 보내면서 나는 하늑이는
물살에 나이금이 느는 꽃조개와 함께
허리도리^{**}가 굵어 가는 한 사람을 연연해 한다

─『조광』 4권 10호, 1938. 10.

─

- **청삿자리:** 푸른 왕골로 짠 돗자리.
- **하늑이는:** 물결 따위가 가볍게 움직이는.
- **나이금:** 나이테.

* "물닭의 소리"라는 큰 제목 아래 「삼호三湖」부터 「꼴뚜기」까지 여섯 편의 시를 발표했는데, 각각 독립된 작품으로 본다.
** '허리둘레'가 사전에 등재되어 있어 붙여 쓴다.

- **도리:** 둥근 물건의 둘레.
- **연연해:** 마음에 두고 잊지 못해.

—

'물닭의 소리'로 묶인 여섯 편의 작품은 소품의 성격을 지닌다. 같은 시기인 1938년 10월 『여성』지에 두 편의 작품을 발표했으니 한꺼번에 여덟 편의 작품을 발표한 것이다. '물닭의 소리' 시편은 그동안 써 두었던 작품 중 바다와 관련된 시편을 함께 묶어서 발표한 것이다. "삼호"라는 지역은 분명 바닷가에 있을 것이다. 송준은 함경남도 홍원군 남단에 있는 유명한 명태 어장으로 고증한 바 있다.[*] 그곳은 지금 낙원군 삼호노동자구로 편제되어 있다.

여름방학을 맞아 백석은 한적한 바닷가에서 시간을 보낸 것 같다. "여인숙이라도 국수집이다"(「산숙」)처럼 백석의 시는 늘 첫 행에서 화자가 처한 장소의 성격을 집약적으로 전달하는데 "문 기슭에 바다 해자를 까꾸로 붙인 집"이라는 이 시의 첫 행도 그러한 역할을 한다. 문 옆에 부언가를 한자로 써서 붙이기는 했는데, 글자를 잘못 쓴 것인지, 혹은 오래 되어서 문패가 180도 회전을 해서 그런지, 바다 해 자가 거꾸로 붙어 있다는 것이다. 이것은 자신이 머무는 집이 사람들이 별로 오가지 않는 한적한 집이고, 또 관리에 별로 신경을 쓰지 않는 낡은 집이라는 사실을 알려 준다. 그만큼 원시적 자연미를 충분히 즐길 수 있는 곳이기는 할 것이다. 그곳에서 화자는 산뜻한 왕골자리 위에 앉

---

[*] 송준, 『남신의주 유동 박시봉방 2』, 지나, 1994, 208쪽.

아 "찌륵찌륵 우는 전복 회를" 먹으며 한여름을 보냈다고 했다. 흔한 삿자리가 아니라 산뜻한 왕골자리에 앉아 회 가운데 가장 귀하게 여기는 전복 회를 먹었으니 누추한 집이지만 거기서 누릴 수 있는 최대의 호사를 누린 것이다. "찌륵찌륵 우는 전복 회"라는 말은 실제로 전복이 울음소리를 낸다는 뜻이 아니라 전복을 산 채로 바닷물에 담가 두어 전복이 움직일 때 무언가 작은 소리가 난다는 뜻이다. 그만큼 싱싱한 전복을 회로 먹은 것이다.

그다음 연에는 그가 실제로 보고 마음으로 그리워한 두 대상이 제시된다. 실제로 본 것은 "하늘이는 물살에 나이금이 느는 꽃조개"이며 마음으로 연연해 한 것은 "허리도리가 굵어 가는 한 사람"이다. 내륙 호수가 있는 바닷가이니 민물에서건 바닷물에서건 물살에 흔들리는 작은 조개를 보았을 것이다. 백석은 "꽃조개"라 했으나 이러한 이름의 조개가 따로 있는 것 같지는 않고 작고 예쁜 모양의 조개를 그렇게 지칭한 것으로 짐작된다. 조개껍데기에는 식물의 나이테와 같은 생장선이 있고 조개가 생장하면서 껍데기에 무늬가 늘어난다는 말을 바닷가 사람들에게 들었을 것이다. 화자는 시간이 지나면 한 테씩 생긴다는 조개의 나이금 얘기를 듣고 그렇게 허리도리가 늘어갈 한 사람을 생각한다.

그 사람은 누구일까? 앞의 '통영' 시편에서 그곳에 살고 있는 여성에 대한 관심과 그리움이 드러난 것을 보았지만 그 여인은 이미 1937년 4월에 백석의 친구와 결혼한 상태였다. 그렇게 오래전 일을 갑자기 떠올리며 그 여인을 그리움의 대상으로 삼았다는 것은 현실성이 없어 보인다. 차라리 1937년에 만나 1938년 3월에 헤어져 서울로 이

주하여 살고 있는 기생 김자야에 대한 그리움이 투영되어 있다고 보는 것이 자연스럽다. 그러나 시는 허구적 상상력의 개입을 얼마든지 허용하는 문학 장르다. 실제적인 특정 여인에 대한 그리움이 표현되었다기보다는 자연 속에 노닐며 지내는 시간 속에서도 때로는 외로움이 밀려들어 어느 여인에 대한 연연함이 일어났다고 보는 것이 좋을 듯하다.

물계리物界里

물밑―이 세모래 이남박은 콩조개만 일다

모래장변―바다가 널어놓고 못 미더워 드나드는 명주 필을 짓궂
이 발뒤축으로 찢으면

날과 씨는 모두 양금 줄이 되어 짜랑짜랑 울었다

―『조광』 4권 10호, 1938. 10.

―

- **세모래**: 가는 모래.
- **이남박**: 안쪽에 여러 줄의 고랑이 지게 파서 만든 함지박으로 쌀 따위를 일
  때에 돌과 모래를 가라앉게 한다. 물결에 고랑을 이룬 물밑의 모래층을 비유
  한 것이다.
- **콩조개**: 껍데기가 콩알처럼 동그랗고 매끈하며 자줏빛을 띤 갈색의 조개로
  바다 밑 진흙 또는 진흙 모래판에서 서식한다.
- **일다**: 곡식 따위를 그릇에 담아 물을 붓고 이리저리 흔들어서 쓸 것과 못 쓸
  것을 가려 내다.
- **못 미더워**: 믿지 못하여.「선우사」에 '믿없고'(미덥고)라는 말이 나온다.
- **명주 필**: '명주'는 비단을 뜻하며, '필'은 일정한 길이로 말아 놓은 피륙을 세
  는 단위다.
- **양금洋琴**: 채로 줄을 쳐서 소리를 내는 현악기의 하나.

—

"물계리" 역시 지명일 것이다. 바다와 육지의 경계라는 뜻을 지닌 어느 바닷가 같다. 이곳에는 백사장이 있고 파도가 오가는 물가가 있다. 바닷물이 밀려들었다 빠져나가는 바닷가 물밑은 마치 가는 모래의 층이 고랑을 이룬 이남박을 연상시킨다. 이남박으로 콩이나 다른 곡식을 일듯 바닷가 이남박에는 콩조개가 물살에 흔들리고 있다. 앞의 시 「삼호」에는 "꽃조개"가 나왔는데 여기는 "콩조개"가 나왔다. 한 여인을 그리워하는 경우에는 그것과 어울리는 "꽃조개"가, 바닷가 물밑에 콩처럼 흔들리는 경우에는 "콩조개"가 선택된다. 백석의 시어 선택의 수완이 보통이 아님을 다시금 확인하게 된다.

"모래장변"이란 '모래'라는 고유어에 한자어 '장場'과 '변邊'이 결합된 말로 백사장을 가리킨다. 물밑을 이남박에 비유한 백석은 백사장을 바다가 넣어놓은 비단에 비유한다. 명주 여러 필을 넣어놓은 것처럼 눈부신 백사장이 넓게 펼쳐져 있다. 바다는 명주를 넣어놓은 것이 미덥지 못한지 수시로 드나들며 물결을 적셔 명주를 확인한다. 파도가 드나들 뿐 사람이 다닌 자취라고는 전혀 없는 고요한 백사장을 발뒤축으로 눌러 보면 마른 모래 밟히는 소리가 뽀드득거리며 난다. 이것을 백석은 양금 줄이 울려 소리가 나듯 "짜랑짜랑 울었다"라고 표현했다.

'명사鳴沙'라는 말이 있는 것처럼 밟으면 독특한 소리를 내는 모래가 있으나 양금 소리처럼 짜랑짜랑 울리는 모래는 없다. 이렇게 소리가 크게 나는 것으로 비유한 것은 명주를 발뒤축으로 찢는다고 한 표현과 관련된다. 고운 명주를 찢으면 명주의 피륙을 직조한 날줄과 씨줄이 끊어질 것이고 그렇게 명주실이 끊어질 때는 양금 줄이 울리는 소리가 날 것이라고 과장되게 상상한 것이다. 우리는 이러한 대목에서도 백석의 독특한 비유 구사의 재능과 뛰어난 상상력을 확인하게 된다.

대산동 大山洞

비애고지 비애고지는
제비야 네 말이다
저 건너 노루섬에 노루 없더란 말이지
신미도 삼각산엔 가무라기만 나더란 말이지

비애고지 비애고지는
제비야 네 말이다
푸른 바다 흰 하늘이 좋기도 좋단 말이지
해밝은 모래장변에 돌비 하나 섰단 말이지

비애고지 비애고지는
제비야 네 말이다
눈 빨갱이 갈매기 발 빨갱이 갈매기 가란 말이지
승냥이처럼 우는 갈매기
무서워 가란 말이지

-『조광』4권 10호, 1938. 10.

—

- **비애고지**: 제비의 지저귐 소리를 의성한 것.
- **대산동, 노루섬, 신미도, 삼각산**: 송준, 『남신의주 유동 박시봉방 2』(지나, 1984), 210쪽에서 이 지명들을 평북 정주 주변의 지명으로 풀이했고, 고형진, 『정본 백석 시집』(문학동네, 2007), 110쪽에서 더욱 상세하게 소개했다. 삼각산은 신미도에 있는 산이고 신미도는 조기의 명산지라고 한다.
- **가무락기**: 가무락조개. 백합과의 조개. 몸의 길이는 25밀리미터 정도이고 둥근 모양이며, 껍데기는 갈색이고 가장자리는 자색이다.
- **돌비**: 돌로 만든 비碑.

—

이 시는 '물닭의 소리'라는 묶음으로 발표한 작품 중 세 번째 작품이다. 다른 작품들은 바다에 인접한 함흥 지역에서의 체험이 투영된 것으로 보이는데, 이 시와 다음에 나오는 「남향南鄕」은 그렇지 않다. 제목으로 사용된 '대산동'이 정주군 덕언면에 있는 지명이라고 하니 고향의 지명을 이용하여 제비의 울음소리를 의성한 독특한 시를 지은 것으로 볼 수 있다. '물닭'은 백석 시에 자주 등장한 소재인데 그리움이나 외로움과 관련지어 제시되는 일이 많았다. 그러니까 고향에 대한 그리움을 담은 시도 '물닭의 소리'에 들어올 수 있는 것이다. 이 시는 제비의 지저귐 소리를 통해 고향에 대한 그리움을 간접적으로 표현했다. 그런 면에서 명태를 말리는 모습을 통해 고향의 멧새 소리를 연상한 「멧새 소리」와 유사한 측면이 있다.

『사슴』에 수록된 「여우난골」이라는 시에는 "어치라는 산새는 벌배먹어 고웁다는 골에서 돌배 먹고 아픈 배를 아이들은 띨배 먹고 나았다고 하였다"라는 구절이 나온다. 어린애들의 말놀이를 통해 언어유희의 감각을 살린 구절이다. 그처럼 이 시도 언어유희의 감각을 살려 제비의 울음소리를 의성하는 "비애고지"라는 말을 활용하여 제비가 지저귀는 내용을 시로 표현했다. 「여우난골」의 그 구절이 '배'를 끝말잇기로 한 말놀이 형식을 보여 준 것처럼 이 시도 "말이지"를 시행 끝에 연속적으로 배치함으로써 제비의 지저귐 소리를 떠오르게 한다. 이와 같은 언어유희는 민요에서 많이 사용되는데, 정주 지역에 구전되는 민요에서 암시를 얻어 이 작품을 쓴 것이 아닌가 짐작된다.

제비가 우는 소리를 흔히 '지지배배'라고 의성하는데 이 시에서는 "비애고지"라는 말을 썼다. 이 말은 '대산동'이란 지역의 토속적인 고유지명 같기도 하다. 대산동에 날아와 "비애고지"라고 지저귀는 제비는 사람들에게 무어라고 말하는고 하니, 저 건너 노루섬엔 노루가 없고 신미도 삼각산엔 가무락조개만 난다고 한다. 이 말은 요즘말로 하면 붕어빵에는 붕어가 없고 연평도에는 조기 대신 조개만 난다고 하는 말이나 마찬가지다. 말의 재미를 추구하는 것일 뿐 어떤 심각한 의미가 담긴 것은 아니다. 2연에서는 푸른 바다와 흰 하늘이 좋고 백사장 가에는 비석 하나 서 있다는 말을 들려준다. 이 부분 역시 대산동 주변의 정경을 소개했을 뿐 어떤 중요한 의미가 담긴 것 같지는 않다. 해석하기에 따라서는 자연의 탁 트인 모습을 예찬하면서 비석만 남기고 사라질 인간 역사에 대한 환멸감을 암시한 것으로 읽을 수도 있다.

3연에서는 유머러스한 발언이 제시되어 2연의 단조로움을 넘어선다. 갈매기는 제비보다 몸집이 크고 발 부분이 붉은빛을 띤다. 눈도 빨갛다고 했지만 갈매기의 눈이 그렇게 붉게 보이지는 않는다. 또 울음소리가 제비보다 크기는 하지만 승냥이 울음소리를 내지는 않는다. 그러니까 "눈 빨갱이"라든가 "승냥이처럼 우는"이라는 말은 연약한 제비의 입장에서 갈매기의 모습을 과장되게 표현한 것이다. 제비가 대산동에 날아들어 '비애고지'라고 친숙한 소리로 연이어 지저귀면서 갈매기가 무서우니 어서 저리 갔으면 좋겠다는 말을 한다고 상상했다.

백석은 '물닭의 소리' 시편에서 독신 생활의 외로움과 여인에 대한 막연한 그리움을 표현하기도 하고 세상과의 위화감을 드러내기도 했지만, 이렇게 민요의 언어유희 형식을 차용한 유머러스한 내용의 시도 새롭게 창작했다.

남향南鄉

푸른 바닷가의 하이얀 하이얀 길이다

아이들은 늘늘히 청대나무말을 몰고
대모풍잠한 늙은이 도요 한 마리를 드리우고 갔다.

이 길이다
얼마 가서 감로 같은 물이 솟는 마을 하이얀 회담벽에 옛적본의
쟁반시계를 걸어 놓은 집 홀어미와 사는 물새 같은 외딸의 혼삿말
이 아지랑이같이 낀 곳은

—『조광』4권 10호, 1938. 10.

———

• **늘늘히:** 넉넉하게. 여유 있게.
• **청대나무말:** 푸른 대나무를 어린이들이 가랑이에 넣어서 끌고 다니며 노는
죽마.
• **대모풍잠:** 대모갑玳瑁甲으로 만든 풍잠. 풍잠은 갓모자가 넘어가지 않도록 망
건당 앞쪽에 다는 반달 모양의 물건.

- **도요**: 도요새. 강변의 습기 많은 곳에 살고 다리, 부리가 길며 꽁지가 짧다.
- **회담벽**: 석회를 바른 담벼락.
- **옛적본의**: 옛날식의. 「이즈노쿠니미나토 가도」에도 나오는 시어다.
- **쟁반시계**: 쟁반처럼 둥근 모양의 시계.

———

배경이나 문맥으로 볼 때 이 시는 앞의 시들과 다른 점이 많다. 전에 써 두었던 것을 발표하지 않고 갖고 있다가 '물닭의 소리' 묶음으로 함께 발표한 것 같다.

이 시에 나오는 "길"은 백석의 마음속에 남아 있는 아련한 추억의 길이고 미련의 길이다. 그것은 1936년 1월에서 그해 말에 이르는 시점에 통영의 한 여인을 그리워하여 몇 번 통영을 방문한 추억 속에 남아 있는 길이다. "남향"이라는 제목은 그 여인이 살고 있었던 남쪽 지역 통영을 암시할 것이다. 백석은 그 길을 "푸른 바닷가의 하이얀 하이얀 길"이라고 했다. 이미 2년 이상의 시간이 흘러 하얗게 바랜 흑백 사진처럼 실루엣만으로 남아 있는 세월 저편의 그리움을 백색의 형상으로 나타냈다. 그런 희미한 추억 속에도 강하게 남아 있는 것은 남쪽 바다 통영의 쪽빛 색깔이었을 것이다. 푸른 바다와 하얀 길의 대비가 시각적 영상으로 추억의 첫 화면을 장식한다.

2연에서는 가슴 한쪽에 저린 사연으로 남아 있는 여인에 대한 그리움을 뒤로 미루고, 천진하고 유머러스한 장면을 먼저 제시했다. 총천연색 영화의 한 장면처럼 푸른 바닷가의 하얀 길에 아이들이 모여 여유 있게 죽마를 타고 놀고, 또 한쪽에는 점잖게 대모풍잠을 머리에 꽂은 노인이 역시 여유 있게 지나간다. 노인이 지나간 다음에는 도요새 한 마리가 물가를 돌아다니니 마치 노인이 도요새를 뒤에 남기고 간 것 같은 느낌이 든다.

이런 장면을 보여 준 다음 백석은 "이 길이다"라는 하나의 시행을 제시했다. 이 짧은 시행 속에 말로 다하지 못한 미련과 회한의 심정이 응축되어 있다. 이 길을 얼마쯤 걸어 올라가면 감로 같은 물이 솟는 명정明井골이라는 마을이 있고 그곳에 아버지를 여의고 어머니와 둘이 사는 한 여인이 거주한다. 이 여인에 대해 백석은 이미 「통영」에서 "영 낮은 집 담 낮은 집 마당만 높은 집에서 열나흘 달을 업고 손방아만 찧는 내 사람을 생각한다"라고 노래한 바 있다. 「남향」에서는 그 여인을 "물새 같은 외딸"이라고 지칭하며 "혼삿말이 아지랑이같이 낀 곳"이라는 말을 통해 결혼의 의사를 전했던 사연과 결국은 그것이 아지랑이처럼 과거의 기억으로 묻혀 버린 사실을 암시했다. 아지랑이의 영상으로 회상된 그 길은 현실의 국면과는 단절되어 있으며 백석은 그 기억을 과거의 영상으로 객체화하여 제시하고 있다.

야우소회 夜雨小懷

캄캄한 비 속에
새빨간 달이 뜨고
하이얀 꽃이 피고
먼바루 개가 짖는 밤은
어데서 물외 내음새 나는 밤이다

캄캄한 비 속에
새빨간 달이 뜨고
하이얀 꽃이 피고
먼바루 개가 짖고
어데서 물외 내음새 나는 밤은

　나의 정다운 것들 가지 명태 노루 메추리 질동이 노랑나비 바구
지꽃 메밀국수 남치마 자개짚세기 그리고 천희千姬라는 이름이 한
없이 그리워지는 밤이로구나

－『조광』 4권 10호, 1938. 10.

- **먼바루:** 멀리서. '바루'(바로)는 일정한 방향이나 장소를 나타내는 말이다.
- **물외:** '참외'와 구분하여 '오이'를 이르는 말.
- **바구지꽃:** 미나리아재비. 「흰 바람벽이 있어」에도 나오는 시어다.
- **자개짚세기:** 작고 예쁜 조개껍데기들을 주워 짚신에 그득히 담아 둔 것.

이 시는 우선 독특한 형식을 주목할 만하다. 1연과 2연은 거의 동일한 내용을 반복하는데 주술 관계만 바꿈으로써 색다른 시적 의미와 효과를 만들어 냈다. "야우소회夜雨小懷"란 비 내리는 밤에 떠오른 마음속의 작은 생각이라는 뜻으로 "물외 내음새 나는 밤"이라고 했으니 계절이 여름인 것을 알 수 있다. 백석은 다른 시에서도 늘 그러했던 것처럼 군더더기 붙이지 않고 여름밤 비 내리는 정황을 몇 개의 간략한 어사로 짚어 나갔다. "캄캄한 비", "새빨간 달", "하이얀 꽃", "먼바루 개", "물외 내음새"가 그것이다. 여기서 "캄캄한 비"와 "새빨간 달"의 대조가 특이하고 새롭다. 캄캄하다면 새빨간 달이 보일 리가 없는데 여름날 비가 내리는 상황이므로 캄캄한 것은 비 때문이고 구름이 완전히 덮이지 않아 불그레한 달이 뜬 것을 연상할 수 있다. 이렇게 시각과 청각이 교차되고 후각으로 이어지며 주술 관계가 맺어진다.

그다음 연은 같은 구절을 나열한 다음에 서술어에 해당하는 구절을 주어부로 구성하고 다음 연에서 서술부의 종결을 꾀했다. 이렇게 시각, 청각, 후각을 통해 여름의 정취가 물씬 느껴지는 밤에는 자기가 좋아하는 것들이 한없이 그리워진다는 것이다. 그러한 그리움이 한 꺼번에 밀려든 것은 비 내리는 여름밤의 고적함 때문이다. 온갖 것이 생동하는 것 같은 여름밤에 비가 내리자 그 음울한 분위기가 오히려 짙은 외로움과 그리움을 자아낸 것이다. 그래서 예전의 시에 나왔던 "천희"라는 이름까지 호명하며 그리움을 표출했다.

여기 열거된 대상들은 백석의 시에 한 번 이상 등장했던 것들이다. 처음 등장하는 것은 "가지", "노랑나비", "자개짚세기" 등인데 이 사물들도 소박한 친근감을 불러일으킨다는 점에서 다른 것과 상통한다. 제목의 뜻 그대로 여름밤의 작은 회포를 소박하게 드러낸 작품이다.

꼴뚜기

신새벽 들망에
내가 좋아하는 꼴뚜기가 들었다
갓 쓰고 사는 마음이 어진데
새끼 그물에 걸리는 건 어인 일인가

갈매기 날아온다.

입으로 먹을 뿜는 건
몇십 년 도를 닦아 뛰는 조화가
앞뒤로 가기를 마음대로 하는 건
손자의 병서도 읽은 것이다
갈매기 쭝얼댄다.

　그러나 시방 꼴뚜기는 배창에 너부러져 새 새끼 같은 울음을 우
는 곁에서
　뱃사람들의 언젠가 아홉이서 회를 쳐 먹고도 남아 한 깃씩 노나
가지고 갔다는 크디큰 꼴뚜기의 이야기를 들으며 나는 슬프다

갈매기 날아난다.

—『조광』 4권 10호, 1938. 10.

- **들망:** 들그물. 바다 밑이나 중간쯤에 그물을 깔아 놓고 물고기를 그 위로 유인한 뒤 들어 올려 잡는 그물.
- **퓌는 조환가:** 피우는 조화인가.
- **배창:** 배[船] 안의 밑바닥. 「가키사키의 바다」에도 나오는 시어다.
- **깃:** 무엇을 나눌 때, 각자에게 돌아오는 한몫.

'물닭의 소리'의 마지막 작품이다. "신새벽"이란 말은 사전에 '첫새벽'의 잘못된 말이라고 나오지만 일상에서는 '첫새벽'보다 더 자주 쓰인다. 날이 새기 시작하는 이른 새벽을 가리키는 말인데 새롭다는 뜻을 지닌 '신'자의 음이 '새벽'의 '새'와 어울려 첫새벽의 느낌을 더 잘 환기하기 때문이리라.

화자는 이른 새벽 그물에 걸린 꼴뚜기를 보았다. "내가 좋아하는 꼴뚜기"라고 했지만 앞의 시에서 자신의 정다운 것들이라고 열거한 데는 들어 있지 않던 대상이다. 꼴뚜기는 오징어보다 크기가 작아서 그물코가 좁은 망에 걸린다. 오징어도 마찬가지지만 꼴뚜기의 몸통 끝에도 마치 갓을 쓴 것 같은 근육층이 있다. 그렇게 갓을 쓰고 사는 어질고 연약한 생물이 "새끼 그물"에 걸린 것을 화자는 안타까워한다.

어선 주변에는 떨어진 물고기를 먹으려고 갈매기가 날아들고 무어라 소리를 내기도 하고 날아가기도 한다. 작은 몸을 지닌 꼴뚜기지만 오징어와 마찬가지로 먹물을 뿜고 앞뒤로 움직이는 모양이 신기하다고 이야기했다. 이어서 그물에서 내려져 배 밑창에 너부러져 간신히 "새 새끼 같은 울음을 우는" 꼴뚜기를 보고 다시 마음 아파한다. 뱃사람들은 자기들끼리 둘러 앉아 언젠가 커다란 꼴뚜기를 잡아서 아홉 명이 회를 쳐 먹고도 남아서 한몫씩 나누어 가졌다는 과장된 이야기를 한다. 그렇게 큰 것은 꼴뚜기가 아닐 것이다.

노루를 팔러 장에 나온 산골 사람을 보고 안타까워했듯이 이번에는 어망에 걸려 선창에 부려진 꼴뚜기를 보고 슬퍼한다. 모두 언젠가는 생을 끝마치게 될 연약한 목숨들인데, 그것과는 무관한 듯 흥이 나서 떠드는 뱃사람들의 이야기가 오히려 비애감을 불러일으켰을 것이다. 예전 어느 때에는 이렇게 작고 볼품없는 모양이 아닌, 그렇게 커다란 꼴뚜기가 존재했던 것인가 하는 경이로운 생각이 들었을지도 모른다. 그러나 어떤 것이든 목숨을 잃고 남의 먹이가 된다는 사실이 백석에게는 슬프게 다가왔다. 이런 연약한 마음으로 1930년대 후반 전운이 감도는 한반도의 상황을 버텨 가기란 힘든 일이었을 것이다. 이미 삶의 어두운 그늘이 백석의 마음을 가리고 있었다.

가무라기의 낙樂

가무락조개 난 뒷간거리에

빚을 얻으러 나는 왔다

빚이 안 되어 가는 탓에

가무라기도 나도 모두 춥다

추운 거리의 그도 추운 응달쪽을 걸어가며

내 마음은 우쭐댄다 그 무슨 기쁨에 우쭐댄다

이 추운 세상의 한구석에

맑고 가난한 친구가 하나 있어서

내가 이렇게 추운 거리를 지나온 걸

얼마나 기뻐하며 락단하고

가지런히 손깍지베개 하고 누워서

이 못된 놈의 세상을 크게 크게 욕할 것이다

─『여성』 3권 10호, 1938. 10.

- **가무락조개:** 백합과의 조개. 길이는 25밀리미터 정도로 둥근 모양이며, 껍데기는 갈색이고 가장자리는 자색이다.
- **뒷간거리:** 뒷거리. 도심지의 뒤쪽 길거리.
- **락단하고:** 고어 '락닥ᄒ다'(희희낙락하고 즐거 하다)와 관련 있는 말로 보인다. 이동석 교수는 "소리 내어 웃다"라는 뜻으로 보았다.[*]

「선우사」에서 가자미와 자신과의 동질성을 이야기했던 백석은 이 시에서 다시 가무락조개와 자신과의 동질성을 드러낸다. "가무라기도 나도 모두 춥다"라는 구절이 단적으로 동질성을 표현한 대목이다. 가무락조개란 우리나라 전역에 자생하는 작은 조개로 지역에 따라 가무라기, 모시조개라는 이름으로도 불린다. 화자는 빚을 얻으러 갔다가 뜻을 이루지 못하고 춥고 그늘진 곳을 걸어가는 자신의 모습과 가무라기의 작고 연약한 모습을 동일시한다. 그러나 이 추운 거리에 동화되지 않고 못된 세상에 등을 돌리고 돌아오는 것이 오히려 기쁘고, 맑고 가난한 친구 역시 내가 추운 거리를 지나온 것을 기뻐할 것이라고 생각한다. 기뻐한다는 것은 물론 반어적인 표현이다. 이 시의 주제는 "이 못된 놈의 세상을 크게 욕할 것"이라는 구절에 담겨 있다. 현실에 대한 원망의 심정이 강화된 이 표현은, 세상이 더러워서 버리고 떠나겠다는 「나와 나타샤와 흰 당나귀」의 현실부정적 태도보다 한

---

[*] 이동석, 「고어를 이용한 백석 시의 어휘 몇 가지에 대한 검토」, 『우리어문연구』 29, 2007. 9, 85~91쪽.

단계 더 강화된 부정의식을 표출하고 있다.

　백석이 지향하는 것은 "맑고 가난한" 삶이다. 비록 빚을 얻는 데 성공했다 하더라도 부유한 삶을 누리지는 못할 것이지만 세상과 타협하여 구구하게 사는 것을 피하게 되었으니 오히려 잘되었다는 논리다. 그럼에도 불구하고 이 세상을 크게 욕한다고 했으니 세상에 대한 미련은 남아 있는 상태다. 제목인 "가무라기의 낙"은 『논어』에 나오는 안회顏回의 즐거움, 즉 '안빈낙도安貧樂道'를 연상시킨다. 전거는 유교 문화에서 얻어 왔으나 바닷가에 사는 실제의 삶을 끌어들여 "가무라기의 낙"으로 제목을 삼았다. 백석의 의식이 역시 전통적인 한자 문화권의 영향을 받고 있음을 다시 확인하게 된다.

멧새 소리

처마 끝에 명태를 말린다

명태는 꽁꽁 얼었다

명태는 길다랗고 파리한 물고긴데

꼬리에 길다란 고드름이 달렸다

해는 저물고 날은 다 가고 볕은 서러웁게 차갑다

나도 길다랗고 파리한 명태다

문턱에 꽁꽁 얼어서

가슴에 길다란 고드름이 달렸다

−『여성』3권 10호, 1938. 10.

———

• **파리한**: 몸이 마르고 낯빛이나 살빛이 핏기가 없는.

—

「가무라기의 낙樂」에서는 가무락조개가 시인과 동질적인 사물로 등장했는데 이 시에서는 명태가 자신의 연약한 모습과 등가를 이룬다. 명태는 가자미나 가무락조개처럼 관북 지역의 중요 특산물 중 하나다. 겨울에 명태가 많이 잡히면 집집마다 처마 끝에 명태를 걸어 놓고 말린다. 화자는 처음에 무심한 듯 "처마 끝에 명태를 말린다/명태는 꽁꽁 얼었다"라고 명태를 말리는 장면을 객관적으로 보여 주는 어조를 취한다. 그러나 화자의 심정이 대상에 점점 침투해 들어가 종국에는 명태의 "꽁꽁 얼"고 "길다랗고 파리한" 모습이 자신을 닮았다고 생각한다. 꼬리에 기다란 고드름이 달린 모습까지 자신과 똑같다고 보았다. 자신도 가슴에 긴 고드름이 달려 있다는 것이다. 그런데 자신이 이렇게 춥고 외로운 처지에 있다는 것을 표현한 이 작품의 제목이 왜 "멧새 소리"일까?

백석은 고향을 떠나 도쿄에서 4년간 유학했고 서울에서 2년 살다가 함흥으로 이주한 지 2년이 넘은 시기에 이 시를 썼다. 8년의 객지 생활 중에 맞이한 함흥의 쓸쓸한 겨울은 그를 춥고 서러운 존재로 인식하게 했다. 그래서 추위에 꽁꽁 얼어붙은 채 문턱에 매달린 명태와 자신을 동일시하게 되었다. 그의 가슴에도 이기지 못할 슬픔이 고드름처럼 길게 달려 있다. 이러한 슬픔과 소외감이 오랫동안의 객지 생활에서 온 것이라고 여겼던 백석은 고향에서 늘 듣던 멧새의 울음소리를 통하여 자신의 처지를 돌아보게 된 것이다.

요컨대 "멧새 소리"는 명태를 말리는 고장에 살고 있는 백석에게 그 자신이 명태처럼 꽁꽁 얼어붙은 파리한 존재임을 알려 주는 고향의 속삭임이라고 이해할 수 있다. 멧새 소리에 의지하여 자신의 모습을 돌아보았을 때 파리하게 마른 채 가슴에 긴 고드름을 달고 있는 슬픈 존재의 모습이 떠올랐던 것이다. "해는 저물고 날은 다 가고 볕은 서러웁게 차갑다"라는 시구는 어딘지 모를 종막으로 다가가는 듯한 우울하면서도 절박한 의식을 어구의 반복을 통해 강조하고 있다. "서러웁게"라는 말은 햇볕은 비치고 있지만 추위를 녹이지는 못하고 오히려 차가운 기운을 북돋는 것 같은 정황에 대한 화자의 주관적 반응이다.

박각시 오는 저녁

당콩밥에 가지 냉국의 저녁을 먹고 나서

바가지꽃 하이얀 지붕에 박각시 주락시 붕붕 날아오면

집은 안팎 문을 횅하니 열젖기고

인간들은 모두 뒷등성으로 올라 멍석자리를 하고 바람을 쏘이는
데

풀밭에는 어느새 하이얀 다림질 감들이 한불 널리고

도루래며 팥중이 산 옆이 들썩하니 울어 댄다.

이리하여 하늘에 별이 잔콩 마당 같고

강낭 밭에 이슬이 비 오듯 하는 밤이 된다.

—『조선문학독본』, 1938. 10.

———

- **당콩밥:** 강낭콩을 넣어 지은 밥.
- **바가지꽃:** 박꽃.
- **박각시:** 박각싯과의 나방을 통틀어 이르는 말.
- **주락시:** 줄박각시를 구어적으로 줄여 부른 것 같다.

- **한불**: 한벌. 일정한 범위의 공간에 사람이나 물건 따위가 쭉 널려 있는 모양. 「여우난골」, 「황일」, 「함남 도안」 등에도 나오는 시어다.
- **도루래**: 땅강아지과의 곤충. 『호박꽃초롱』 서시에도 나오는 시어다.
- **팔중이**: 메뚜기과에 속하는 곤충으로 콩중이와 비슷한데 조금 작은 편이다.
- **잔콩**: '팥'의 방언.

───

때는 여름. 여름은 계절이 베푸는 향연의 절정이다. 밭에 심어 놓은 강낭콩이 익어 깍지가 벌어지면 밭마당에는 붉은 강낭콩이 떨어진다. 갓 딴 강낭콩을 밥에 넣어 먹으면 마치 밤을 씹는 듯한 고소한 맛이 난다. 거기 짙은 자줏빛으로 익은 가지를 살짝 익혀서 길게 찢어 냉국을 만들어 먹으면 여름의 별미로 이보다 더한 것이 없다. 백석은 "당콩밥에 가지 냉국의 저녁을 먹고 나서"라고 간단히 말했지만 여기에는 여름에 맛보는 시골 미각의 극치가 담겨 있다. 지극히 소박하지만 무엇과도 바꿀 수 없는 토속 음식으로 저녁 식사를 마친 사람들은 행하니 열어젖힌 안팎의 문 너머로 여름 저녁의 풍요로운 정경을 음미한다.

저녁 빛이 어둠으로 서서히 바뀌면서 지붕 위에 박꽃이 눈부신 흰 빛으로 피어나기 시작하고, 때맞추어 박꽃의 꿀을 탐하는 박각시나방이 날아든다. 박각시나방의 크기가 보통 4~5센티미터라고 하니 날아오면 붕붕거리는 소리도 날 만하다. 박각시나방이 날아다니는 것이 귀찮기도 하고 날개에서 가루가 떨어지기도 하니 사람들은 아예 집을 나와 뒤란 산등성이 쪽으로 올라가 멍석을 깔고 바람을 쏘인다. 여름철이라 빨랫감이 많이 나와서 풀밭 나뭇가지에는 빨래하고 난 피

류들이 하얀빛으로 한꺼번에 널려 있다. 대개 무명 소재의 빨래들이라 한두 번은 다림질을 해야 하는 것들이다. 이것을 백석은 압축해서 "하이얀 다림질 감들"이라고 표현했다.

풀밭과 산등성이 여기저기에서는 온갖 벌레들이 산 옆이 떠들썩하게 울어 댄다. 어찌 도루래나 팥중이만이겠는가? 그중 가장 재미있는 이름을 가진 벌레 두 마리의 이름만 내놓은 것이다. 이렇게 벌레 울음소리를 듣다 보면 주위는 완전히 어두워져 캄캄한 밤이 온다. 구름 한 점 없는 맑은 여름밤이라 하늘에 별들이 총총하다. 여기서의 "잔콩"은 작은 콩이 아니라 팥을 지칭한 것으로 보아야 할 것이다. 왜냐하면 그다음 행에 "강낭 밭"이라는 시어가 따로 나오고 콩보다 팥이 훨씬 많이 달리기 때문이다. 하늘에는 마당에 떨어진 팥알처럼 별들이 무성하고, 강낭콩 밭에는 굵은 이슬이 마치 비가 듣는 것처럼 총총히 맺힌다. 이 시가 아니었다면 이러한 시골 여름의 풍정을 어디서 대면할 수 있었겠는가? 지금의 상황에서는 도저히 상상할 수 없는 여름의 느긋한 밤 풍경을 백석이 우리에게 선사해 주었다.

너먼집 범 같은 노큰마니

　황토 마루 수무낡에 얼럭궁덜럭궁 색동 헝겊 뜯개조박 베짜배기 걸리고 오쟁이 끼애리 달리고 소삼은 엄신 같은 짚세기도 열린 국수당 고개를 몇 번이고 튀튀 춤을 뱉고 넘어가면 골안에 아늑히 묵은 영동楹棟이 무겁기도 할 집이 한 채 안기었는데

　집에는 언제나 센개 같은 게사니가 벅작궁 고아대고 말 같은 개들이 떠들썩 짖어대고 그리고 소거름 내음새 구수한 속에 엇송아지 히물쩍 너들씨는데

　집에는 아배에 삼촌에 오마니에 오마니가 있어서 젖먹이를 마을 청능 그늘 밑에 삿갓을 씌워 한종일내 뉘어 두고 김을 매러 다녔고 아이들이 큰마누래에 작은마누래에 제구실을 할 때면 종아지물본도 모르고 행길에 아이 송장이 거적때기에 말려 나가면 속으로 얼마나 부러워하였고 그리고 끼때에는 부뚜막에 바가지를 아이들 수대로 주룬히 늘어놓고 밥 한 덩이 질개 한술 들여트려서는 먹였다는 소리를 언제나 두고두고 하는데

　일가들이 모두 범같이 무서워하는 이 노큰마니는 구덕살이같이

욱실욱실하는 손자 증손자를 방구석에 들메나무 회초리를 단으로
쪄다 두고 때리고 싸리갱이에 갓진창을 매어 놓고 때리는데

  내가 엄매 등에 업혀 가서 상사말같이 항약에 야기를 쓰면 한창
피는 함박꽃을 밑가지채 꺾어 주고 종대에 달린 제물배도 가지채
쪄 주고 그리고 그 아끼는 게사니 알도 두 손에 쥐어 주곤 하는데

  우리 엄매가 나를 가지는 때 이 노큰마니는 어느 밤 크나큰 범이
한 마리 우리 선산으로 들어오는 꿈을 꾼 것을 우리 엄매가 서울서
시집을 온 것을 그리고 무엇보다도 내가 이 노큰마니의 장조카의
맏손자로 난 것을 대견하니 알뜰하니 기꺼이 여기는 것이었다

―『문장』1권 3호, 1939. 4.

―

- **수무**: 시무나무.「오금덩이라는 곧」에도 나오는 시어로 느릅나뭇과의 낙엽 교
  목이다. 높이 20미터 정도 자라서 이정표나 정자목으로 많이 쓰였다.
- **뜯개조박**: 뜯어진 천이나 헝겊 조각.
- **베짜배기**: 베 쪼가리. '쪼가리'의 평안 방언이 '자배기'다.
- **오쟁이**: 짚으로 엮어 만든 작은 용기容器.
- **끼애리**: 짚으로 만든 꾸러미. '꾸러미'의 평안 방언이 '끼애리'다.
- **소삼은**: 성글게 엮어 짠. '소疏'(성글 소)와 '삼은'(엮어 짠)이 결합된 형태다.
- **엄신**: 엄짚신. 상제喪制가 신는 짚신으로 총을 성글게 엮어 만든다.
- **짚세기**: 짚신.

- **영동楹棟**: 기둥과 마룻대.
- **센개**: 사나운 개.
- **게사니**: 거위.
- **고아대고**: 무리를 지어 시끄럽게 떠들고.
- **엇송아지**: 아직 다 자라지 못한 송아지.
- **히물쩍 너들씨는데**: '히물쩍'은 '히물거리다'(입술을 조금 실그러뜨리며 소리 없이 능청스럽게 자꾸 웃다)의 변형. '너들씨는데'는 '너들대다'(분수없이 함부로 까불다)의 변형. 능청을 부리며 분수없이 함부로 까부는데.
- **오마니에 오마니가 있어서**: 앞의 오마니는 친어머니이고 뒤의 오마니는 작은어머니(숙모)를 뜻한다. 「여우난골족」에 '삼촌엄매'가 나온 것처럼 평안도에서는 숙모를 '삼촌오마니'라고 칭한다.
- **청능**: 시원한 곳. 청릉靑陵에서 온 말로, 나무가 있는 푸른 언덕을 뜻한다.
- **큰마누래**: 큰마마. 천연두.
- **작은마누래**: 작은마마. 홍역이나 수두.
- **제구실을 할 때면**: 아이들이 병을 앓는 것을 민간에서 이렇게 표현했다.
- **종아지물본**: 세상 물정.
- **질개**: '반찬'의 방언.
- **구덕살이**: 구더기.
- **쩌다두고**: 잘라다가 두고.
- **싸리갱이**: 싸릿가지. '싸릿개비'라는 말도 있다.
- **갓진창**: 부서진 갓에서 나온 말총 끈.
- **상사말**: 야생마.
- **항약**: 아니꼬운 듯 세게 콧방귀를 뀌는 모양을 '항야'라고 한다. 순종하지 않고 대드는 것을 뜻하는 말로 짐작된다.
- **야기**: 어린아이들이 불만스러워서 야단하는 짓.
- **종대**: 굵은 중심 가지.
- **제물배**: 제물로 쓸 배.
- **쩌 주고**: 잘라 주고.

—

    우선 '노큰마니'의 뜻부터 명확히 해 둘 필요가 있다. '큰마니'는 할머니를 뜻하고 '노큰마니'는 그보다 한 단계 위의 할머니, 즉 증조모 대의 할머니를 말한다. 남쪽에서는 '노할머니'라는 말도 쓴다. 그러니까 제목의 뜻은 "고개 너머 있는 집에 사시는 범처럼 무서운 증조할머니"라는 뜻이다. 그러나 화자의 직계 증조모는 아니고 증조모 항렬에 해당하는 할머니다. 왜냐하면 시에 "내가 이 노큰마니의 장조카의 맏손자로 난 것"으로 되어 있기 때문이다. 즉 이 할머니는 장자에게 시집을 온 것이 아니라 차남이나 삼남에게 시집을 왔고, 장남의 후손으로 이어진 장조카의 맏손자가 바로 이 시의 화자가 되는 것이다.

    어떤 사연인지는 알 수 없으나 이 할머니는 서낭당 고개 너머 낡은 집에 따로 살고 있다. 할머니가 거주하는 공간은 "황토 마루 수무낢에 얼럭궁덜럭궁 색동 헝겊 뜯개조박 베짜배기 걸리고 오쟁이 끼애리 달리고 소삼은 엄신 같은 짚세기도 열린 국수당 고개를 몇 번이고 튀튀 춤을 뱉고 넘어가"야 겨우 도달하는 산골의 묵은 집이다. 서낭당에 대한 묘사는 백석의 민간신앙에 대한 관심을 알려 주는 것과 동시에 그 집에 이르는 과정이 그리 단순하지 않다는 사실을 암시한다. 말하자면 어떤 의미 있는 통과의례를 거친 다음에 비로소 영동이 무겁게 가라앉은 듯한 그 집에 도달할 수 있다는 느낌을 전달한다.

    그러한 과정을 거쳐 도달한 그 오래된 집에는 뜻밖에도 생동하는 정경이 펼쳐진다. 사나운 거위와 커다란 개가 떠들썩하게 짖어 대고 소거름 냄새 구수한 가운데 어린 송아지가 입술을 썰룩이며 분수없이 까부는 장면은 토속적 정취와 야성적 역동성을 동시에 느끼게 한다.

3연에 나오는 "오마니에 오마니"는 친어머니와 작은어머니를 함께 지칭한 것이다. 앞에 "아배"와 "삼춘"이 나왔기 때문에 두 "오마니"를 열거했다. 다음에 나오는 "종아지물본"이라는 말은 관습적으로 세상 물정이라는 뜻으로 쓰이는 말이다. '물본'과 유사한 말로 '물색'이라는 말이 있는데 이 말은 "물색도 모르고 좋아한다"라는 식으로 지금도 쓰이고 있다. 아이들이 전염병으로 앓다가 죽게 되면 대부분 거적에 덮여 실려 나간다. 세상 물정도 모르는 어린아이들은 그렇게 거적에 말려 나가는 장면을 보고 그것이 무슨 재미있는 놀이인 줄 알고 부러워했다는 어처구니없는 상황을 제시했다. 일손이 부족한 시절이라 젖먹이는 언덕 그늘에 뉘어 놓고 어른들은 모두 밭에 나가 일을 했다. 그래서 끼니때가 되면 집에 남아 있던 할머니가 아이들 수대로 바가지를 늘어놓고 거기다 밥과 반찬을 담아 아이들에게 먹게 했다는 것이다.

이 부분의 내용은 농촌 생활의 전근대적 취약성과 척박한 환경을 드러낸다. 그런데 노큰마니는 이처럼 척박하고 비위생적이며 빈곤한 상태에서 아이들을 길러낸 것을 두고두고 자랑스럽게 이야기했다. 풍요롭지 못한 환경 속에서 이렇게 많은 손자, 증손자를 길러 낸 것에 대해 노큰마니는 대단한 자부심을 갖고 있었던 것이다. 그런 점에서 비위생적이고 빈곤한 생활상은 오히려 노큰마니의 자부심을 살리는 소도구의 역할을 한다.

『사슴』에 실린 「가즈랑집」의 할머니가 혼자 사는 무녀인 데 비해 이 할머니는 구더기같이 욱실거리는 손자 증손자를 거느리고 그들이 잘못을 하면 방구석에 회초리를 단으로 쌓아 두었다가 때리는, 일가 친척에게 범같이 무서운 존재로 군림하는 상징적 인물이다. 토속적이면서도 생명의 기운이 약동하는 공간에 대가족제도의 정신적 지주로 군림하는 증조할머니가 거주한다는 것은 상당히 중요한 상징적 의미를 지닌다. 할머니는 일종의 대지모신大地母神과 같은 생산과 증식의 상징이며, 그렇기 때문에 증손자의 태몽까지 대신 꿀 정도로 가문의 수호자 역할을 맡고 있다.

그러나 그 무서운 노큰마니가 화자의 기억 속에는 더없이 정겨운 할머니로 새겨져 있다. 범의 태몽을 꾸고 태어난 아기라 특별히 생각해서인지 엄마 등에 업혀 떼를 쓰고 야단을 해도 꾸짖기는커녕 환하게 핀 함박꽃을 밑가지째 꺾어 주기도 하고, 제물로 쓰려고 굵은 가지에 남겨둔 배도 아낌없이 잘라 주는가 하면, 귀한 거위 알도 어린 화자의 두 손에 포근히 안겨 주었던 것이다. 한편으로는 무서우나 자신에게는 무척 자애로웠던 노큰마니에 대한 추억이 찬란한 토착어의 결합으로 형상화되었다. 반복되는 말이지만 백석의 이 시가 없었다면 평안도 산골 마을의 이처럼 정겨운 풍정을 지금 우리가 어디서 대할 수 있었겠는가?

동뇨부童尿賦

봄첨날 한종일내 노곤하니 벌불 장난을 한 날 밤이면 으레이 싸개동당을 지나는데 잘망하니 누워 싸는 오줌이 넓적다리를 흐르는 따끈따끈한 맛 자리에 펑하니 고이는 척척한 맛

첫여름 이른 저녁을 해치우고 인간들이 모두 터 앞에 나와서 물외 포기에 당콩 포기에 오줌을 주는 때 터 앞에 밭마당에 샛길에 떠도는 오줌의 매캐한 재릿한 내음새

긴 긴 겨울밤 인간들이 모두 한잠이 들은 재밤중에 나 혼자 일어나서 머리맡 쥐밭 같은 새끼 요강에 한없이 누는 잘 마렵던 오줌의 사르릉 쪼로록 하는 소리

그리고 또 엄매의 말엔 내가 아직 굳은 밥을 모르던 때 살갗 퍼런 막내고모가 잘도 받아 세수를 하였다는 내 오줌 빛은 이슬같이 샛말갛기도 샛맑았다는 것이다.

—『문장』1권 5호, 1939. 6.

- **봄첨날**: '봄의 처음 날' 즉 초봄을 지칭하는 말로 볼 수도 있고, 「내가 생각하는 것은」에 '봄철날'이란 말이 나오는 것을 보면 '봄철날'의 오기 같기도 하다.
- **벌불 장난**: 들판에 불을 놓는 장난. 쥐불놀이.
- **싸개동당**: 어린아이가 자면서 오줌똥을 가리지 못하고 마구 싸서 자리를 온통 질펀하게 만들어 놓는 일. 이 시에서는 오줌이 몹시 마려운 상황을 의미함.
- **잘망하니**: 하는 행동이나 모양새가 잘고 얄미운.
- **매캐한 재릿한 내음새**: 흙에 오줌이 스며들어서 주위에 퍼지는 냄새를 표현했다.
- **재밤중**: 한밤중.「고야」에도 나오는 시어다.
- **굳은 밥을 모른던 때**: 젖만 먹고 자라던 아주 어린 때.

"봄첨날"이란 봄을 처음 맞이한 날로 풀이하는 것이 나을 것 같다. 2연 첫 부분도 "첫여름"으로 시작하고 있는 것을 보면 1연도 초봄의 상태를 서술한 것이라고 짐작할 수 있다. 농촌에서는 정월 보름이 지나면 해묵은 풀을 없애고 해충을 구제하기 위해 들판에 불을 놓는다. 불에 탄 잡풀이 거름이 되어 들판을 더욱 기름지게 하기 때문이다. 이렇게 들판에 불을 놓을 때 아이들이 따라다니며 "벌불 장난"을 한다. 그다음에 나오는 "싸개동당"이란 말은 국립국어원에서 편찬한 『표준국어대사전』에 "어린아이가 자면서 오줌똥을 가리지 못하고 마구 싸서 자리를 온통 질펀하게 만들어 놓는 일"이라고 등재되어 있다. 시의 문맥에 따르면 '오줌이 마려워 어쩔 줄 모르는 순간'이라는 뜻으로 읽힌다. 하루 종일 신나게 놀다가 노곤하게 잠이 드니 밤에 오줌이 마려운 것을 느끼면서도 일어나지 못하고 그만 자리에서 오줌을 싸 버리는 어린 날의 행동을 나타냈다. 그렇게 싼 오줌이 넓적다리를 흐르는 감촉까지 백석은 세세히 떠올려 시로 서술했다.

1연이 오줌의 촉감을 회상한 것이라면 2연은 오줌의 냄새를 떠올린 것이다. 텃밭에서 자라는 오이와 강낭콩 근처에 거름 삼아 오줌을 누는 장면과 오줌이 흙에 스며들어 지리고 매캐한 냄새를 풍기던 기억을 회상한 내용이다. 여름이 오자 해가 길어져 저녁을 일찍 먹은 듯한 느낌이 든다. 그럴 때 "인간들이 모두 터 앞에 나와서" 오줌을 눈다고 한 것이 재미있다. 그렇게 뿌려진 오줌은 밭마당을 지나 샛길까지 흘러와 냄새를 풍겼던 것이다.

3연은 겨울밤 추위 때문에 밖에 나가기 싫어서 방 안에서 오줌을 누던 때의 소리를 연상한 것이다. "쥐발 같은 새끼 요강"이라는 비유적 표현이 재미있고 "사르릉 쪼로록 하는" 소리의 표현도 흥미롭다. 4연에서는 어린이의 맑은 오줌이 피부에 좋다는 속설을 믿고 "살갗 퍼런 막내고모"가 화자의 오줌을 받아 세수를 한 사실을 이야기했다. "이슬같이 샛밝앟기도 샛밝았다는" 말 속에는 현실의 누추함과 거리를 둔 어린 날의 순수함에 대한 동경, 어린이의 오줌이 피부에 좋다는 말을 듣고 오줌으로 세수를 하기도 했던, 토착적 순수성에 대한 동경이 담겨 있다.

요컨대 이 시는 봄날 밤에 노곤히 자다가 오줌을 싸던 촉감, 여름철 텃밭에서 풍겨오던 매캐한 오줌 냄새, 겨울밤 새끼 요강에 누던 오줌의 경쾌한 소리, 고모가 세수를 할 정도로 맑았던 오줌 빛 등을 떠올리며 인간적 훈기로 가득한 어린 날의 삶을 그리워하고 있다. 이렇게 다양한 감각을 동원한 것은 모든 감각을 통해 환기되는 대상의 총체성을 구현하기 위함이다. 이 간절한 그리움의 세계에 인간의 애환이 끼어들 여지는 없다.

그런데 어린 날의 오줌을 이슬같이 맑은 것으로 연상한다는 점에서 그 그리움은 상당히 극단적인 면모를 보인다. 촉각, 후각, 청각, 시각을 총동원하여 어린 시절의 순수성을 총체적으로 복원하는 시도를 벌인 것은 분명 정상적인 자리에서 벗어난 일이다. 아무리 어린애의 오줌이라 하더라도 결국은 불결한 배설물에 불과한 것인데 그것을 아련한 그리움의 차원에 올려놓는다는 것은 일반적 상식을 가진 사람으로서는 받아들이기 어렵다.

그러면 백석이 이러한 감각의 극단을 실험하며 어린 날의 오줌을 순수의 차원으로 부상시킨 이유는 무엇일까? 그것은 본능적 차원으로서의 절대적 그리움을 표현하기 위해서일 것이다. 이것은 백석이 음식이나 놀이에 집착한 이유와 같은 맥락이다. 먹는 것, 노는 것, 배설하는 것은 본능에 밀착된 행위다. 음식이나 놀이는 백석의 많은 시에 소재로 등장했고, 그것이 본능과 밀착된 그리움을 유발한다는 것은 누구나 동의할 수 있는 사실이다. 어릴 때 먹었던 맛있는 음식과 재미있는 놀이는 평생 동안 기억에서 지워지지 않고 되살아나는 법이다. 그러나 배설과 관련된 본능적 그리움은 시의 소재로 등장한 적이 거의 없다. 음식이나 놀이를 매개로 과거를 떠올리던 백석은 이제 배설이라는 또 하나의 본능적 행위를 통해 과거에 대한 그리움을 표현한다. 이 그리움이 정상에서 벗어난 유별난 것이라는 점은 그의 과거에 대한 그리움이 병적인 상태로 강화되고 있음을 반증한다. 병적인 그리움은 되돌아갈 수 없는 과거를 지향하기 때문에 현실의 맥락에서는 충족될 수 없다. 또한 이를 스스로 감당하지 못하게 될 때 오히려 고향에서 더욱 멀리 떨어진 이방의 공간으로 이탈해 가려는 충동이 생길 수 있다.

안동 安東

이방 거리는
비 오듯 안개가 내리는 속에
안개 같은 비가 내리는 속에

이방 거리는
콩기름 조리는 내음새 속에
섶누에 번디 삶는 내음새 속에

이방 거리는
도끼날 벼리는 돌물레 소리 속에
되광대 켜는 되양금 소리 속에

손톱을 시펄하니 기르고 기나긴 창꽈즈를 즐즐 끌고 싶었다
만두고깔을 눌러쓰고 곰방대를 물고 가고 싶었다
이왕이면 향내 높은 취향리 돌배 움퍽움퍽 씹으며 머리채 츠렁츠
렁 발굽을 차는 꾸냥과 가지런히 쌍마차 몰아가고 싶었다

―『조선일보』, 1939. 9. 13.

- **안동安東**: 만주의 '안둥'. 1965년에 '단둥丹東'으로 개명되었다.
- **섶누에 번디**: 산누에 번데기.
- **벼리는**: 날카롭게 만드는.
- **돌물레**: 물레처럼 회전하게 된 숫돌.
- **되광대**: 중국인 광대를 낮잡아 이르는 말.
- **시펄하니**: 시퍼렇게. '시퍼렇니'의 오분석으로 파생된 말일 것이다.
- **창꽈즈**: 장괘자長掛子. 중국식 긴 저고리.
- **만두고깔**: 만두 모양의 모자.
- **취향리**: 향이 좋은 중국 배.
- **꾸냥**: 姑娘. 처녀를 뜻하는 중국말.

이 시는 1939년 9월 13일자 『조선일보』 발표 지면에 9월 8일이라고 창작 시점이 밝혀져 있다. 이때는 백석이 조선일보사에 재직하고 있던 때였고, 공무로 간 것인지 개인적으로 간 것인지는 확실치 않지만, 만주의 안동 지역을 여행한 체험을 바탕으로 시를 쓴 것이다. 따라서 이 시를 만주의 유랑 의식이 담긴 작품으로 해석해서는 안 된다. "이방 거리는"이라는 말이 세 번 반복되지만 그것은 고향과의 거리감을 통해 고독의 심정을 환기하는 것이 아니라 이국 체험의 신기로움과 경이감을 환기한다.

안개인지 비인지 구분이 안 되는 거리를 마차를 타고 달려가는 것도 백석에게는 새로운 경험이고 콩기름을 넣고 음식을 조리는 냄새라든가 산누에 번데기 삶는 냄새 같은 것도 새로운 느낌으로 다가온다. 시각, 후각, 청각, 미각 등 언제나 여러 감각으로 대상을 수용하는 그의 시야에 안개와 비가 섞인 듯한 독특한 영상이 포착되었고 중국인들이 요리에 자주 사용하는 콩기름 냄새, 번데기 삶는 냄새가 코에 감촉되었다. 그다음에는 당연히 돌물레 소리와 되양금 소리가 수용되었다. 만주 지역의 유목민들에게 도끼는 매우 중요한 살림 도구였다. 도끼날을 벼리는 돌물레 소리가 유난히 크게 들리고, 광대들이 연주하는 양금의 높은 음색도 귀에 자극적으로 들려왔을 것이다.

만주인들은 손톱 중 어느 하나를 길게 기르는 풍속이 있다. 자신도 만주의 안둥에 왔으니 손톱을 시퍼렇게 길게 기르고 발에 끌리는 장괘자를 입고 머리에는 만두 모양의 모자까지 쓰고 곰방대를 물고서 현지의 풍속을 그대로 따라 하고 싶은 충동을 느낀다. 앞에서 시각과 후각과 청각이 동원되었으니 미각이 나오지 않을 리 없다. 아니나 다를까 향기가 높다는 중국산 취향리를 역시 현지인처럼 "움퍽움퍽 씹으며" 맛보겠다고 했다. 거기에 금상첨화로 "머리채 츠렁츠렁 발굽을 차는 꾸냥"과 나란히 쌍마차에 앉아 직접 마차를 몰고 어디론가 달려보고 싶은 마음을 표현했다. 이국의 거리에서 느낀 자유로운 정조를 자신이 애호하는 감각을 동원하여 재미있게 펼치고 있다.

함남 도안咸南道安

고원선高原線 종점인 이 작은 정거장엔

그렇게도 우쭐대며 달가불시며 뛰어오던 뽕뽕차가

가이없이 쓸쓸하니도 우두머니 서 있다

햇빛이 초롱불같이 희맑은데

해정한 모래부리 플랫폼에선

모두들 쩔쩔 끓는 구수한 귀이리차를 마신다

칠성고기라는 고기의 쩜벙쩜벙 뛰노는 소리가

쨋쨋하니 들려오는 호수까지는

들쭉이 한불 새까마니 익어 가는 망연한 벌판을 지나가야 한다.

―『문장』1권 9호, 1939. 10.

———

• **고원선高原線**: 1933년에 개통된 신흥선新興線 철도를 말한다. 함흥과 부전호
반을 잇는 철도로 도안역은 부전호반역 바로 앞의 역이다.

- **달가불시며:** 작은 것이 빠르게 자꾸 움직이는 모양.
- **뿡뿡차:** 신흥선은 협궤 열차로 되어 있어 열차의 크기가 작고 산악 지역을 달려 소리가 크기 때문에 이렇게 표현했으리라.
- **가이없이:** 가없이. 불쌍하게.
- **해정한:** 맑고 단정한. 「선우사」에도 나오는 시어다.
- **모래부리:** 모래가 물살을 따라 운반되다가 물 쪽으로 계속 밀려 나가 쌓여 형성된 퇴적 지형.
- **칠성고기:** 칠성장어.
- **쨋쨋하니:** 소리가 맑고 높은.
- **들쭉:** 들쭉나무의 열매.
- **한불:** 한꺼번에. 일정한 범위의 공간에 사람이나 물건 따위가 쭉 널려 있는 모양. 「여우난골」, 「황일」, 「박각시 오는 저녁」 등에도 나오는 시어다.

———

앞의 시 「안동」과 함께 기행시다. 이번에는 함경남도 개마고원 지대에 있는 특수 협궤열차 신흥선의 종점 부근인 도안역을 방문했다. '道安'이라는 한자의 뜻이 암시하는 것처럼 이곳은 산간 지역 내륙의 부전고원으로 들어가는 평평한 지대다. 그래서 얼마를 더 가면 부전 호수가 있고 플랫폼 옆에는 단정한 모래부리도 형성되어 있다. 신흥선 협궤를 달리는 열차를 "뿡뿡차"라고 표현한 것이 재미있다. "우쭐대며 달가불시며 뛰어오던" 차라고 토착적 구어로 움직임을 묘사한 것도 기발하다. 그렇게 호들갑을 떨며 달려오던 열차가 도안역 플랫폼에 정박된 채 쓸쓸하게 서 있는데, 그렇게 우두머니 서 있는 모습이 연민의 감정까지 불러일으킨다.

해발 1500미터에 달하는 고원 지대라 그런지 햇빛은 사방에 환하고 맑게 비친다. 플랫폼 주변에 보이는 모래톱도 깨끗하고 단정해 보인다. 도안역을 끼고 부전강이 흐르고 부전강은 부전호수로 이어진다. 들쭉이 익어 간다고 한 것으로 보아 계절은 가을인데 산간지역이라 온도가 낮아 그런지 사람들은 모두 "쩔쩔 끓는" 귀리차를 마신다. 귀리는 보리보다 생장 속도가 빨라 산간 지역에서 많이 재배하니 함경남도 고원 지대에서 귀리차를 마시는 것은 당연한 일이다. 쩔쩔 끓여 마시는 귀리차의 구수한 맛이 저절로 느껴지는 듯하다.

   도안에서 신흥선 열차를 타고 한 정거장을 더 가면 부전호수역에 도달하고 거기에는 부전강을 막아 만든 부전호수가 있다. 그 호수에는 칠성고기가 산다고 한다. 칠성장어는 여러 가지 종류가 있는데, 일반적으로는 바다와 민물을 왕래하며 살지만 부전호수에 서식하는 칠성고기는 그런 통로가 없으므로 민물에서만 살 것이다. 민물에 사는 칠성장어는 아주 맑은 일급수에서만 산다고 한다. "칠성고기라는 고기의 쩜벙쩜벙 뛰노는 소리가 쨋쨋하니 들려"온다고 했으니 부전호수의 호젓하면서도 드맑은 모습이 그려지는 듯하다. 그 진기한 모습을 보기 위해서는 다시 "뽕뽕차"를 타고 "들쭉이 한불 새까마니 익어 가는 망연한 벌판을 시나가야" 한다. 들쭉나무는 근래 북한에서 나오는 들쭉술을 통해 잘 알려졌는데, 한대의 산악 지역에서 자라는 관목으로 열매는 과즙으로 만들거나 술을 담가 먹는다. 현재 북한에서 천연기념물로 지정한 들쭉나무가 망연한 벌판 가득히 펼쳐져 있고 들쭉이 까맣게 익어 가는 고원의 모습은 정말 장관일 것이다. 지금은 접하기 어려운 지극히 고요하면서도 드맑고 아름다운 함경남도 도안의 자연 풍광을 우리의 시인 백석이 담담하게 그려 냈다.

서행시초西行詩抄 1: 구장로球場路

삼리三里 밖 강쟁변엔 자갯돌에서
비멀이한 옷을 부숭부숭 말려 입고 오는 길인데
산 모롱고지 하나 도는 동안에 옷은 또 함북 젖었다

한 이십 리 가면 거리라던데
한겻 남아 걸어도 거리는 보이지 않는다
나는 어느 외진 산길에서 만난 새악시가 곱기도 하던 것과
어느메 강물 속에 들여다보이던 쏘가리가 한 자나 되게 크던 것
을 생각하며
산비에 젖었다는 말렀다 하며 오는 길이다

이젠 배도 출출히 고팠는데
어서 그 옹기장수가 온다는 거리로 들어가면 무엇보다도 먼저 〈주
류판매업〉이라고 써 붙인 집으로 들어가자

그 뜨스한 구들에서
따끈한 35도 소주나 한잔 마시고
그리고 그 시래깃국에 소피를 넣고 두부를 두고 끓인 구수한 술

국을 트근히 몇 사발이고 왕사발로 몇 사발이고 먹자

―『조선일보』, 1939. 11. 8.

—

- **구장로球場路**: 평안북도 영변군 용산면의 지명. 현재는 구장군 구장읍으로 편제되어 있다.
- **쟁변**: 강변이 변한 말. 강가라는 뜻.
- **자갯돌**: 자갈.
- **비멀이한**: 비에 젖은.
- **부승부승**: 잘 말라서 물기가 없고 부드러운 모양.
- **모롱고지**: '모롱이'의 평안도 방언.
- **함북**: 함빡.
- **한겻**: 반나절.
- **트근히**: 가득히. 수북하게.

—

이 시는 1939년 11월 8일부터 11일까지 "서행시초西行詩抄"라는 묶음으로 연재한 네 편 중 첫 작품이다. 여기서 '서행西行'이라는 말은 관서關西 지방의 여행이라는 의미를 나타낸다. 이때 백석은 조선일보에 사직서를 내고 김자야와도 헤어져 평안북도 지역을 여행했는데 그 여행 체험을 신문에 발표한 것이다. 따라서 이 시편에는 의무에 얽매이지 않고 발길 닿는 대로 자유롭게 관심 지역을 답사하며 눈에 띄는 장면을 열거해 가는 방랑자적인 여유와 새로운 세계를 탐사하는 여행자의 호기심이 짙게 드러난다.

첫 행에 나오는 "강쟁변"은 독특한 방식으로 형성된 말이다. '강변'의 방언이 '갱변'인데 이것이 '쟁변'이 되고 '역전앞'처럼 '쟁변' 앞에 '강'이란 말이 덧붙었다. 제목인 "구장로球場路"는 구장으로 가는 길이라는 뜻이다. 당시 구장은 평안북도 영변군 용산면에 있었고 지금은 구장군 구장읍으로 개편되어 행정구역의 중심 지역이 되었다. 삼리 밖에 있는 강은 청천강이며, 현재의 지점에서 구장의 큰길까지 거리가 이십 리가 남았다고 했다. 통상적으로 십 리를 4킬로미터로 계산하니까 삼리라면 1.2킬로미터 정도 거리다. 지금 화자는 1.2킬로미터 떨어진 청천강변 자갈 위에서 비에 젖은 옷을 부숭부숭 말려 입고 걸어오다가 산모롱이 하나 도는 동안에 또 비를 만나서 옷이 다시 흠뻑 젖었다. "비멀이"란 '비말이'에서 온 말로 추정되는데 비에 흠뻑 젖은 상태를 뜻한다.

8킬로미터 정도 가면 구장의 장거리가 나온다고 했는데 반나절이나 걸었는데도 거리가 보이지 않아 산비를 맞으며 가고 있다. 비를 맞으며 걷는 괴로움을 달래기 위해 어느 외진 산길에서 만난 처녀의 고운 모습을 떠올리기도 하고 어느 계류에서 들여다보았던 한 자나 되는 쏘가리의 유별난 모습을 생각하기도 한다. 그렇게 걷다 보니 배가 출출하여 시장기를 느낀다. 비에 흠뻑 젖어 한기를 느낀 화자는 장거리로 들어서면 우선 술집에 들러 소주를 한잔 마시고 국밥을 먹으리라고 생각한다.

먹을거리와 관련된 화자의 상상은 다른 어느 시보다도 낭만적인 느낌을 자아낸다. 백석 시의 음식 취향은 대체로 유년 회상과 관련된 떡이나 곡류, 나물 종류에 집중되는데, 이 작품에는 어른의 음식인 소주와 선지 국밥이 등장한 것이 이채롭다. 주막이나 밥집을 찾는 것이 아니라 "주류판매업"이라고 써 붙인 집으로 들어가자고 말한 것도 인상적이다. 산골에는 "주류판매업"으로 허가를 받은 집이 그래도 먹을거리가 있는 집이고 그곳에는 술과 음식이 함께 구비되어 있었던 것이다. 소주의 도수를 35도로 지칭한 것도 흥미롭다.

백석은 10월 21일자로 사표를 냈고 그 이후 여행을 떠났으니, 늦가을에 비를 맞으며 산길을 걷는 것은 상당히 고역에 속하는 일이었다. 냉기에 몸이 저린 화자는 자연히 뜨스한 구들방과 35도짜리 강한 소주와 구수한 선지 국밥이 그리웠던 것이다. 선지 국밥은 지금 우리가 먹는 그대로의 모습으로, "시래깃국에 소피를 넣고 두부를 두고 끓인" 것으로 묘사되어 있다. "트근히"를 흔히 뜨끈하다는 뜻으로 오해하는데, 이 말이 '수북하다'의 방언임을 알면 전후의 문맥이 더 잘 파악될 것이다. 소주를 곁들여 왕사발에 수북히 담긴 국밥을 먹는 백석의 모습이 그내로 눈앞에 떠오르는 듯하다. 그만큼 이 시는 한 여행자의 일상을 지극히 자연스럽게 드러내는 데 성공했다.

서행시초 2: 북신北新

거리에서는 모밀내가 났다

부처를 위하는 정갈한 노친네의 내음새 같은 모밀내가 났다

어쩐지 향산香山 부처님이 가까웁다는 거린데

국숫집에서는 농짝 같은 도야지를 잡아 걸고 국수에 치는 도야지

고기는 돗바늘 같은 털이 드문드문 백였다

나는 이 털도 안 뽑은 도야지고기를 물끄러미 바라보며

또 털도 안 뽑는* 고기를 시꺼먼 맨모밀국수에 얹어서 한입에 꿀

꺽 삼키는 사람들을 바라보며

나는 문득 가슴에 뜨끈한 것을 느끼며

소수림왕을 생각한다 광개토대왕을 생각한다

—『조선일보』, 1939. 11. 9.

---

* 위 행의 '안 뽑은'이 관찰자의 시선을 통한 객관적 거리를 나타낸다면, 여기의 '안 뽑는'은 언
제나 그런 상태의 고기를 얹어 국수를 먹는 지속적 상황을 나타내려는 의도적 시어 선택이라고
생각하여 원본대로 표기한다. 여기에 대해서는 고형진도 같은 의견을 낸 바 있다.(고형진, 「최초 인
쇄본, 원본, 영인본, 그리고 정본」, 『서정시학』, 2007. 겨울호, 69쪽.)

- **북신北新**: 평안북도 영변군 북신현면北薪峴面. 현재는 향산군 북신현리로 편제되어 있다.
- **향산香山 부처님**: 묘향산 보현사普賢寺 대웅전 불상을 의미한다.
- **농짝**: 옷이나 물건을 넣어 두는 데 쓰는 가구.
- **돗바늘**: 매우 크고 굵은 바늘.
- **백였다**: '박혔다'의 방언.

　제목의 '북신'은 평안북도 영변군 북신현면北薪峴面을 가리킨다. 현재는 향산군에 편입되어 있다. 이 시는 묘향산 입구의 국숫집이 배경이다. "향산香山 부처님"은 당시 한국 5대 사찰의 하나로 꼽히던 보현사 대웅전의 불상을 지칭한다. 묘향산 입구 양쪽 십 리에는 메밀국수집이 즐비하게 늘어서 있어 하나의 장관을 이루었다고 한다. 이 시는 묘향산 초입의 정경을 그대로 보고하고 있다. 즐비하게 늘어선 메밀국숫집에는 메밀 삶는 냄새가 난다. 시인은 늘 그래 왔던 것처럼 우선 국숫집의 메밀 냄새에 관심을 갖는데, 그 냄새를 "부처를 위하는 정갈한 노친네의 내음새"라고 표현한다. 이 표현은 음미할수록 예사롭지 않다. 퀴퀴한 메밀 냄새를 정갈한 노인의 냄새로 비유한 것이라든가 굳이 "부처를 위하는" 노인이라고 수식을 가한 데는 국수의 냄새를 통하여 정신적 가치를 표상하려는 의도가 깔려 있다.

　이어서 시인은 털도 안 뽑은 돼지고기를 "시꺼먼 맨모밀국수에 얹어서 한입에 꿀꺽 삼키는 사람들을 바라보며" 말할 수 없는 감동을 느낀다. 그 감동은 일종의 야성적 생명력에서 온 것으로 근대사회의 도시인에게서는 찾아볼 수 없는 종류의 것이다. 그런데 시인은 이 정경을 보며 소수림왕과 광개토대왕을 생각한다고 진술한다. 소수림왕(?~384)은 고구려의 17대 왕으로, 불교를 도입하고 태학을 설립했으며 율령을 반포하는 등 국가 체제를 정비하여 고구려 발전의 기틀을 마련했다. 광개토대왕(375~413)은 고구려의 19대 왕으로, 소수림왕의 치적을 기반으로 남으로는 한강 유역까지 북으로는 동예를 통합하고 동부여를 정벌하여 요동 지역을 확보함으로써 최대의 영토를 확보한 정복 군주이다. 옛 고구려의 후예인 백석은 "소수림왕"과 "광개토대왕"이라고 호칭까지 정확히 구분하면서 고구려의 국기를 강건히 하고 국위를 떨친 역사적 영웅의 이름을 제시한다. 국수를 먹는 산골 사람들과의 야성적 생명력을 역사적 영웅의 삶과 연결 지으려는 정신의 모험을 감행하는 것이다.

한국어와 한국 역사가 말살되어 가고 다수의 대중들이 그 말살의 과정을 방관 내지는 방조하고 있었으며 말살의 대상이 된 한국어와 한국 역사를 운위하는 것마저 조심스럽던 그 시점에 이러한 생각을 시로 써 낸다는 것 자체가 일종의 용기에 속하는 일이었을 것이다. 물론 양자의 연결 고리가 다소 약하고 그 의식이 여전히 과거에 머물러 있는 것이 사실이라 하더라도 이 시기에 이르러 백석이 민족의식을 염두에 두었음을 분명히 확인할 수 있다.

서행시초 3: 팔원八院

차디찬 아침인데

묘향산행 승합자동차는 텅하니 비어서

나이 어린 계집아이 하나가 오른다

옛말속같이 진진초록 새 저고리를 입고

손잔등이 밭고랑처럼 몹시도 터졌다

계집아이는 자성慈城으로 간다고 하는데

자성은 예서 삼백오십 리 묘향산 백오십 리

묘향산 어디메서 삼촌이 산다고 한다

쌔하얗게 얼은 자동차 유리창 밖에

내지인 주재소장 같은 어른과 어린아이 둘이 내임을 낸다

계집아이는 운다 느끼며 운다

텅 비인 차 안 한 구석에서 어느 한 사람도 눈을 씻는다

계집아이는 몇 해고 내지인 주재소장 집에서

밥을 짓고 걸레를 치고 아이보개를 하면서

이렇게 추운 아침에도 손이 꽁꽁 얼어서

찬물에 걸레를 쳤을 것이다

−『조선일보』, 1939. 11. 10.

- **팔원八院:** 평안북도 영변군 팔원면. 현재는 영변군 팔원노동자구로 편제되어 있다.
- **옛말속:** 옛날 이야기.
- **진진초록:** 매우 진한 초록.
- **자성慈城:** 평안북도 자성군 자성면. 평안북도 북단에 있고 운봉호를 경계로 중국과 마주하고 있다. 현재는 자강도 자성군 자성읍으로 편제되어 있다.
- **내지인內地人:** 일본인.
- **주재소:** 일제 강점기에 순사가 머무르면서 사무를 맡아보던 경찰의 말단 기관. 지금의 파출소에 해당한다.
- **내임을 낸다:** 배웅을 한다.
- **아이보개:** 애보개. 아이를 돌보는 일을 맡아 하는 사람.

"서행시초" 네 편의 여정을 먼저 요약하면, 출발지가 어디인지는 알 수 없으나 팔원에서 구장을 거쳐 북신현면에 이르고 북신현면의 북동쪽 끝에 있는 월림장까지 간 것 같다. 점점 더 내륙의 산간 지역으로 이동해 간 것이다. 팔원은 구장보다 서쪽에 있으니 여정으로 보면 「구장로」보다 앞에 놓이는 지점인데 「팔원」은 "서행시초"의 세 번째 작품으로 발표되었다.

이 시에 내지인(일본인) 주재소장과 그 집에서 식모살이한 소녀가 나오고 자성이라는 북단의 척박한 지역으로 혼자 떠나는 소녀의 불우함이 서술되어 있어서 일제강점기의 민족 현실을 표현한 작품으로 해석한 사례가 있다.* 그러나 이 시를 가족구조의 "가혹한" 붕괴에서 오는 유랑민의 "참담한" 슬픔을 "구체적이고 선명하게""핍진하게"

그려 낸 것으로 해석하는 데는 문제가 있다.

서행시초 네 편 기행시의 내용을 보면 백석은 묘향산 일대의 산간 지역을 실제로 답사하고 쓴 것이 분명하다. 그는 여행 중 갑자기 비를 만나 젖은 몸으로 술집에 들러 뜨끈한 선지 술국과 35도짜리 소주를 들이키기도 하고, 시커먼 메밀국수를 한입에 삼키는 사람들에게서 야성적 생명력을 느끼기도 하며, 장거리에 들러 여러 가지 토속 음식의 구수한 맛을 즐기기도 한다. 그러던 백석의 시선에 한 불쌍한 계집아이가 들어온 것이다.

그 소녀는 마치 옛날이야기의 주인공처럼 진초록빛 새 저고리를 입었는데, 손잔등은 밭고랑처럼 터졌고 차 안에 올라 흐느껴 울기만 한다. 시의 문맥을 보면 최종 목적지는 자성인데 그 중간 지점인 묘향산 어디에 사는 삼촌 집을 거쳐 가는 것으로 되어 있다. 그 소녀가 어떤 연유로 주재소장 집에서 나와서 삼촌을 찾아가는지 그것은 알 수가 없다. 심하게 흐느껴 우는 것으로 보아, 더 열악한 상황으로 내몰려 쫓겨 가는 것임은 틀림없다. 그러나 일본인 주재소장이 소녀를 핍박하는 강압적 위치에 있었던 것 같지는 않다. 소녀에게 새 옷을 마련해 입혔고 아이들 둘이 같이 나와 배웅을 하는 것으로 볼 때 가족을 붕괴시키는 지배 세력의 폭력성을 암시하는 인물로는 보이지 않는다. 실제로 평안도 산간 지역에서 식모를 둘 사람은 일본인 주재소장 정도였기에 등장했을 것이다.

그러면 마지막 네 행에 서술된 소녀의 비참한 모습은 무엇인가? 그것은 백석의 다른 작품에도 보이는 약자에 대한 연민과 동정의 표현이다. 약자에 대한 연민이 손잔등이 밭고랑처럼 터진 소녀를 보자 더

강하게 솟아오르고, 더 나아가 일제 강점하에서 가난한 한국인 소녀는 이렇게 착취당하고 고통받을 수밖에 없는 것인가 하는 분노의 감정도 솟아났을 것이다. 그러한 연민과 분노가 마지막 네 시행에 응결되어 있다. 그러나 그것은 지극히 개인적인 차원에서 고통 받는 약자에 대한 연민과 분노를 표현했을 뿐이다. 이 소녀는 「여승」에 나왔던 승려가 된 여인처럼 지극히 불행한 처지에 놓여 있기는 하지만, 시의 문맥 속에서 상당히 특수한 상황으로 제시되고 있기 때문에 참담한 민족 현실의 대변자라든가 열악한 민중 현실의 전형으로 해석될 수는 없다.

　백석은 인간의 소박한 삶조차 지탱되지 못하는 당대 현실에 관심을 갖고 시대의 희생자라고 할 수 있는 불행한 인물을 시의 소재로 삼아 연민과 동정, 분노의 감정을 표현했다. 몇 번 되풀이하는 말이지만 백석 시의 지향점은 "풍속과 인정과 말이 어우러진 평화로운 삶의 복원"에 있다. 이것은 지극히 소박한 '마음'의 영역에 속하는 것이지, 투철한 현실 인식이나 민중 의식과는 거리가 먼 것이다.

---

* 이동순, 『백석 시 전집』, 창작과비평사, 1987, 172쪽; 이은봉, 『한국 현대시의 현실인식』, 국학자료원, 1993, 352쪽.

서행시초 4: 월림月林장

"자시동북팔십천희천自是東北八○粁熙川"의 푯말이 선 곳
돌능와집에 소달구지에 싸리신에 옛날이 사는 장거리에
어느 근방 산천에서 덜겨이 껙껙 건방지게 운다

초아흐레 장판에
산 멧도야지 너구리가죽 튀튀새 났다
또 개암에 귀리에 도토리묵 도토리범벅도 났다

나는 주먹다시 같은 떡덩이에 꿀보다도 달다는 강낭엿을 산다
그리고 물이라도 들듯이 샛노랗디샛노란 산골 마가을 볕에 눈이
시울도록 샛노랗디샛노란 햇기장쌀을 주무르며
기장쌀은 기장차떡이 좋고 기장차랍이 좋고 기장감주가 좋고 그
리고 기장쌀로 쑨 호박죽은 맛도 있는 것을 생각하며 나는 기쁘다

－『조선일보』, 1939. 11. 11.

━

- **월림月林**: 평안북도 영변군 북신현면의 지명. 현재는 향산군 임흥리로 편제되어 있고 자강도 희천시와 인접해 있다.
- **팔십천八〇粁**: '八〇'은 80이고 한자 '粁'(천)은 킬로미터라는 뜻이다. 그러니까 푯말의 내용은 이곳으로부터 동북쪽 80킬로미터 지점에 희천이 있다는 뜻이다. 실제로는 80킬로미터가 되지 않지만 험한 월림고개를 넘어가기 때문에 이렇게 표시한 것 같다.
- **돌능와집**: 너와집. 「산곡」에도 나오는 시어다.
- **덜걱이**: '수꿩'의 방언.
- **튀튀새**: 티티새. 개똥지빠귀. 「황일」에도 나오는 시어다.
- **주먹다시**: 주먹을 거칠게 일컫는 말.
- **강낭엿**: 옥수수엿.
- **마가을**: '늦가을'의 방언.
- **시울도록**: 부시도록.
- **차랍**: '찰밥'의 방언.

━

"자시동북팔십천희천自是東北八〇粁熙川의 푯말이 선 곳"이라는 첫 행은 백석의 시가 늘 그러한 것처럼 화자가 처한 배경의 속성을 요약적으로 나타내는 말이다. 이곳에서 동북쪽으로 80킬로미터 가면 희천이라는 뜻이다. 평안북도의 동단, 함경남도의 인접 지역인 희천 땅이 80킬로미터 남은 이곳은 월림이다. 백석은 묘향산맥 깊숙한 산간 지역 월림에 이른 것이다. 월림고개를 넘으면 희천이지만 그곳에 가는 것은 엄두가 나지 않았을 것이다. 그래서 백석은 여기서 여정의 마무리를 지으려 한다.

이곳에도 함경도 산악 지역에서 보던 너와집이 있고 싸리신을 신고 소달구지를 모는 산골 사람들이 보인다. 문명 세계와 떨어져 있어 아득한 옛날을 연상시키는 깊은 산속이지만 사람이 사는 마을이어서 장날에 여러 가지 물품이 나왔다. 사람들이 많이 모이는 장날인데도 어디선가 수꿩이 겁 없이 울어 댄다. "덜걱이 꺽꺽 건방지게 운다"라는 시행은 마치 수꿩의 울음소리를 그대로 들려주는 것 같은 경쾌한 율동감을 전달한다. 여기에는 산골의 진기한 장을 구경하는 백석의 흥겨움도 담겨 있다.

어떻게 잡았는지 멧돼지가 산 채로 나왔고 방한용으로 사용할 너구리 가죽이 나왔고 용도가 분명치 않은 티티새도 나왔다. 농촌 장터에서는 흔히 볼 수 없는 동물성 물품들이다. 산에서 흔히 나는 개암과 귀리, 도토리 가공 식품도 나왔다. 그러나 이런 것들보다 백석을 자극한 것은 역시 맛있는 먹을거리다. 미각적 회감력이 뛰어난 백석은 주먹처럼 크게 빚은 투박한 떡덩이와 옥수수엿을 사서 먹는다. 옥수수엿이 꿀보다도 달다고 했지만 그것은 과장일 것이고 산간 지역의 소박한 맛에 오히려 미각의 즐거움을 느꼈을 것이다.

백석의 시선을 더욱 강하게 잡아끈 것은 기장쌀이다. 기장쌀은 좁쌀처럼 노랗고 크기는 좁쌀보다 크다. 백석은 "샛노랗디샛노란 산골마가을 볕에 눈이 시울도록 샛노랗디샛노란 햇기장쌀"의 빛깔에 매혹되어 경탄했는데, 산간 지역인지라 척박한 곳에서도 잘 자라고 생장 기간이 짧은 기장을 재배한 것이다. 메기장은 식용의 가치가 거의 없어서 찰기장을 주로 재배하는데, 기장으로 떡을 만들면 찰떡처럼 쫄깃하고 달콤한 맛이 나서 기장떡을 별미로 친다. 어릴 때 기장떡을 먹어 보았는지 아니면 물건을 파는 상인에게서 이야기를 들은 것인지, 백석은 기장으로 만들 수 있는 음식을 열거하며 그 맛의 감미로움에 "나는 기쁘다"라는 감정을 토로한다. 지금은 재배도 별로 하지 않고 역사 저편으로 사라져 버린 기장쌀을 소재로 하여 서민의 미각을 황홀한 기쁨의 경지로 끌어올린 백석의 솜씨에 경탄할 따름이다.

목구木具

오대五代나 내린다는 크나큰 집 다 찌그러진 들지고방 어둑시근
한 구석에서 쌀독과 말쿠지와 숫돌과 신둑과 그리고 옛적과 또 열
두 제석님과 친하니 살으면서

한 해에 몇 번 매연 지난 먼 조상들의 최방등 제사에는 컴컴한 고
방 구석을 나와서 대멀머리에 오얏망건을 지르터 맨 늙은 제관의
손에 정갈히 몸을 씻고 교의 위에 모신 신주 앞에 환한 촛불 밑에
피나무 소담한 제상 위에 떡 보탕 식혜 산적 나물지짐 반봉 과일들
을 공손하니 받들고 먼 후손들의 공경스러운 절과 잔을 굽어보고
또 애끓는 통곡과 축을 귀에 하고 그리고 합문 뒤에는 흠향 오는 귀
신들과 호호히 접하는 것

귀신과 사람과 넋과 목숨과 있는 것과 없는 것과 한 줌 흙과 한
점 살과 먼 옛조상과 먼 훗자손의 거룩한 아득한 슬픔을 담는 것

내 손자의 손자와 손자와 나와 할아버지와 할아버지의 할아버지
와 할아버지의 할아버지의 할아버지와…… 수원 백씨水原白氏 정주
백촌定州白村의 힘세고 꿋꿋하나 어질고 정 많은 호랑이 같은 곰 같

은 소 같은 피의 비 같은 밤 같은 달 같은 슬픔을 담는 것 아 슬픔을
담는 것

-『문장』2권 2호, 1940. 2.

- **들지고방:** 들문만 한쪽에 나 있는 소규모의 광.
- **어둑시근한:** 채광이 잘 안 되어 어두컴컴한.
- **말쿠지:** 옷 따위를 걸기 위하여 벽에 박은 나무못.
- **신둑:** 신발을 올리도록 놓아둔 돌이나 나무.
- **열두 제석님:** 열두 제석帝釋. 민간신앙에서 무당이 모시는 열두 명의 신.
- **매연 지난:** 만날 수 있는 인연이 지나가 버린.
- **최방등 제사:** 5대 이상 떨어진 먼 조상의 제사를 지내는 것.
- **대멀머리:** 대머리.
- **오얏망건:** 외씨버선이란 말처럼 망건을 오얏꽃같이 단정하게 눌러쓴 것을 말한다.
- **제관:** 제사를 맡은 사람.
- **교의:** 交椅. 제사를 지낼 때 신주神主를 모시는, 다리가 긴 의자.
- **보탕:** 제사에 쓰는, 건더기가 많고 국물이 적은 국.
- **반봉:** 제물로 쓰는 생선 종류의 통칭.
- **귀에 하고:** 귀여겨듣고. 정신 차려서 주의 깊게 듣고.
- **합문閤門:** 제사 음식을 물리기 전에 잠시 문을 닫거나 병풍으로 가리는 절차.
- **흠향:** 歆饗. 신명神明이 제물을 받아서 먹음.
- **호호히:** 깨끗하고 환하게.

목구란 제사에 사용되는 나무 제기를 말한다. 제사를 지내지 않을 때에는 오래된 낡은 집의 작은 광 어두운 구석에서 그 속의 이런저런 물건들과 어울려 지내던 목구가 조상들의 제사를 지낼 때에는 컴컴한 고방 구석을 나와서 제사의 주역으로 참여하게 된다. "친하니 살으면서"라는 말은, 찌그러진 좁은 광의 어두운 구석에서도 주위의 사소한 사물들은 물론이요 오랜 과거의 시간이나 혹은 신성한 존재와도 동등하게 교류를 하는 목구의 소박하면서도 정결한 평등의 정신을 나타낸다. 이것은 주위의 모든 것을 차별 없이 받아들이던 「모닥불」의 평등 공존의 사유가 발전된 것이다.

백석은 진지한 상황을 보여 주면서도 천진한 어린이 같은 관찰의 시선을 버리지 않는다. 늙은 제관은 "대멀머리에 오얏망건을 지르터맨" 모습으로 묘사되었는데 이 장면은 유머러스하면서도 지극히 친근한 시골 노인의 외형을 그대로 전해 준다. 늙은 제관의 손으로 정갈하게 모셔진 목구는 환한 촛불을 밝힌 제상 위에 올라 여러 가지 음식을 받들고 경건한 시간을 맞이한다. 후손들은 제상 아래 공손하게 절을 올리고 때로는 애통한 통곡과 경건한 축문을 올린다. 그때마다 목구는 음식을 공손히 받들어 후손들의 발원이 조상들에게 잘 전달되도록 하는 전령의 역할을 한다. 합문 뒤 조상의 혼령들이 제물을 받아들이러 오면 그들을 편안하게 맞이하여 제물을 접대한다. 이처럼 목구는 후손들의 기원과 조상들의 혼령을 이어 주는 역할을 한다.

그런 점에서 목구는 "귀신과 사람"을 이어 주는 것이자 "한 줌 흙과 한 점 살"은 물론이요 "먼 옛 조상과 먼 훗자손의 거룩한 아득한 슬픔을 담는 것"이기도 하다. 정주 백촌에 집성촌을 이루고 사는 수원 백씨 집안의 "힘세고 꿋꿋하나 어질고 정 많은" 마음을 저 먼 조상으로부터 먼 후손에 이르기까지 그대로 이어 주는 가족적 동질성의 매개물 역할을 한다. "호랑이 같은 곰 같은 소 같은" 강인하면서도 의연한 수원 백씨의 성품이 불우한 시대를 만나 잠시 아득한 슬픔의 형상을 지니게 되었으나, 조상에게 제사를 지내는 의식이 지속되는 한 민족의 정체성은 변함없이 유지될 것이라는 생각을 이 시는 드러내고 있다. 비록 "비 같은 밤 같은 달 같은 슬픔"을 느끼고는 있으나 목구라는 구체적인 사물을 통하여 민족적 영원성을 감성적으로 확인하는 단계에까지는 나아간 것이다.

수박씨, 호박씨

어진 사람이 많은 나라에 와서

어진 사람의 짓을 어진 사람의 마음을 배워서

수박씨 닦은 것을 호박씨 닦은 것을 입으로 앞니빨로 밝는다

수박씨 호박씨를 입에 넣는 마음은

참으로 철없고 어리석고 게으른 마음이나

이것은 또 참으로 밝고 그윽하고 깊고 무거운 마음이라

이 마음 안에 아득하니 오랜 세월이 아득하니 오랜 지혜가 또 아

득하니 오랜 인정이 깃들인 것이다

태산의 구름도 황하의 물도 옛 임금의 땅과 나무의 덕도 이 마음

안에 아득하니 뵈이는 것이다

이 작고 가부엽고 갤족한 희고 까만 씨가

조용하니 또 도고하니 손에서 입으로 입에서 손으로 오르내리는

때

벌에 우는 새소리도 듣고 싶고 거문고도 한 곡조 뜯고 싶고 한 오

천 말 남기고 함곡관函谷關도 넘어가고 싶고

기쁨이 마음에 뜨는 때는 희고 까만 씨를 앞니로 까서 잔나비가

되고

　근심이 마음에 앉는 때는 희고 까만 씨를 혀끝에 물어 까막까치
가 되고

　어진 사람이 많은 나라에서는

　오두미五斗米를 버리고 버드나무 아래로 돌아온 사람도

　그 옆차개에 수박씨 닦은 것은 호박씨 닦은 것은 있었을 것이다

　나물 먹고 물 마시고 팔베개하고 누웠던 사람도

　그 머리맡에 수박씨 닦은 것은 호박씨 닦은 것은 있었을 것이다.

–『인문평론』 2권 6호, 1940. 6.

—

- **닦은**: '볶다'의 방언. '덖다'라는 표준어가 있다.
- **밝는다**: 바르다. 껍질을 벗기어 속에 들어 있는 알맹이를 집어내다.
- **가부엽고**: 가볍고.
- **갤족한**: 갈쭉한. 폭보다 길이가 좀 긴.
- **도고하니**: 의젓하고 단정하게.
- **오천 말 남기고**: 노자가 함곡관을 넘어 은둔하기 직전 오천자의 도덕경을 남
  겼다는 고사의 인유引喩다.
- **함곡관函谷關**: 중국의 허난성河南省 북서부에 있는 관문. 동쪽의 중원中原으로
  부터 서쪽의 관중關中으로 통하는 관문.
- **까막까치**: 까마귀와 까치를 아울러 이르는 말.
- **오두미五斗米**: 다섯 말의 쌀이라는 뜻으로 얼마 안 되는 봉급을 이르는 말. 옛
  날 도연명이 쌀 다섯 말 때문에 허리를 굽힐 수 없다고 하여 벼슬을 버리고

집으로 돌아왔다는 고사에서 유래한다.
* **버드나무 아래로:** 도연명의 집 앞에 다섯 그루의 버드나무가 있었다는 고사를 말한 것이다.
* **옆차개:** 허리에 차도록 만들어진 주머니.

　백석이 만주의 신징新京으로 이주한 시점은 1940년 1월로 추정된다.* 그러니까 「수박씨, 호박씨」 이후 해방 전까지의 작품들은 모두 만주 체류 시기에 창작된 것들이다. 언제나 긍정적이고 천진한 시선을 가진 백석의 눈에는 만주의 낯선 지역도 "어진 사람이 많은 나라"로 수용된다. 그래서 그곳 사람들이 흔히 하는 행동을 바라보며 어진 마음에서 나온 어진 사람의 행동이라고 생각한다. 어린이 같은 긍정의 시선에는 수박씨, 호박씨를 오물거리고 까먹는 모습이 "잔나비"나 "까막까치"처럼 재미있는 형상으로 포착된다.

　이러한 백석의 시선과 마음은 정말 어질고 천진하다. 만주 사람들은 수박씨 호박씨 볶은 것을 입에 넣고 심심풀이 삼아 오랫동안 발라먹는다. 어떻게 보면 철없고 어리석고 게으른 모습 같지만 그것도 오랫동안의 세월이 축적된 지혜와 인정의 소산이라는 것이 백석의 생각이다. 그는 너무나 빠르게 변해 가는 근대 문명의 속도에 염증을 느낀 것 같다. 그래서 이렇게 느긋하게 시간을 죽이고 사는 중국 사람들의 여유 있는 태도에 공감을 표시한다. 근대적인 변화와는 역방향에 서서 오래된 것을 동경함으로써 현실적 요구에서 오는 압박감과 상

---

* 　여기에 대한 자세한 것은 이숭원, 『백석 시의 심층적 탐구』, 태학사, 2006, 70쪽 참고.

대적 박탈감을 달래려는 듯하다.

중국 땅에 들어서서 그런지 그가 알고 있는 여러 가지 중국의 고사가 시의 소재로 등장한다. 태산과 황하가 나오는가 하면, 옛 임금이 '나무의 덕'으로 나라를 다스렸다고 하는 고사가 언급된다. 도덕경 오천언을 남기고 함곡관을 넘어간 노자가 떠오르고, 쌀 다섯 말 값 월급의 관직을 버리고 버드나무 서 있는 고향 집으로 돌아간 도연명도 생각하고, 나물 먹고 물 마시고 팔베개하고 누웠어도 즐거움이 그 안에 있다고 한(飯疏食飮水, 曲肱而枕之, 樂亦在其中矣) 공자의 말씀도 떠오른다. 백석은 자연에 귀의하고 부귀영화를 멀리했던 중국의 도인들을 떠올리며 그와 같이 텅 빈 마음의 자세로 지혜롭게 살아볼 것을 소망한다. 과연 이러한 소망이 순조롭게 유지될 수 있었을까? 이후의 백석의 시편이 사정을 말해 줄 터이지만 미리 이야기하자면 그의 소망은 제대로 실현되지 못했다. 그것은 바로 이어서 발표한 「북방에서」의 절절한 비애의 어조에서 한눈에 확인된다.

북방에서

−정현웅鄭玄雄에게

아득한 옛날에 나는 떠났다

부여夫餘를 숙신肅愼을 발해渤海를 여진女眞을 요遼를 금金을,

흥안령興安嶺을 음산陰山을 아무르를 숭가리를.

범과 사슴과 너구리를 배반하고

송어와 메기와 개구리를 속이고 나는 떠났다.

나는 그때

자작나무와 이깔나무의 슬퍼하던 것을 기억한다

갈대와 장풍의 붙들던 말도 잊지 않았다

오로촌이 멧돝을 잡아 나를 잔치해 보내던 것도

쏠론이 십리 길을 따라나와 울던 것도 잊지 않았다.

나는 그때

아무 이기지 못할 슬픔도 시름도 없이

다만 게을리 먼 앞대로 떠나 나왔다

그리하여 따사한 햇귀에서 하이얀 옷을 입고 매끄러운 밥을 먹고

단샘을 마시고 낮잠을 잤다

밤에는 먼 개소리에 놀라 나고

아침에는 지나가는 사람마다에게 절을 하면서도
나는 나의 부끄러움을 알지 못했다.

그동안 돌비는 깨어지고 많은 은금보화는 땅에 묻히고 까마귀도
긴 족보를 이루었는데
이리하여 또 한 아득한 새 옛날이 비롯하는 때
이제는 참으로 이기지 못할 슬픔과 시름에 쫓겨
나는 나의 옛 하늘로 땅으로— 나의 태반胎盤으로 돌아왔으나

이미 해는 늙고 달은 파리하고 바람은 미치고 보래구름만 혼자
넋없이 떠도는데

아, 나의 조상은 형제는 일가친척은 정다운 이웃은 그리운 것은
사랑하는 것은 우러르는 것은 나의 자랑은 나의 힘은 없다 바람과
물과 세월과 같이 지나가고 없다.

—『문장』 2권 6호, 1940. 7.

—

- **정현웅鄭玄雄**: 백석과 같은 시대에 활동한 삽화가. 백석의 옆모습을 삽화로
  남겼다.
- **부여扶餘, 숙신肅愼, 발해渤海, 여진女眞, 금金**: 중국 동북부와 한반도 주변에

있던 여러 옛 나라들.

- **흥안령興安嶺, 음산陰山:** 흔히 만주라고 불렸던 중국 동북부의 산계와 산맥의 이름.
- **아무르:** 흑룡강黑龍江의 러시아 이름.
- **숭가리:** 송화강松花江의 만주어.
- **장풍:** 창포菖蒲.
- **오로촌:** Orochon. 동아시아 북동부의 북방 퉁구스어계語系의 수렵민족.
- **멧돝:** 멧돼지.
- **쏠론:** Solon. 아무르 강의 남쪽에 분포하는 남방 퉁구스족의 한 분파.
- **앞대:** 자신이 있는 곳에서 남쪽 지역. 백석이 이 시를 쓸 당시 만주 지역에 있으므로 '앞대'는 남쪽 지역인 한반도를 의미한다.
- **햇귀:** 사방으로 뻗친 햇살.
- **보래구름:** 작게 흩어져 떠도는 구름.

———

이 시는 1940년 7월『문장』지에 발표된 작품이다. 이 시기에 발표한 작품들은 대개 행과 연의 길이가 긴 장형의 형태를 취하고 있고 백석 특유의 열거와 대구의 기법이 그 형태를 유지하는 동력이 된다. 위의 시에서도 소재를 열거해 가면서 그것들이 서로 대응을 이루도록 시어를 배치하고 있다. 예컨대 위의 시 1연에서 부여와 숙신이 짝을 이루고 발해와 여진, 요와 금이 각각 짝을 이룬다. 그리고 다음 행에서는 "흥안령-음산"과 "아무르-숭가리"가 짝을 이루고 "범-사슴-너구리"와 "송어-메기-개구리"가 짝을 이룬다. 이처럼 대구와 열거가 결합되어 미묘한 운율감을 조성하고 시 전체의 분위기를 고조시키면서 감정의 절정 부분으로 시상을 이끌어 간다.

1연과 2연에 열거된 지명 및 사물의 이름들은 백석이 탐구한 역사적·지리적 지식을 거시적 윤곽으로 드러내고 있다. 말하자면 그는 만주에서 생활하면서 한민족의 뿌리를 탐사하는 작업을 벌인 것이다. 백석의 유랑은 한민족의 뿌리 뽑힌 삶을 복원하려는 의도를 가졌던 것 같다. 그래서 한반도 북반에 거주했던 옛 종족과 국가의 이름, 공간적 장소의 이름을 열거하는 노력을 보였다. 이러한 시행 구성을 위하여 상당히 많은 역사적 지식을 습득했음을 짐작할 수 있다. 여기에 대해 "이 작품은 떠남과 떠돎, 그리고 돌아옴의 과정을 보여 주고 있는 셈인데, 이는 성장과 탐색, 그리고 성찰이라는 신화적 일대기와 잘 대응하는 구조"*라고 본 견해도 제시되었다. 이 시의 화자 '나'는 개인이 아니라 한민족 자체를 대변하는 것 같다. 화자가 유랑하게 된 원인이나 현실적 고통에 대해서는 구체적인 언급이 시에 나와 있지 않다. 이 부분에서 알 수 있는 내용은, 화자가 떠날 때 많은 소중한 것을 포기하거나 배반하고 떠났다는 것, 보내는 쪽에서도 상당한 아픔이 있었을 터인데 그것을 외면할 수밖에 없었다는 것 등이다.

　이 시의 중요한 내용은 3연과 4연에 제시되어 있다. 화자는 아무런 슬픔도 시름도 없이 한가한 마음으로 유랑을 시작했다. 오히려 떠난 다음의 생활은 상당히 담담한 정경으로 묘사되어 있다. 그런데 중요한 것은 유랑의 생활을 지속해 가는 것에 대해 아무런 부끄러움을 갖지 않았다는 사실에 대한 반성적 자각이다. 시인은 "나는 나의 부끄러움을 알지 못했다"라고 적었다. 이제 자신의 유랑이 그렇게 떳떳한 일이 아니며 소중한 많은 것을 저버린 일이었다는 사실을 자각하고

---

* 강연호, 「뿌리 뽑힌 자아의 발견과 성찰」, 『시와 정신』, 2003. 가을호, 197쪽.

그것을 "부끄러움"으로 인식하고 있음을 알려 준다. 유랑을 부끄러움으로 인식한 이상, 그의 내면에는 "참으로 이기지 못할" 회한의 아픔이 밀려들게 되고 이제 그는 떠난 곳으로 돌아오지 않을 수 없다. 여기서 그의 회귀가 시작된다. 그가 떠나온 곳, 그의 "태반胎盤"으로 돌아오는 것이 그의 부끄러움과 슬픔과 시름을 지울 수 있는 유일한 방책이다.

그러나 이미 무량한 세월이 유랑의 시간 속에 흘러가 버리고 말았다. 역사적·지리적 지명이 환기하던 중량감은 사라지고 병들고 지친 풍경만이 펼쳐져 있을 따름이다. 그리고 자기를 붙잡던 소중한 대상들, 자신의 애모의 대상, 존경의 대상도 사라졌을 뿐만 아니라 자신의 희망도 용기도 의욕도 다 사라지고 말았다. 말하자면 그의 삶의 근거, 출생의 기반 자체가 상실되고 만 것이다. 여기서 시인은 형언할 수 없는 상실감을 그대로 토로하게 된다. "해는 늙고 달은 파리하고 바람은 미치고 보래구름만 혼자 넋없이 떠도는" 상황은 참으로 처절하다. 이미 생의 마지막 국면을 대하고 있는 듯한 느낌이 든다. 이러한 처절한 상실감이 어디서 비롯된 것인지는 알 수 없다. 다만 많은 역사적 지식의 축적을 바탕으로 웅혼한 시상을 야심적으로 전개한 이 작품에 그의 진심이 담겨 있다는 것은 분명히 말할 수 있다.

허준許俊

그 맑고 거룩한 눈물의 나라에서 온 사람이여
그 따사하고 살뜰한 볕살의 나라에서 온 사람이여

눈물의 또 볕살의 나라에서 당신은
이 세상에 나들이를 온 것이다
쓸쓸한 나들이를 다니러 온 것이다

눈물의 또 볕살의 나라 사람이여
당신이 그 긴 허리를 굽히고 뒷짐을 지고 지치운 다리로
싸움과 흥정으로 왁자지껄하는 거리를 지날 때든가
추운 겨울밤 병들어 누운 가난한 동무의 머리맡에 앉아
말없이 무릎 위 어린 고양이의 등만 쓰다듬는 때든가
당신의 그 고요한 가슴 안에 온순한 눈가에
당신네 나라의 맑은 하늘이 떠오를 것이고
당신의 그 푸른 이마에 삐여진 어깻죽지에
당신네 나라의 따사한 바람결이 스치고 갈 것이다

높은 산도 높은 꼭대기에 있는 듯한

아니면 깊은 물도 깊은 밑바닥에 있는 듯한 당신네 나라의

하늘은 얼마나 맑고 높을 것인가

바람은 얼마나 따사하고 향기로울 것인가

그리고 이 하늘 아래 바람결 속에 퍼진

그 풍속은 인정은 그리고 그 말은 얼마나 좋고 아름다울 것인가

다만 한 사람 목이 긴 시인은 안다

'도스토이에프스키'며 '조이스'며 누구보다도 잘 알고 일등 가는 소설도 쓰지만

아무 것도 모르는 듯이 어드근한 방안에 굴러 게으르는 것을 좋아하는 그 풍속을

사랑하는 어린것에게 엿 한 가락을 아끼고 위하는 아내에겐 해진 옷을 입히면서도

마음이 가난한 낯설은 사람에게 수백 냥 돈을 거저 주는 그 인정을 그리고 또 그 말을

사람은 모든 것을 나 잃어버리고 넋 하나를 얻는다는 크나큰 그 말을

그 멀은 눈물의 또 볕살의 나라에서

이 세상에 나들이를 온 사람이여

이 목이 긴 시인이 또 게사니처럼 떠곤다고

당신은 쓸쓸히 웃으며 바둑판을 당기는구려

—『문장』2권 9호, 1940. 11.

- **허준許俊:** 백석과 같은 시대에 활동한 평북 용천 출생의 소설가이자 백석의 절친한 친구.
- **삐여진:** 속에서 겉으로 쑥 불거져 나온.
- **어드근한:** 어두운.
- **게사니:** 거위. 「너 먼집 범 같은 노큰마니」에도 나오는 시어다.
- **떠곤다고:** '떠든다고'의 방언.

이 시의 제목으로 제시된 "허준"은 평북 용천 출생의 소설가로 백석과는 조선일보 재직 시부터 친해져 형제처럼 가까이 지내며 돈독한 우의를 나눈 사람이다. 그는 신현중의 누이인 신순영과 결혼했는데, 이 결혼식 축하연에서 백석은 통영의 처녀 박경련을 만났던 것이다. 백석이 청혼할 뜻을 가지고 통영을 방문했을 때 허준이 동행하기도 했다. 백석이 만주로 이주한 다음에는 허준도 만주로 옮겨 가 생활을 할 정도로 절친했다. 이 시는 절친한 벗 허준을 매개로 하여 백석이 마음속에 희구하는 세계를 서술했다. 여기에는 만리타향 만주에서 고국을 그리워하며 이미 깨어져 버린 평화로운 삶의 공간을 마음속에서나마 되살려 보려는 심리도 담겨 있는 것 같다.

백석은 서두에서 허준을 "맑고 거룩한 눈물의 나라", "따사하고 살뜰한 볕살의 나라"에서 온 사람이라고 말했다. 그런데 백석과 허준은 조국이 같고 생각하는 바도 같은 동지 사이이므로 그 나라는 곧 백석 자신의 나라이기도 하다. 그는 자신이 가치 있다고 생각하는 나라

를 두 가지 형상으로 나타냈다. 그것은 '맑은 눈물'과 '따스한 햇살'이
다. 맑은 눈물은 순결하고 어진 성품을 뜻하며 따스한 햇살은 온화함
과 평화로움을 의미한다. 그의 벗 허준이 순결하고 평화로운 세계에
서 나들이를 왔다고 하는 것은 곧 허준의 내면이 그만큼 어질고 온화
하다는 것을 뜻하며 시인 자신이 추구하는 세계도 바로 그러한 것임
을 알려 준다.

2연에서는 허준이 그 아름다운 나라에서 이 세상에 잠시 나들이를
온 것이라고 했지만 실상 그 당시 허준과 백석의 삶은 그렇게 만족스
럽지는 않았던 것 같다. 3연의 문맥에 의하면 백석은 스스로를 "병들
어 누운 가난한 동무"라고 표현했으며 허준은 긴 허리를 굽히고 지친
다리를 끌며 "싸움과 흥정으로 왁자지껄하는 거리"를 지난다고 했다.
이로 보아 현실에 대한 백석의 의식은 분명 부정적인 상태에 있음을
알 수 있다. 그러나 허준은 부정적 현실 속에서도 그 순수하고 온화한
마음을 조금도 바꾸지 않는다. 그리고 백석 역시 평화로운 세계에 대
한 갈망을 포기하지 않는다.

그가 바라는 평화로운 세계는 물론 그렇게 쉽게 도달될 수 있는 것
은 아니다. 그 세계는 높은 산의 높은 꼭대기나 깊은 물의 깊은 밑바
닥처럼 세속의 경역을 벗어난 이질적 지평에 자리 잡고 있다. 시인은
그 평화로운 세계의 풍속과 인정과 말이 지극히 아름다울 것이라고
이야기하는데, 그 구체적인 사례를 5연에서 하나씩 제시하고 있다.
일급의 소설을 깊이 이해할뿐더러 그러한 소설을 실제로 쓰는 재능
을 갖추었으면서도 아무 것도 모르는 듯 무심히 지내는 그 풍속과, 가
까운 사람에게는 무심하면서도 마음이 가난한 사람에게는 많은 것을

베풀어 주는 그 인심과, "사람은 모든 것을 다 잃어버리고 넋 하나를 얻는다"라는 그 말의 가치를 백석 자신이 충분히 이해하고 있음을 밝히고 있다.

그중 가장 중요한 것은 역시 '말'의 내용이다. 이 말은 우리들이 사용하는 언어가 아니라 그 말에 담긴 뜻을 지칭한다. 그러니까 말 속에 담긴 생각, 즉 정신을 뜻하는 것이다. 그러면 사람은 모든 것을 잃어버리고 넋 하나를 얻는다는 말의 진정한 뜻은 무엇일까? 앞에서 본 「여우난골족」의 경우로 말하면, 고향을 떠나 홀로 거친 세상을 살아가면서도 평화롭고 천진한 어린 날의 기억을 그대로 간직하고 있고 그 화해의 정신을 유지하고 있다면 그것이 바로 넋 하나를 얻는 것이라 생각할 수 있다. 혹은 「목구」나 「국수」의 경우에는 모든 것이 바뀌어도 제사 때마다 목구를 계속 사용하는 한, 혹은 우리의 밥상에서 국수라는 음식이 사라지지 않는 한, 우리 민족의 마음은 엄연히 지속될 것이라는 생각을 뜻한다고 볼 수 있다. 요컨대 이 시행은 사람이 어떤 상실의 극점에 서더라도 자신의 정신마저 버릴 수는 없는 것이며 그것은 어떠한 형태로든 면면히 이어진다는 사실을 말하고 있다. 백석은 단지 개개의 사람만이 아니라 민족의 넋도 그러하다는 말을 하고 싶었는지 모른다.

이렇게 심중한 의미를 담은 말을 긴 시행의 끝부분에 남기고 백석은 시를 마무리 지었다. 그 마무리 짓는 방식 또한 여유롭고 관조적인 방식으로 처리했다. 친구 허준은 시인 백석이 자신을 미화한 것에 대해 거위처럼 시끄럽게 굴지 말라고 탓하며 그렇게 허튼소리 할 바에야 바둑이나 두자고 쓸쓸히 웃으며 바둑판을 잡아당긴다는 것인데,

이 마지막 장면은 앞에서 전개된 내용과 절묘한 호응을 이룬다. 참담한 상황 속에서도 말없이 고양이의 등만 쓰다듬는다든가 일급의 지식을 갖추고 있으면서도 마치 바보와도 같이 게으르게 방 안을 구를 뿐인 이 겸허하고 부드러운 친구의 태도로 볼 때 마지막 장면의 모습은 지극히 자연스럽게 다가온다.

백석의 시에서 끝 부분의 마무리가 제대로 안 되어 깔끔한 형식미를 보여 주지 못하는 경우가 있는데, 이 시는 도입과 결말이 분명한 의미의 조직으로 구성되어 균제된 형식미를 느끼게 한다. 또한 의미 파악에 어려움을 주는 시어도 거의 없이 평이하고 진술한 어조로 시상을 전개하여 시인이 추구하는 세계가 그 말씨에 의해 자연스럽게 떠오르게 된다. 오장환이 빈정대는 투로 말한 '변태적일 정도로 이상하고 뻣뻣하게 보이던' 방언의 사용도 이 시에는 상당히 절제되어 있다. 이 시를 쓰는 단계에서는 백석도 자신의 개인적 기억에 대한 집착보다는 보편적인 의미의 전달에 관심을 갖기 시작한 것으로 보인다. 이 시에서 분명히 확인되는바, 백석이 지향한 것은 '풍속과 인정과 말이 어우러신 평화로운 삶의 복원'이나. 그러한 정신의 지향이 「여우난골족」에서는 평화로운 삶의 공간을 통해 암시되었고, 「허준」에서는 한 인물의 태도와 정신에 의해 명시되었다. 그 정신은 "사람은 모든 것을 잃어버리고 넋 하나를 얻는다"라는 말로 집약된다.

『호박꽃초롱』 서시

하늘은
울파주가에 우는 병아리를 사랑한다.
우물돌 아래 우는 도루래를 사랑한다.
그리고 또
버드나무 밑 당나귀 소리를 입내 내는 시인을 사랑한다.

하늘은
풀 그늘 밑에 삿갓 쓰고 사는 버섯을 사랑한다.
모래 속에 문 잠그고 사는 조개를 사랑한다.
그리고 또
두툼한 초가지붕 밑에 호박꽃 초롱 혀고 사는 시인을 사랑한다.

하늘은
공중에 떠도는 흰 구름을 사랑한다.
골짜구니로 숨어 흐르는 개울물을 사랑한다.
그리고 또
아늑하고 고요한 시골 거리에서 쟁글쟁글 햇볕만 바라는 시인을
사랑한다.

하늘은

이러한 시인이 우리들 속에 있는 것을 더욱 사랑하는데

이러한 시인이 누구인 것을 세상은 몰라도 좋으나

그러나

그 이름이 강소천姜小泉인 것을 송아지와 꿀벌은 알 것이다.

─강소천 동시집『호박꽃초롱』, 박문서관, 1941. 1.

──

- **울파주**: '울바자'(울타리에 쓰는 바자)의 방언.
- **도루래**: 땅강아지과의 곤충.「박각시 오는 저녁」에도 나오는 시어다.
- **입내 내는**: 흉내 내는.「고방」에도 나오는 시어다.
- **혀고**: 켜고.「외가집」에도 나오는 시어다.
- **강소천姜小泉**: 아동문학가(1915~1963). 함흥 영생고보 시절 백석의 제자로 동시집『호박꽃초롱』을 간행했다. 이 책의 장정은 정현웅이, 서문은 백석이 맡았다.

──

강소천은 백석이 영생고보 영어 교사로 있을 때 가르쳤던 제자다. 그는 함경남도 고원高原 출생으로 영생고보를 졸업하고 1930년부터 동시를 쓰기 시작하여 1941년에 첫 동시집『호박꽃초롱』을 간행하였다. 시단의 중진으로 활동하고 있는 스승 백석에게 서시를 부탁하였고 백석은 동시의 분위기에 맞는 서시를 써 준 것인데, 이 시에는 백석의 시에 대한 생각과 동시를 이해하는 자세, 제자 시인에 대한 사랑이 조화롭게 결합되어 있다. 백석은 형식적인 축시가 아니라 서정의 명편을 지어서 시집 권두에 실은 것이다.

이 시에 제시된 백석의 시인관은 강소천에 국한된 것이 아니라 사실은 그 자신에 대한 시적 인식을 드러낸 것이자 시인 일반에 대한 원론적 관점을 제시한 것이다. 하늘은 울타리 가에 있는 병아리나 우물돌 아래 우는 도루래 같은 미미하고 연약한 존재를 사랑하며 동시에 시인을 사랑한다고 했다. 시인의 모습은 버드나무 밑의 당나귀 소리를 흉내 내는 존재로 제시되었다. 당나귀는 백석이 좋아하는 대상으로 몇 번 거론했던 동물이고, 버드나무는 바로 앞의 「수박씨, 호박씨」에 나왔던 도연명의 고향집에 서 있던 나무다. 요컨대 현실의 번잡스러움을 떠나 한가한 버드나무 밑에서 순한 소리를 내며 자연과 동화되려는 존재가 바로 시인이라는 것이다.

버섯은 꼴뚜기처럼 어진 마음으로 갓을 쓰고 사는 존재고 조개는 세상과의 소통을 거부하고 모래 속에 문을 잠그고 사는 존재다. 역시 번잡한 현실과 거리를 두고 자신의 고운 마음을 지키려는 시인의 결벽성을 강조한 선택이다. 시집의 제목이 『호박꽃초롱』이니 그것을 끌어들여 초가지붕 밑에서 호박꽃 초롱을 켜고 사는 강소천을 하늘이 사랑한다고 간접적으로 강소천의 시 세계를 드러냈다. 이 대목에서 초가지붕을 "두툼한"이라고 비유한 것이 이채롭다. 초가지붕은 실제로 두툼한 편인데 그것을 "두툼한"이라고 호명하자 후덕하고 정겨운 정경이 떠오르면서 도탑고 따스한 인정의 울타리 안에 낭만적인 호박꽃 초롱을 밝히고 사는 시인의 신비로운 모습이 겹쳐진다.

하늘은 어디에도 얽매이지 않는 흰 구름의 자유로움과 현실과 거리를 둔 개울물의 은폐성과 아늑하고 고요한 시골 거리에서 햇볕만 바라는 시인의 탈속적 향일성을 사랑한다. 현실과 거리를 두지만 맑고 따뜻한 삶까지 포기하는 것은 아니라는 의미가 담겨 있다. 그다음 마지막 연에서 백석은 참으로 아름다운 이야기를 들려준다. 하늘은 이러한 속성을 가진 시인이 "우리들 속에 있는 것을 더욱 사랑"한다고 했다. 현실과 거리를 둔 시인이 현실 속에 존재함으로써 우리들의 삶이 더욱 고결해진다는 역설이다. 이것은 간접적이고 은밀한 형식으로 시인의 존재 이유를 제시한 것이다. 그러한 고결한 시인의 하나가 강소천이라는 것을 세상은 몰라도 좋지만 송아지와 꿀벌은 알고 있을 것이라고 시를 끝맺는다. 이 종결부는 참으로 시적이다. 송아지와 꿀벌과 시인은 하늘이 사랑하는 이 세상의 동류적 존재들이다. 이처럼 백석은 시집의 서시 창작에 있어서도 매우 모범적인 전례를 남겨 놓았다.

귀농歸農

백구둔白狗屯의 눈 녹이는 밭 가운데 땅 풀리는 밭 가운데
촌부자 노왕하고 같이 서서
밭최뚝에 즘부러진 땅버들의 버들개지 피어나는 데서
볕은 장글장글 따사롭고 바람은 솔솔 보드라운데
나는 땅임자 노왕에게 석 상디기 밭을 얻는다

노왕은 집에 말과 나귀며 오리에 닭도 우울거리고
고방엔 그득히 감자에 콩 곡식도 들여 쌓이고
노왕은 채매도 힘이 들고 하루 종일 백령조百鈴鳥 소리나 들으려고
밭을 오늘 나한테 주는 것이고.
나는 이젠 귀치않은 측량도 문서도 싫증이 나고
낮에는 마음 놓고 낮잠도 한잠 자고 싶어서
아전 노릇을 그만두고 밭을 노왕한테 얻는 것이다

날은 챙챙 좋기도 좋은데
눈도 녹으며 술렁거리고 버들도 잎 트며 수선거리고
저 한쪽 마을에는 마돝에 닭 개 즘생도 들떠들고

또 아이 어른 행길에 뜨락에 사람도 웅성웅성 흥성거려

나는 가슴이 이 무슨 흥에 벅차 오며

이 봄에는 이 밭에 감자 강냉이 수박에 오이며 당콩에 마늘과 파
도 심으리라 생각한다

수박이 열면 수박을 먹으며 팔며

감자가 앉으면 감자를 먹으며 팔며

까막까치나 두더지 돝벌기가 와서 먹으면 먹는 대로 두어두고

도적이 조금 걷어 가도 걷어 가는 대로 두어두고

아, 노왕, 나는 이렇게 생각하노라

나는 노왕을 보고 웃어 말한다

이리하여 노왕은 밭을 주어 마음이 한가하고

나는 밭을 얻어 마음이 편안하고

디퍽디퍽 눈을 밟으며 터벅터벅 흙도 덮으며

사물사물 햇볕은 목덜미에 간지러워서

노왕은 팔짱을 끼고 이랑을 걸어

나는 뒷짐을 지고 고랑을 걸어

밭을 나와 밭둑을 돌아 도랑을 건너 행길을 돌아

지붕에 바람벽에 울바주에 볕살 쇠리쇠리한 마을을 가리키며

노왕은 나귀를 타고 앞에 가고

나는 노새를 타고 뒤에 따르고

마을끝 충왕묘虫王廟에 충왕을 찾아뵈러 가는 길이다

토신묘土神廟에 토신도 찾아뵈러 가는 길이다

-『조광』7권 4호, 1941. 4.

- **백구둔白狗屯:** 빠이꾸툰. 만주국 신경 근교의 농촌 마을.
- **밭최뚝:** 풀이 나 있는 밭 언저리의 둑.
- **즘부러진:** 너저분하게 흩어져 있는. '널브러지다'와 유사한 말이다.
- **땅버들:** '갯버들'을 일상적으로 이르는 말.
- **장글장글:** 내리비치는 햇살이 아른아른 빛나면서도 따사로운 모양. 「황일」, 「산곡」에도 나오는 시어이다.
- **석 상디기:** 석 섬지기. 농지 면적의 단위.
- **우울거리고:** 우글거리고.
- **채매:** 채소 농사. 채마菜麻(먹을거리로 심어서 가꾸는 식물)에서 왔을 것이다.
- **백령조百鈴鳥:** 사전에는 白翎鳥라는 한자로 '몽고종다리'라는 새가 나온다.
- **마돝:** 말과 돼지.
- **들떠들고:** 여럿이 모여서 마구 떠들고.
- **돝벌기:** 돼지벌레. 식물의 뿌리나 줄기를 잘라 먹는 해충.
- **사물사물:** 살갗에 작은 벌레가 기어가는 것처럼 간질간질한 느낌.
- **충왕묘虫王廟:** 벌레의 왕을 모신다는 사당. 해충으로부터의 피해를 줄이려는 심정으로 중국의 농민들은 충왕묘에 제사했음.
- **토신묘土神廟:** 토지신을 모시는 사당.

이 시의 운율은 매우 흥겹다. 처음부터 끝까지 이어지는 구어적인 의성어와 의태어는 우리말의 묘미를 마음껏 누리게 하면서 모든 것

을 버리고 전원으로 귀의하려는 화자의 여유 있는 마음을 음성적으로 환기한다. 그뿐 아니라 반복과 열거와 대구로 이어지는 토착어의 연쇄 역시 백석이 지금까지 구사한 언어 표현 중 최상급의 묘미를 맛보게 한다. 「수박씨, 호박씨」에서 잠시 드러냈던 귀거래의 꿈이 실현되는 것에 대한 흥겨움이 이런 언어의 향연을 이끌어 낸 것 같다.

이 시에는 갈등이 없다. 현실적 패배감도 없고 상실이나 좌절의 기미도 없다. 봄이 와서 만물이 소생하는 전원을 배경으로 노왕과 나의 여유 있는 마음의 세계가 펼쳐진다. 아마도 이때 측량서기를 그만두고 소작농 생활을 시작한 실제 체험을 시화한 것으로 보인다. 그러나 이 소작농 체험의 시편이 더 있는 것도 아니고 1942년에는 안동에서 세관 업무를 보았다는 기록을 볼 때 소작농 생활도 얼마 안 가서 작파해 버렸을 것으로 추측된다. 그의 표현대로 아전 노릇을 하던 사람이 농사를 짓는다는 것이 말처럼 쉬운 노릇은 아니었을 것이다. 결국 소작농 생활도 그에게 좌절감만 안겨 준 채 끝을 맺었을 것이다.

그러나 위의 시에는 어떠한 망설임이라든가 앞날에 대한 의구심 같은 것은 선혀 보이지 않고 평화와 희망만이 제시되어 있다. 관리 생활의 구속에서 벗어나 농사를 지으며 자유롭게 살 수 있으리라는 생각에 마음이 들떠서 정말로 이와 같은 시를 쓴 것이라면 우리는 세상 물정을 모르는 시인의 순진함을 한탄할 만하다. 중국인 지주 밑에 고생하던 조선인 소작농의 참상은 이미 1920년대 최서해의 소설에서 1930년대 강경애의 소설에 이르기까지 많은 소설의 소재로 다루어져 왔기 때문이다.

그런데 위의 시에는 지주인 노왕과 내가 지극히 평화로운 관계로 설정되어 있다. 노왕은 재산은 많은데 농사가 힘이 들어 편하게 지내기 위해 나에게 땅을 빌려 주는 것이고, 나는 여유 있는 전원생활을 즐기기 위해 농토를 얻는 것이다. 이 두 사람의 관계를 축복해 주는 듯 주위의 자연과 인간은 흥성거리고 들떠 있다. 과연 이해관계나 금전관계를 떠나 이러한 계약이 이루어질 수만 있다면, 그리하여 먹고사는 문제를 떠나 전원생활을 즐길 수만 있다면, 그것처럼 좋은 일은 달리 없을 것이다. 그러나 이미 일본의 괴뢰정부가 들어서고 돈의 논리가 지배하던 만주제국에 이러한 평화의 공간이 존재했을 이치가 없다.

그러므로 위의 시는 그의 꿈을 나타낸 것이라고 보아야 옳다. 내면적 순수성이 이미 훼손되어 버린 지점에서 위와 같은 평화의 공간을 상정해 본 것은 그의 희망의 표현이었다. 어쩌면 소작농으로까지 그를 몰아간 현실적 패배의 쓰라림이 이러한 평화의 공간을 가상해 보도록 유인했는지도 모른다. 그는 스스로 상실과 유랑 속에 살면서도 불우한 사람들을 보면 마음 아파하며 모든 존재들이 평화로운 삶을 이어 가기를 희망했다. 이러한 희구와 염원은 물론 그 자신에게도 향해지는 것이었으리라. 좌절의 나락에서 갈매나무를 떠올리듯 그는 상실의 극점에서 전원생활의 평화로움을 상상해 본 것이다. 그리고 그 전원의 평화로움 속에 그를 포함한 모든 사람들이 회귀하기를 희망했을 것이다. 이 시는 그러한 희망의 한 풍경이다.

국수

눈이 많이 와서

산엣새가 벌로 내려 메기고

눈구덩이에 토끼가 더러 빠지기도 하면

마을에는 그 무슨 반가운 것이 오는가 보다

한가한 애동들은 어둡도록 꿩 사냥을 하고

가난한 엄매는 밤중에 김치 가재미로 가고

마을을 구수한 즐거움에 싸서 은근하니 흥성흥성 들뜨게 하며

이것은 오는 것이다

이것은 어느 양지귀 혹은 응달쪽 외따른 산옆 은댕이 예데가리밭
에서

하룻밤 뽀오햔 흰 김 속에 접시귀 소기름불이 뿌우현 부엌에

산멍에 같은 분틀을 타고 오는 것이다

이것은 아득한 옛날 한가하고 즐겁던 세월로부터

실 같은 봄비 속을 타는 듯한 여름볕 속을 지나서 들쿠레한 구시
월 갈바람 속을 지나서

대대로 나며 죽으며 죽으며 나며 하는 이 마을 사람들의 의젓한
마음을 지나서 텁텁한 꿈을 지나서

지붕에 마당에 우물든덩에 함박눈이 푹푹 쌓이는 여느 하룻밤

아배 앞에 그 어린 아들 앞에 아배 앞에는 왕사발에 아들 앞에는 새끼사발에 그득히 사리워 오는 것이다

이것은 그 곰의 잔등에 업혀서 길러 났다는 먼 옛적 큰마니가

또 그 집 등새기에 서서 재채기를 하면 산넘엣 마을까지 들렸다는

먼 옛적 큰아바지가 오는 것같이 오는 것이다

아, 이 반가운 것은 무엇인가

이 희스무레하고 부드럽고 수수하고 슴슴한 것은 무엇인가

겨울밤 쩡하니 익은 동치미국을 좋아하고 얼얼한 댕추가루를 좋아하고 싱싱한 산꿩의 고기를 좋아하고

그리고 담배 내음새 탄수 내음새 또 수육을 삶는 육수국 내음새 자욱한 더북한 삿방 쩔쩔 끓는 아르궅을 좋아하는 이것은 무엇인가

이 조용한 마을과 이 마을의 의젓한 사람들과 살뜰하니 친한 것은 무엇인가

이 그지없이 고담枯淡하고 소박素朴한 것은 무엇인가

—『문장』 3권 4호, 1941. 4.

—

- **산엣새**: 산에 사는 새.
- **메기고**: 소리를 내고. 「오리」에도 나오는 시어다.
- **김치 가재미**: 겨울에 김치를 묻은 다음 얼지 않도록 그 위에 수수깡과 볏짚단 등을 덮어 보호해 놓은 움막. 「개」에도 나오는 시어다.
- **산옆**: '산허리'라는 뜻으로 파악된다.
- **은댕이**: 백석의 산문 「닭을 채인 이야기」(『조선일보』, 1935. 8. 24)에도 나오는 데 산문의 문맥으로 보면 '산비탈에 턱이 져 평평한 곳'을 가리키는 것임을 알 수 있다.
- **예데가리밭**: 오래 묵은 비탈밭.
- **산멍에**: 산몽애(산무애뱀의 고어). "몸의 길이는 1.4미터 정도이며, 비늘은 19~21열이고 갈색 바탕에 검은색 또는 갈색 무늬가 많은 뱀"이라고 사전에 나온다. 이광수의 「원효대사」에는 '큰 구렁이'라는 뜻으로 나온다.
- **분틀**: 국수 반죽을 넣어 국수를 뽑는 틀.
- **들쿠레한**: 들큼하면서 구수한.
- **우물든덩**: '우물둔덕'(우물 둘레의 작은 둑 모양으로 된 곳)의 방언.
- **사리워**: 국수를 동그랗게 포개어 감아서. '사리'는 포개어 감은 뭉치를 말한다.
- **집 등새기**: 집 등성이. 집의 높은 지대. '등새기'는 '등성이'의 평안 방언.
- **큰아바지**: '큰마니'처럼 붙여 써야 할 말이다. '할아버지'의 방언.
- **댕추**: '고추'의 방언.
- **탄수 내음새**: 목탄으로 국수 삶는 냄새.
- **삿방**: 삿자리를 깐 방.
- **아르굳**: '아랫목'의 방언.
- **고담枯淡하고**: 속되지 않으면서도 담담한.

—

이 시의 첫 부분은 겨울철 산새가 먹을 것을 찾아 들에까지 내려오고 눈구덩이에 토끼가 빠질 정도로 눈이 많이 온 날, 꿩 사냥과 토끼

사냥을 하여 모처럼 먹을거리가 생기면 마을 사람들은 즐거움에 들떠 국수를 만들어 먹게 된다는 것을 이야기한다. "이것은 오는 것이다"의 '이것'은 국수를 지칭하는데, 북방 지역이므로 밀가루가 아니라 메밀가루로 빚은 국수이다. 평안도 지역에서는 집집마다 국수틀이 있어서 가을에 수확한 메밀을 가루로 만들어 저장해 두었다가 필요할 때 즉석에서 반죽을 하여 국수틀에 눌러 국수를 만들어 먹었다. "함박눈이 푹푹 쌓이는" 겨울 밤 "쩔쩔 끓는 아랫목"에 앉아서 얼음이 둥둥 뜨는 동치미 국물에 말아 먹거나 꿩고기로 육수를 만들어 말아 먹는 것이 북방 지역 음식 문화의 고유한 풍미다.

이 시의 처음부터 끝까지 연이어 등장하는 감각계의 어사들(구수한, 은근하니, 뽀오한, 뿌우현, 산멍에 같은, 들쿠레한 등)은 식생활과 관련된 생활 세계를 마치 직접 눈앞에 보는 듯이 생생하게 펼쳐 낸다. 시각, 미각, 후각이 결합된 감각의 영역은 본능에 밀착된 그리움의 매개물이며 시간이 지나도 지워지지 않고 수시로 복원되는 기억의 강인성을 보유하고 있다. 눈이 많이 온 겨울날 국수를 먹기 위해 저마다 즐거워하며 들떠 있는 모습은, 백석과 같은 장소 같은 시기를 살아갔던 많은 사람들의 기억 속에 공유된 장면일 것이다. 이 시를 쓸 당시 백석은 만주의 어느 곳에서 유랑의 삶을 보내고 있었고 한반도 전역은 전쟁의 병참기지로 전락되어 가고 있었다. 그러나 백석은 이 시에서 오히려 다양한 감각을 동원하여 풍요롭고 화목한 고향의 정경을 재구성했다.

"어느 양지귀 혹은 응달쪽 외따른 산옆 은댕이 예데가리밭"은 메밀이 성장하는 지역을 말한 것이다. 메밀은 척박한 지역에도 잘 적응하기 때문에 양지바른 곳은 물론이요 응달진 곳이나 산기슭 가장자리의 오래 묵은 비탈밭에서도 잘 자란다. "산명에 같은 분틀"은 바로 국수 내리는 틀을 말한 것인데, 마치 구렁이가 똬리를 틀고 있는 듯한 모습으로 비유했다. 국수를 삶는 부엌은 뽀얗게 흰 김이 서리고 접시 귀에 소기름 불을 뿌옇게 밝혀 놓은 상태다. 토속적인 산골 마을 평범한 부엌의 소박한 정취가 사실적으로 재현되어 있다. 메밀은 "실 같은 봄비 속을 타는 듯한 여름볕 속을 지나서" 성장하여 "들쿠레한 구시월 갈바람 속을 지나서" 결실에 이른다. 이것을 시인은 다시 "대대로 나며 죽으며 죽으며 나며 하는 이 마을 사람들의 의젓한 마음을 지나서 텁텁한 꿈을 지나서" 우리에게 다가오게 된다고 의미 있게 서술했다. 그렇게 의미심장한 사실을 언급하면서도 화자는 "아배 앞에는 왕사발에 아들 앞에는 새끼사발에 그득히 사리워 오는 것이다"라고 말하는 천진한 유머의 어법을 놓치지 않고 있다.

국수가 성장하는 환경, 국수가 요리되는 과정과 분위기, 국수를 먹는 실제 모습 등을 이야기한 다음에는 앞에서 본 「북신」에서처럼 그 국수라는 사물에 정신적 가치를 불어넣는다. 정신적 가치의 내용은 곰의 잔등에서 자라났다는 할머니와 우렁찬 재채기 소리를 지닌 할아버지의 내력이다. 소수림왕과 광개토대왕 같은 역사적 영웅의 이름 대신에 민속적 신화의 주인공이 제시된 것이다. 이것은 피 속에 이어져 내려오는 선조들의 정신세계를 국수와 관련된 감각 속에 동일화시키려는 의도적 배려다. 마지막 부분에서는 국수가 도대체 무엇이냐고 계속해서 몇 차례나 질문을 거듭한다. 이 질문의 방법 역시 감각의 어사를 동원하고 있는데, 그 감각의 영역 속에 세대를 넘어 이어지는 민족혼의 역사가 담겨 있다.

이 시가 강조하는 것은 우리들이 매일 먹는 국수의 맛과 빛깔에 국수를 먹는 사람들의 마음과 꿈이 담겨 있으며, 그 맛과 빛깔은 아득한 옛날로부터 먼 미래에 이르기까지 변함없이 이어진다는 것이다. 제사라는 의식이 사라지지 않는 한 조상들의 마음과 우리의 마음이 이어지고 민족적 영원성이 유지되듯이, 국수라는 음식이 사라지지 않는 한 고향과 그 마을 사람들의 마음은 영원히 지속된다. 요컨대 백석은 목구와 국수라는 사물에 새로운 의미를 부여함으로써 상실감 극복의 계기를 마련하고 있다. 상실감의 극복을 위하여 그가 동원한 심리적 방법은 고향의 사물을 새롭게 인식하는 것이었다.

백석이 이 시를 발표하던 때는 우리말 사용이 금지되고 우리의 성과 이름까지 일본식으로 변개되던 시점이었다. 민족의 주체성이 총파산될 위기에 처한 상황에서 "국책에 순응하여 폐간한다"라는 폐간사와 함께 그 마지막 호를 낸 『문장』 종간호에 이 시가 실린 것은 매우 상징적이다. 백석의 집요한 질문의 의미는 무엇일까? 국가적 형태의 모든 것이 사라져도, 우리들이 일상적으로 먹는 그 국수의 맛과 빛깔과 냄새 속에 할머니와 할아버지의 넋, 정 많고 의젓하고 고담하고 소박한 마음 등 민족의 소중한 요소가 그대로 간직될 것이라는 믿음을 드러내고 싶었던 것이다. 그는 가시적 사물 뒤쪽에서 역사의 흐름을, 감각의 세계 이면에서 정신의 가치를 발견해 내는 작업을 벌였다. 근대의 역방향에 서서 조국의 변방을 유랑했지만, 그는 우리가 간직해야 할 귀중한 본질적 요소를 시로 탐구했다.

흰 바람벽이 있어

오늘 저녁 이 좁다란 방의 흰 바람벽에

어쩐지 쓸쓸한 것만이 오고 간다

이 흰 바람벽에

희미한 십오 촉燭 전등이 지치운 불빛을 내어던지고

때 글은[*] 다 낡은 무명셔츠가 어두운 그림자를 쉬이고

그리고 또 달디단 따끈한 감주나 한잔 먹고 싶다고 생각하는 내 가지가지 외로운 생각이 헤매인다

그런데 이것은 또 어인 일인가

이 흰 바람벽에

내 가난한 늙은 어머니가 있다

내 가난한 늙은 어머니가

이렇게 시퍼러둥둥하니 추운 날인데 차디찬 물에 손을 담그고 무이며 배추를 씻고 있다

또 내 사랑하는 사람이 있다

내 사랑하는 어여쁜 사람이

어느 먼 앞대 조용한 개포가의 나지막한 집에서

---

* '그을다'에 '은'이 연결되면 '그은'이 되지만 원문의 음감을 살려 그대로 적는다.

그의 지아비와 마주 앉아 대굿국을 끓여 놓고 저녁을 먹는다

벌써 어린것도 생겨서 옆에 끼고 저녁을 먹는다

그런데 또 이즈막하여 어느 사이엔가

이 흰 바람벽엔

내 쓸쓸한 얼굴을 쳐다보며

이러한 글자들이 지나간다

　　—나는 이 세상에서 가난하고 외롭고 높고 쓸쓸하니 살아가도
　　록 태어났다

　　　그리고 이 세상을 살아가는데

　　　내 가슴은 너무도 많이 뜨거운 것으로 호젓한 것으로 사랑으
　　로 슬픔으로 가득찬다

그리고 이번에는 나를 위로하는 듯이 나를 울력하는 듯이

눈질을 하며 주먹질을 하며 이런 글자들이 지나간다

　　—하늘이 이 세상을 내일 적에 그가 가장 귀해하고 사랑하는것
　　들은 모두

　　　가난하고 외롭고 높고 쓸쓸하니 그리고 언제나 넘치는 사랑
　　과 슬픔 속에 살도록 만드신 것이다

　　　초생달과 바구지꽃과 짝새와 당나귀가 그러하듯이

　　　그리고 또 '프랑시스 쟘'과 도연명과 '라이너 마리아 릴케'가
　　그러하듯이

- **촉燭:** 촉광. 빛의 세기를 나타내는 단위.
- **때 글은:** 때에 그은. 때가 묻어 검게 된.
- **앞대:** 남쪽. 여기서는 한반도 남쪽 바다, 통영을 의미하는 것 같다.
- **이즈막하여:** 시간이 이슥하게 지나서.
- **울력하는 듯이:** '울력'의 원래 뜻은 '여러 사람의 힘을 합하는 것'인데, 여기서 는 나에게 힘을 실어 준다는 뜻이다.
- **눈질:** 눈으로 흘끔 보는 것.
- **귀해하고:** 귀하게 여기고.
- **바구지꽃:** 미나리아재비. 「야우소회」에도 나오는 시어다.
- **짝새:** 뱁새.

이 시 역시 백석의 만주 체류기인 1941년 4월 『문장』지에 「국수」, 「촌에서 온 아이」와 함께 발표된 작품이다. 백석의 만주 이주 시점을 1940년 1월로 볼 때 이 시는 백석이 만주에서 지낸 지 1년이 넘은 시기에 빌표된 것이다. 「국수」는 고향에서 먹던 가장 일상적인 음식의 하나인 국수에 대한 그리움과 시인 나름의 독특한 인식이 강렬하게 새겨진 작품이고, 「촌에서 온 아이」는 어느 시골에서 승합자동차를 타고 올라온 아이가 큰 소리로 우는 모양을 보고 저렇게 어린 나이에 무엇인가에 분한 마음이 들어 우는 아이에게 연민의 정을 느끼며 동정을 표시하는 내용의 작품이다. 이 두 작품이 어떤 객체적 대상을 소재로 삼은 것에 비해 「흰 바람벽이 있어」는 시인 자신을 소재로 하여 자신의 내면을 거의 숨기지 않고 드러내고 있어 다른 두 작품과 구별

된다.

작품의 서두에 나오는 "좁다란 방의 흰 바람벽"이라는 말은 상징적이다. "좁다란 방"은 자신의 거처가 좁고 누추한 상태임을 나타내고 "흰 바람벽"은 그렇게 누추한 살림 속에서도 내면의 정결성을 유지하고 있음을 암시한다. 마치 극장의 영사막과도 같은 흰 바람벽에 화자의 내면에 명멸하는 여러 가지 추억과 회한의 장면들이 투사된다. 화자는 "쓸쓸한 것만이 오고 간다"라고 하여 자신의 삶이 숙명적으로 외로움을 벗어날 수 없음을 단적으로 드러냈다. "희미한 15촉전등", "지친 불빛", 때에 그을린 "낡은 무명셔츠", "어두운 그림자" 등은 화자의 가난한 생활상, 음울한 내면, 지친 육신의 피로감 등을 다각적으로 조명해 낸다. 그래서 화자는 달고 따끈한 감주나 한잔 먹고 싶다는 지극히 소박한 희망을 피력한다. 그러나 그러한 희망과는 달리 피할 수 없는 운명의 영사막 같은 흰 바람벽에는 쓸쓸하고 애처로운 삶의 단면이 투영된다.

제일 처음에 등장하는 인물은 "가난한 늙은 어머니"이다. 화자는 "늙은 어머니" 앞에 굳이 "가난한"이라는 수식어를 집어 넣었다. 백석의 본가가 이때 실제로 가난한 살림을 꾸려 갔는지는 알 수 없으나 백석이 자신의 처지와 더불어 어머니의 삶까지 가난한 것으로 인식했다는 사실이 중요하다. 「촌에서 온 아이」에서 우는 아이에게 연민을 느낀 일차적 이유는 바로 가난 때문이었다. 일제 강점하 한반도 지역에 사는 대부분의 한국인, 또 만주에 이주해 사는 대부분의 한국인이 거의 예외 없이 가난한 삶을 살고 있다고 시인 백석은 생각했을 것이다. 이것은 일제의 식민 지배하에 있다는 의식에서 온 것으로 경제적 가난보다 마음의 가난에 속하는 것이었다. 하루의 일을 끝내고 마음에 맞는 음식을 먹고 방 안에서 편안히 쉬고 있어도 마음은 왠지 모르게 허전하고 서럽고 가난하다. 그런데 가난한 늙은 어머니가 살 갗이 퍼레지도록 추운 겨울에 차디찬 물에 손을 담그고 무와 배추를 씻는 영상이 떠올랐던 것이다.

어머니의 모습 다음에 등장한 것은 "내 사랑하는 어여쁜 사람"이다. 이 사람은 누구일까? 앞에서 여러 번 언급했지만, 백석이 마음에 두었던 사람은 박경련과 김자야 두 사람인데, 백석의 회한 어린 사랑의 대상으로 등장하는 것은 김자야보다는 박경련의 영상이다. 그것은 함흥 거주기에 발표한 「남향」에서 "감로 같은 물이 솟는 마을 하이얀 회담벽에 옛적본의 쟁반시계를 걸어 놓은 집 홀어미와 사는 물새같은 외딸의 혼삿말이 아지랑이같이 낀 곳"으로 표상되는 경남 통영의 추억으로 제시되었으며, 만주 거주기의 작품인 이 작품에서도 "먼 앞대 조용한 개포가의 나지막한 집"으로 표상되는 박경련의 영상으로 나타난다. "앞대"란 북쪽 지역에서 남쪽을 가리키는 말로 쓰는 것이니 남쪽 개포가라면 경남 동영을 암시하는 것이고, 통영과 관련된 시에 이미 "아이만한 대구"(「통영」)가 등장한 적이 있었다. 그 여인은 어린아이도 생겨서 지아비와 마주 앉아 대굿국을 끓여 저녁을 먹고 있는 것이다. 박경련이 결혼을 한 것이 1937년 4월이니 4년의 세월이 흐른 시점인데 백석이 그 여인을 마음에 두고 이와 같은 상상의 시편을 쓰고 있는 것을 보면 순연한 그리움이 내면에 이어지고 있음을 감지하게 된다.

어머니와 한 여인의 모습을 떠올린 다음에는 자신의 마음에 담아 둔 생각들이 글자의 형상으로 바람벽에 투영된다고 말했다. 그 요지는 삼단논법의 형식으로 전개된다. 즉, 나는 세상에서 가난하고 외롭고 높고 쓸쓸하게 살아가도록 태어났고 그래서 넘치는 사랑과 슬픔으로 살아간다. 하늘이 가장 귀하게 여기고 사랑하는 것은 모두 가난하고 외롭고 높고 쓸쓸하게 살도록 만들었다. 그러니 나는 하늘이 가장 귀하게 여기고 사랑하는 존재다. 이 삼단논법의 결론은 시에 직접 제시되지는 않았다. 그러나 화자는 그런 내적인 묵계 속에 자신의 발언을 하고 자신의 삶을 지탱해 가고 있다. 그것은 이미 자신의 처지를 열거하는 말 중 "높고"라는 말이 들어간 것에서도 확인되며 사랑과 슬픔을 동격화하는 데에서도 드러난다. 이 황폐한 세상에서 사랑을 실천하는 사람은 외롭고 슬플 수밖에 없고 외롭고 슬프지만 "높은" 자리에 놓이게 된다는 믿음을 그는 가지고 있다. 스스로 높다는 자존의 의식이 낙척落拓의 가혹한 삶 속에서 그를 지켜 준 동력이었을 것이다. 그를 위로하고 그에게 힘을 실어 주는 말이 바로 "외롭고 높고 쓸쓸한" "넘치는 사랑과 슬픔의" 존재라는 말이었다.

그러한 삶을 살아가는 사람은 자기 혼자만이 아니라고 화자는 말한다. 자신과 동류의 존재를 열거하는 데서 백석의 내면적 지향이 다시 선명하게 드러난다. 그것은 초승달, 바구지꽃, 짝새, 당나귀, 프랑시스 쟘, 도연명, 라이너 마리아 릴케 등이다. 백석의 시에 여러 번 나왔던 초승달, 바구지꽃, 짝새, 당나귀 등 네 개의 사물들은 모두 작고 약하고 순하고 애처로운 속성을 지닌다. 그런 점에서 백석이 동질감을 느끼고 애호하는 대상이 된 것이다.

그러면 프랑시스 쟘과 도연명, 라이너 마리아 릴케는 어떠한가? 프랑시스 잠과 라이너 마리아 릴케는 이 시에 유일하게 등장하는 인물이며, 도연명은 같은 시기의 작품인 「조당에서」에도 이름이 등장하고 이보다 조금 앞서 발표한 「수박씨, 호박씨」에 '오두미五斗米를 버리고 버드나무 아래로 돌아온 사람'이라는 구절에 그 인물이 암시된다. 도연명은 다섯 말 쌀의 봉급을 받는 하위 관직을 버리고 향리의 전원으로 퇴거하는 내용의 「귀거래사」를 지은 시인이며 문 앞에 다섯 그루의 버드나무를 심어 놓고 즐겼다 하여 오류선생五柳先生이라고도 불렸다. 요컨대 도연명은 관직을 버리고 전원의 소박한 삶을 택한 시인이니 "외롭고 높고 쓸쓸한" 삶을 살았다고 볼 수 있다. 프랑시스 잠 역시 전원의 소박한 삶을 즐기며 거기서 우러난 때 묻지 않은 시정을 펼쳐 냈으니 그런 삶의 표상으로 삼을 만하다.

라이너 마리아 릴케는 체코(당시는 보헤미아)의 프라하 출생의 시인으로 9세 때 양친이 이혼하여 아버지 밑에서 고독한 성장 과정을 거쳤다. 아버지의 뜻에 의해 육군군사학교에 입학했으나 병약하고 시인 기질이 농후하던 릴케는 결국 학업을 중도에 포기하고 프라하 대학에서 문학 수업을 받았다. 한때 파리로 가 조각가 로댕의 비서로 일하기도 했으나 40대 중반 이후에는 스위스 산중의 성에 기거하며 외부와 단절된 상태에서 고독한 집필 생활을 하다가 1926년 패혈증으로 51세의 나이로 타계했다. 이로 볼 때 평생 병약한 몸으로 고통에 시달리며 고독 속에 독특한 시 세계를 구축해 갔던 릴케 역시 "외롭고 높고 쓸쓸한" 시인의 표상으로 삼을 만하다.

국내 거주기의 작품에는 나오지 않던 외국 시인의 이름이 등장하는 것도 이채롭지만 그들을 자신과 동질적인 인물로 제시하고 있는 것도 특이한 일이다. 「허준」에 외국의 소설가인 도스토예프스키와 제임스 조이스가 언급되고 이 시에 프랑시스 쟘과 라이너 마리아 릴케가 언급되고 있는 것을 볼 때, 만주의 유랑 생활 속에서도 백석은 문학과 관련된 서적을 꾸준히 읽었으며 그것을 자신의 문학적 자양으로 활용했음을 짐작할 수 있다.

촌에서 온 아이

촌에서 온 아이여

촌에서 어젯밤에 승합자동차를 타고 온 아이여

이렇게 추운데 윗동에 무슨 두렁이 같은 것을 하나 걸치고 아랫

도리는 쪽 발가벗은 아이여

볼따구에는 징기징기 앙괭이를 그리고 머리칼이 노란 아이여

힘을 쓰려고 벌써부터 두 다리가 푸둥푸둥하니 살이 찐 아이여

너는 오늘 아침 무엇에 놀라서 우는구나

분명코 무슨 거짓되고 쓸데없는 것에 놀라서

그것이 네 맑고 참된 마음에 분해서 우는구나

이 집에 있는 다른 많은 아이들이

모두들 욕심 사납게 지게굳게 일부러 청을 돋쳐서*

어린아이들치고는 너무나 큰 소리로 너무나 튀겁 많은 소리로 울

어 대는데

너만은 타고난 그 외마디소리로 스스로웁게 삼가면서 우는구나

네 소리는 조금 썩심하니 쉬인 듯도 하다

네 소리에 내 마음은 반끗이 밝아 오고 또 호끈히 더워 오고 그리

---

* '돋워서'가 표준어지만 음감을 고려하여 이렇게 적는다.

고 즐거워 온다

　나는 너를 껴안아 올려서 네 머리를 쓰다듬고 힘껏 네 작은 손을
쥐고 흔들고 싶다

　네 소리에 나는 촌 농삿집의 저녁을 짓는 때

　나주볕이 가득 드리운 밝은 방 안에 혼자 앉아서

　실감기며 버선짝을 가지고 쓰렁쓰렁 노는 아이를 생각한다

　또 여름날 낮 기운 때 어른들이 모두 벌에 나가고 텅 비인 집 토
방에서

　햇강아지의 쌀랑대는 성화를 받아 가며 닭의 똥을 주워 먹는 아
이를 생각한다

　촌에서 와서 오늘 아침 무엇이 분해서 우는 아이여

　너는 분명히 하늘이 사랑하는 시인이나 농사꾼이 될 것이로다

—『문장』 3권 4호, 1941. 4.

- **두렁이**: 어린아이를 둘러업게 만든 치마 모양의 말기와 띠가 달린 포대기.
- **앙괭이**: 원래는 "음력 섣달 그믐날 밤에, 잠을 자는 사람의 얼굴에 먹이나 검정으로 함부로 그려 놓는 것"을 뜻한다. 여기서는 얼굴에 땟자국이 검게 얼룩져 있는 것을 말한다.
- **지게굳게**: 고집스럽게. 성질이 싹싹하지 못하고 검질기며 고집이 세어서 남의 말을 잘 듣지 아니하여서.
- **청을 돋쳐서**: 목청을 높여서.

- **튀겁 많은**: 겁 많은. 취겁脆怯(약하고 겁이 많음)이란 말에서 왔을 것이다.
- **썩심하니**: 썩쉼하니. 목소리가 웅숭깊고 쉰 듯한.
- **반끗이**: "닫혀 있던 입이나 문 따위가 소리 없이 살그머니 열리는 모양"을 '방끗이'라고 한다. 여기서는 마음이 열리는 것을 의미한다.
- **호끈히**: 작은 것이 뜨거운 기운을 받아 갑자기 조금 달아올라. '후끈히'보다 느낌이 작은 말.
- **나주볕**: 저녁의 방언이 '나조'이므로 '저녁볕'을 뜻한다.
- **실감기**: 실감개. 실을 감아 두는 물건.

———

　백석의 약자에 대한 연민은 「여승」, 「수라」, 「노루」, 「팔원」 등의 시에 이미 표출된 바 있다. 이 시도 무엇에 놀라 울음을 터뜨린 가난한 집의 아이를 보고 떠오른 착잡한 심정을 정리한 것이다. 백석은 이 아이를 처음부터 "촌에서 온 아이"라고 지칭하며 관심을 보인다. 말하자면 어느 먼 벽촌에서 신찡新京 같은 큰 도시로 와서 환경의 변화 때문에, 혹은 누군가의 놀림을 받고 우는 것이라고 짐작한 것이다. 어쩌면 이 아이에게서 「팔원」에 나왔던 그 여자아이의 가엾은 영상이 겹쳐졌는지도 모른다. "승합자동차"라는 소재를 일부러 제시한 것도 그와 관련이 있을 것이다. 얼굴에는 땟국이 검게 얼룩져 있고 추운 날씨인데도 윗동아리에만 두렁이 같은 옷을 걸친 아이의 발가벗은 두 다리는 그래도 촌에서 잘 뛰어다녔는지 푸둥푸둥 살이 붙은 것이 힘을 쓸 것도 같다. 외형으로 볼 때 돌보는 사람이 없는 것 같은 이 아이에게 화자는 연민을 느끼면서도 한편으로는 미묘한 신뢰의 눈길을 보내는데, 나중에는 이 아이가 "하늘이 사랑하는 시인"이 될 것이라는 말로 마음의 위안을 삼는다.

그러면 화자가 이 아이에게 이렇게 관심과 애정을 갖게 된 이유는 무엇인가? 그것은 이 아이의 우는 모습이 독특했기 때문이다. 다른 아이들은 모두들 "욕심 사납게 지게궂게" 일부러 목청을 높여서 어린아이들치고는 너무나 큰 소리로 자신의 나약함을 과장해서 우는데, 이 아이는 유독 "타고난 그 외마디소리로 스스로웁게 삼가면서 우는" 모습을 보인 것이다. 화자는 이렇게 스스로 삼가며 우는 그 절제의 자세를 대견스럽게 본 것이고, 그래서 이 아이가 우는 것도 분명 어떤 거짓된 것에 놀라서 "네 맑고 참된 마음에 분해서" 운다고 판단하였다. 이것은 물론 시인의 주관적 판단이지만, 도시의 비겁하고 연약한 아이와는 다른 내면의 강인함에 호감을 느낀 것은 분명하다. 그래서 "반끗이 밝아오고" "호끈히 더워오고" "즐거워온다"는 반복적 어구를 통해 자신이 나타낼 수 있는 최대의 공감을 표현하고 있다.

그런데 내성적인 백석은 그 아이에 대한 관심은 지니고 있지만 구체적인 행동을 보이지는 않았다. "너를 껴안아 올려서 네 머리를 쓰다듬고 힘껏 네 작은 손을 쥐고 흔들고 싶다"라고 말했을 뿐 그것을 실행한 것 같지는 않다. 이어서 그가 서술한 내용은 농촌의 평범한 아이가 한가하고 자유롭게 노는 모습인데, 자신의 어린 시절 모습을 회상한 것 같기도 하다. 그렇게 조금은 안쓰럽기도 하고 천진난만한 농촌 아이의 모습을 보여 주면서 지금 무엇이 분해서 우는 아이가 하늘이 사랑하는 시인이나 농사꾼이 될 것이라는 말로 시를 종결지었다. 이 대목에서 백석이 이 아이를 자신과 동일화하고 있음이 드러난다. "무엇이 분해서 우는 아이"는 결국 자신의 분신인 것이다. 거짓되고 속된 세상을 "맑고 참된 마음"을 지니고 살아간다는 사실이 정말 분했던 것일까? 그래서 아이처럼 웅숭깊고 쉰 듯한 목소리로 한바탕 울고 싶었던 것일까?

　그래도 백석은 스스로 시인이라는 생각에 고고한 자존의 의지로 위안을 얻었던 것 같다. 그런데 이 아이가 정말 시인이 될 수 있을까? 시골에서 버선짝이나 가지고 놀고 닭의 똥이나 주워 먹던 아이가 도시에 와서 시인이 될 수 있을까? 다시 시골로 돌아가 농사를 짓는 것이 더 어울리는 일이 아닐까? 그래서 백석은 시인과 농사꾼을 동일선상에 놓고 시행의 마무리를 지었을 것이다. 어쩌면 이 시기에 「귀농」의 내용처럼 만주인 지주에게 땅을 얻어 농사를 짓고 있었는지도 모른다. 어떻든 현실 생활에서 느낀 백석의 좌절감과 이질감이 이 시의 창작을 유도했다는 점은 충분히 짐작할 수 있다.

조당澡塘에서

  나는 지나支那 나라 사람들과 같이 목욕을 한다

  무슨 은殷이며 상商이며 월越이며 하는 나라 사람들의 후손들과
같이

  한 물통 안에 들어 목욕을 한다

  서로 나라가 다른 사람인데

  다들 쪽 발가벗고 같이 물에 몸을 녹이고 있는 것은

  대대로 조상도 서로 모르고 말도 제가끔 틀리고 먹고 입는 것도
모두 다른데

  이렇게 발가들 벗고 한 물에 몸을 씻는 것은

  생각하면 쓸쓸한 일이다

  이 딴 나라 사람들이 모두 이마들이 번번하니 넓고 눈은 컴컴하
니 흐리고

  그리고 길즛한 다리에 모두 민숭민숭하니 다리털이 없는 것이

  이것이 나는 왜 자꾸 슬퍼지는 것일까

  그런데 저기 나무판장에 반쯤 나가 누워서

  나주볕을 한없이 바라보며 혼자 무엇을 즐기는 듯한 목이 긴 사
람은

  도연명은 저러한 사람이었을 것이고

또 여기 더운물에 뛰어들며

무슨 물새처럼 악악 소리를 지르는 삐삐 파리한 사람은

양자楊子라는 사람은 아무래도 이와 같았을 것만 같다

나는 시방 옛날 진晉이라는 나라나 위衞라는 나라에 와서

내가 좋아하는 사람들을 만나는 것만 같다

이리하여 어쩐지 내 마음은 갑자기 반가워지나

그러나 나는 조금 무서웁고 외로워진다

그런데 참으로 그 은殷이며 상商이며 월越이며 위衞며 진晉이며 하
는 나라 사람들의 이 후손들은

얼마나 마음이 한가하고 게으른가

더운물에 몸을 불키거나* 때를 밀거나 하는 것도 잊어버리고

제 배꼽을 들여다보거나 남의 낯을 쳐다보거나 하는 것인데

이러면서 그 무슨 제비의 춤**이라는 연소탕燕巢湯이 맛도 있는
것과

또 어느 바루 새악시가 곱기도 한 것 같은 것을 생각하는 것일 것
인데

나는 이렇게 한가하고 게으르고 그러면서 목숨이라든가 인생이
라든가 하는 것을 정말 사랑할 줄 아는

그 오래고 깊은 마음들이 참으로 좋고 우러러진다

그러나 나라가 서로 다른 사람들이

글쎄 어린아이들도 아닌데 쪽 발가벗고 있는 것은

* '불리거나'의 방언으로 보고 그대로 적는다.
** '침'의 방언으로 보고 그대로 적는다.

어쩐지 조금 우스웁기도 하다

−『인문평론』 3권 3호, 1941. 4.

———

- **조당澡塘**: 여러 사람이 함께 사용하는 욕조. 공중목욕탕.
- **지나支那**: 중국의 다른 명칭. China라는 말도 여기서 유래했다.
- **은殷, 상商, 월越**: 중국 고대 국가의 이름.
- **나주볕**: 저녁볕.
- **양자楊子**: 춘추전국시대 제자백가의 한 사람. 위아설爲我說을 주장했다.
- **어느 바루**: 어느 곳. '바루'는 "일정한 방향이나 장소를 나타내는" 방언이다.

———

이 시 역시 1941년 4월 『인문평론』지에 「두보나 이백같이」와 함께 발표된 작품이다. 그러니까 이 시기에 백석은 『문장』에 세 편, 『인문평론』에 두 편, 『조광』에 「귀농」 한 편 등 전부 여섯 편의 작품을 한꺼번에 발표한 것이다. 이 시는 묘하게도 공중목욕탕을 배경으로 다른 나라 사람들과 함께 목욕을 하며 느끼는 미묘한 이중적 감정을 나타내고 있다. 첫 행의 "나는 지나 사람들과 같이 목욕을 한다"라든가 그 다음 행의 "은이며 상이며 월이며 하는 나라 사람들의 후손들과 같이 한 물통 안에 들어"라는 구절이 바로 이질감과 동질감을 함께 느끼는 이중적 반응을 단적으로 드러낸다. "나"는 한국인이고 중국인들과

"다른 나라" 사람인데 그들과 "같이" 목욕을 한다는 사실을 부각하고 있다.

만주 거주 시기에 백석이 역사에 대한 탐구를 지속했다는 지적은 앞에서도 여러 차례 했다. 여기에서 은, 상, 월 등의 나라 이름을 열거하고 도연명과 양자의 이름을 거론하는 것도 그러한 관심이 반영된 것이다. 같은 중국 땅에 살고 있지만 나라의 기원을 따지면 상나라와 월나라가 다르고 조선이라는 나라도 다르다. 서로 다른 혈통과 가계를 지니고 있는데 목욕탕에 모여 이렇게 발가벗고 욕조에 함께 몸을 담그고 있는 것을 화자는 "쓸쓸한" 일이라고 하고 그들과 이질감을 느끼는 것이 자꾸 슬퍼진다고 고백한다. 그 슬픔은 어디서 오는 것일까? 조선 땅에서 태어나 우여곡절 끝에 만주로 흘러와 거기서 이질적인 종족들과 발가벗고 한 공간에 있다는 사실이 미묘한 비애감을 불러일으켰을 것이다. 화자는 다소 기묘하게 보이는 다른 나라 사람들을 조심스럽게 관찰해 본다.

도연명은 앞의 시편에도 여러 번 나왔지만, 하급 관리직을 내던지고 고향에 돌아가 전원생활의 소박함을 즐긴 사람이다. 나무판장에 누워 저녁 볕살을 즐기면서 사색에 잠긴 듯한 표정을 짓는 사람을 보고 도연명이 저렇지 않았을까 생각해 본다. 그런가 하면 더운물에 뛰어들며 마음대로 소리를 지르는 빼빼 마른 사람을 보고는 양자라는 인물을 떠올린다. 양자는 양주楊朱라고도 하는데 춘추전국 시대인 기원전 5세기에서 4세기에 걸쳐 활동한 제자백가의 한 사람이다. 그의 사상은 기록으로 남아 있지 않으나 맹자가 격렬하게 비판한 것으로 볼 때 묵자의 겸애설과 더불어 4세기에 상당한 위세를 떨쳤던 것 같다. 양자는 '각자 자신만을 위한다'는 위아설爲我說을 제창했는데, "털 하나를 뽑아 온 천하가 이롭게 된다 하더라도 그렇게 하지 않는다(拔一毛而利天下不爲)"라는 말을 들어 맹자는 양자의 이기주의를 비판했다. 백석은 여러 사람이 함께 목욕하는 공중목욕탕에서 남을 아랑곳하지 않고 혼자 소리를 지르는 빼빼 마른 사람에게서 위아설을 주장한 양자의 이미지를 떠올리고 유머러스하게 표현한 것이다.

그다음에 펼쳐지는 생각은 처음에 가졌던 생각의 반복이다. 즉 그 사람들에게 호감을 느끼고 반가운 마음을 갖다가도 "조금 무섭고 외로워진다"라고 고백하는가 하면, 그 사람들의 깊은 마음이 우러러보인다고 하다가 결국에는 서로 다른 사람들이 함께 목욕하는 것이 우습게 여겨진다는 말로 시를 끝맺고 있다. 만주에 와서 백석은 새로운 문화를 접하면서 다양한 체험을 했을 것이고, 그러는 가운데 여러 유형의 사람들과 접촉하게 되었을 것이다. 그중에는 기쁨을 준 사람도 있었을 것이고 이질감을 느끼게 한 사람도 있었을 것이다. 어떤 경우 백석을 겁먹게 하거나 두려움을 갖게 하여 외로움을 심화시키고 마음에 상처를 준 사람도 있었을 것이다. 그럭저럭 일 년이 넘는 체류 기간을 보내면서 백석은 만주 생활에 동화되어 간다는 친화감을 느끼는 한편 그들과 자신이 결코 동화될 수 없는 이민족이라는 위화감도 느꼈을 것이다. 그러한 착잡한 심정이 목욕탕이라는 특이한 공간을 매개로 표현된 것이 바로 이 작품이다. 그런 점에서 이 시는 앞의 「흰 바람벽이 있어」와 더불어 이 시절 그의 내면을 솔직하게 드러낸 작품으로 이해할 수 있다.

두보나 이백같이

오늘은 정월 보름이다

대보름 명절인데

나는 멀리 고향을 나서 남의 나라 쓸쓸한 객고에 있는 신세로다

옛날 두보나 이백 같은 이 나라의 시인도

먼 타관에 나서 이날을 맞은 일이 있었을 것이다

오늘 고향의 내 집에 있는다면

새 옷을 입고 새 신도 신고 떡과 고기도 억병 먹고

일가친척들과 서로 모여 즐거이 웃음으로 지낼 것이언만

나는 오늘 때 묻은 입던 옷에 마른물고기 한 토막으로

혼자 외로이 앉아 이것저것 쓸쓸한 생각을 하는 것이다

옛날 그 두보나 이백 같은 이 나라의 시인도

이날 이렇게 마른물고기 한 토막으로 외로이 쓸쓸한 생각을 한
적도 있었을 것이다

나는 이제 어느 먼 외진 거리에 한 고향 사람의 조그마한 가업집
이 있는 것을 생각하고

이 집에 가서 그 맛스러운 떡국이라도 한 그릇 사 먹으리라 한다

우리네 조상들이 먼먼 옛날로부터 대대로 이날엔 으레이 그러하
며 오듯이

먼 타관에 난 그 두보나 이백 같은 이 나라의 시인도

이날은 그 어느 한 고향 사람의 주막이나 반관飯館을 찾아가서

그 조상들이 대대로 하던 본대로 원소元脅라는 떡을 입에 대며

스스로 마음을 느꾸어 위안하지 않았을 것인가

그러면서 이 마음이 맑은 옛 시인들은

먼 훗날 그들의 먼 훗자손들도

그들의 본을 따서 이날에는 원소를 먹을 것을

외로이 타관에 나서도 이 원소를 먹을 것을 생각하며

그들이 아득하니 슬펐을 듯이

나도 떡국을 놓고 아득하니 슬플 것이로다

아, 이 정월 대보름 명절인데

거리에는 오독독이 탕탕 터지고 호궁胡弓 소리 뻴뻴 높아서

내 쓸쓸한 마음엔 자꾸 이 나라의 옛 시인들이 그들의 쓸쓸한 마음들이 생각난다

내 쓸쓸한 마음은 아마 두보나 이백 같은 사람들의 마음인지도 모를 것이다

아무려나 이것은 옛투의 쓸쓸한 마음이다

-『인문평론』3권 3호, 1941. 4.

- **객고**: 객지에서 겪는 고생.
- **억병**: 엄청나게 많이.
- **가업집**: 음식을 만들어 파는 집.
- **반관飯館**: 음식점.
- **본대로**: (본래의) 모습대로.
- **원소元宵**: 음력 정월 보름날을 원소라고 하는데 이날 먹는 떡도 원소라고 한다.
- **느꾸어**: 느긋하게 하여. 긴장이나 흥분을 풀어.
- **오독독이**: 일종의 폭죽놀이.
- **호궁胡弓**: 바이올린 비슷한 중국의 현악기.
- **옛투의**: 옛날 방식의.

—

객지에서 혼자 정월 대보름 명절을 맞는 백석의 쓸쓸한 마음이 잘 드러난 작품이다. 앞의 시 「조당에서」는 목욕탕에 발가벗고 같이 앉아 있는 사람들과 동화될 수 있을 것 같은 예감을 드러냈으나, 여기서는 모든 사람들이 즐겁게 노니는 명절에 오히려 생활과 풍속의 이질감을 느끼며 객수에 잠기게 되는 심정을 노래했다. 조국과 멀리 떨어진 타향에서 국외자로서의 소외감을 덜어 내기 위해서는 무언가 동질적인 대상을 찾아 마음의 위안을 얻을 수밖에 없었을 텐데, 그 대상으로 떠오른 인물이 두보나 이백 같은 시인이다. 백석이 시인이었기에 이 두 시인의 이름을 떠올렸을 것이다.

중국 사람들이 모두 천재적인 일급의 시인으로 떠받드는 이 두 시인은 공교롭게도 유랑과 편력으로 이어진 불행한 삶을 살았으며 낮선 객지에서 세상을 떠났다. 가난과 병고로 생을 끝마친 이 두 시인의 시는 인간의 마음을 깊이 울리는 최고의 절창으로 남아 있다. 백석은 자신의 시가 두보나 이백에 이른다는 말은 하지 않고 가난하지만 고고하게(높고 쓸쓸하게) 세상을 살아가는 자신의 모습 어딘가가 이 두 시인과 통하지 않겠느냐고 자기 위안의 심정을 펼쳐 내고 있다.

두 시인과 통하게 되는 매개물로 설정한 것이 두 가지인데 하나는 그들과 자신의 유랑의 삶이고 또 하나는 떡국과 원소라는 음식의 동질성이다. 자신이 고향을 떠나 타관에서 명절을 보내는 것처럼 그들도 오랜 유랑 생활을 했으니 "두보나 이백 같은 이 나라의 시인도/먼 타관에 나서 이날을 맞은 일이 있었을 것"이라는 생각으로 마음의 공감을 확인하고 위안을 얻고자 한다. 또 중국 사람들은 대보름날 원소라는 떡을 해 먹는데, 자신은 그 대신에 같은 고향 사람이 하는 조그만 가업집에 가서 떡국을 사 먹을 것을 생각한다. 그러면서 자신이 객지에서 외롭게 떡국을 사 먹듯이 저 옛날 두보나 이백 같은 시인도 역시 객지에 나가 명절을 맞으며 원소를 사 먹었으리라 생각한다. 말하자면 그들의 행동이나 나의 행동이나 고향을 생각하며 외로움을 달랜다는 점에서는 같은 것이며 이것은 매우 오랜 역사적 유래를 지닌 방법이라고 생각하는 것이다. "이것은 옛투의 쓸쓸한 마음"이라는 말은 이 위안의 방법이 지닌 역사적 연속성을 드러낸다.

그런데 백석은 한 고향 사람의 가업집이 "어느 먼 외진 거리"에 있는 "조그마한" 집이라고 했다. 백석은 세속의 현실을 부정적으로 대하기 때문에 그것과 거리를 두는 것이 가치 있다고 생각한다. 현실과 타협하고 살아가는 사람들은 늘 돈도 있고 세상을 즐겁게 살아간다.

그러나 "마음이 맑은 옛 시인들"처럼 현실과 어울리지 못하는 사람들은 늘 가난과 유랑 속에 어느 먼 외진 거리를 조그마한 모습으로 지나가게 되어 있다. 백석의 의식 속에는 자신도 모르는 사이에 이러한 이분법이 선명하게 형성되었다. 그래서 그가 가치 있게 생각하는 대상들은 어느 먼 외진 곳에, 혹은 아주 오랜 과거의 시간 속에 외롭고 높고 쓸쓸한 모습으로 자리 잡게 된 것이다.

산山

머리 빗기가 싫다면
이가 들고 나서
머리채를 끄을고 오른다는
산이 있었다.

산 너머는
겨드랑이에 깃이 돋아서 장수가 된다는
떠꺼머리총각들이 살아서
색시 처녀들을 잘도 업어 간다고 했다
산마루에 서면
멀리 언제나 늘 그물그물
그늘만 친 건넌산*에서
벼락을 맞아 바윗돌이 되었다는
큰 땅꽹이 한 마리
수염을 뻗치고 건너다보는 것이 무서웠다

---

* '건넛산'의 북한어로 사전에 등재되어 있다.

그래도 그 수영꽃 진달래 빨가니 핀 꽃바위 너머

산잔등에는 가지취 뻐꾹채 게루기 고사리 산나물판

산나물 냄새 물씬물씬 나는데

나는 복작노루를 따라 뛰었다.

─『새한민보』 1권 14호, 1947. 11.

- **땅괭이:** 살쾡이.
- **수영꽃:** 마디풀과의 여러해살이풀. 작은 연분홍 꽃이 촘촘히 핀다.
- **뻐꾹채:** 국화과의 여러해살이풀.
- **게루기:** 게로기. '모싯대'라는 식물로 초롱꽃과의 여러해살이풀. 산지에 저절로 나며 어린 잎과 뿌리는 식용한다.
- **복작노루:** 고라니. 노루의 일종으로 몸의 길이는 90센티미터 정도로 작으며, 암수 모두 뿔이 없다.

백석의 해방 후 발표작으로, 다른 발표작이 발표하게 된 경위를 밝히고 있는 데 비해 이 시는 그런 단서 없이 발표되었다. 전체적으로 산과 관련된 이야기들이 재미있게 나열되고 있지만 작품의 짜임새는 정돈되지 못한 상태다. 혹시 다른 작품처럼 허준이 갖고 있던 작품을 임의로 발표한 것인지도 모른다. 각 연은 서로 다른 이야기를 하고 있는데, 1연과 2연은 산에 대한 거리감을 불러일으키는 내용이고 3연은

산과의 천진한 동화감을 나타낸 내용으로 되어 있어서 생각의 흐름은 이어지고 있다.

1연에 나오는 이야기는 상당한 과장이 섞인 내용으로 이러한 이야기가 민간에 실제로 구전되었는지는 확인할 수 없다. 요즘에는 거의 볼 수 없지만 위생 상태가 좋지 않았던 옛날에는 사람 몸에 이나 빈대 같은 작은 곤충이 기생하며 피를 빨아 먹었다. 그중에 머리에 기생하는 머릿니를 없애기 위해서는 촘촘한 참빗으로 머리를 자주 빗어 떨어 내야 했다. 그런데 머리 빗기를 싫어하면 이가 많이 퍼질 것이니 그럴 때에는 아예 머리채를 끌고 산으로 올라가겠다는 것이다. 어린 애들에게 겁을 주기 위해 그런 말을 농담처럼 지어냈을 터인데 왜 그런 이야기를 산에 대한 시의 첫머리에 제시한 것인지 알 수 없다. 설화의 세계로 들어가기 위한 흥미 유인의 방법이라고 이해할 수는 있겠다.

2연에는 산과 관련된 무서운 설화를 이야기하고 실제로 연의 끝부분을 "무서웠다"라는 말로 끝맺었다. 아기장수 설화가 먼저 잠깐 소개되었다. 산골에 태어난 어떤 아이가 겨드랑이에 날개가 돋아나는 것을 보고, 가난한 평민 가운데 장수가 나면 결국 역적이 될 것이라고 두려워하여 그 아이를 돌로 눌러 죽였다는 이야기다. 그 설화를 제대로 전하지 않고 젊은 처녀를 업어 간다는 떠꺼머리총각에 그 이야기를 접합시켰다. 떠꺼머리총각들이 젊은 처녀를 납치해 가지만 그 총각들은 겨드랑이에 날개가 돋아 장수가 된다 하더라도 죽음을 면치 못할 것이다. 무엇이 뛰쳐나올지 모르는 산은 그렇게 두려운 대상이다. 그 무서운 산마루에 서서 가물가물 그늘이 쳐 있는 것처럼 보이는 건넛산을 바라보면 커다란 바윗돌이 보이는데, 그 바윗돌이 사실은 큰 살쾡이 한 마리가 벼락을 맞아 굳어진 것이라는 전설이 전해진다. 그래서 그 바윗돌을 보면 정말로 큰 살쾡이 한 마리가 수염을 뻗치고 건너다보는 것 같은 느낌이 들어 무서웠다는 것이다.

이렇게 두려운 설화로 윤색된 산이지만 봄이 되면 바위 주변에 온갖 꽃이 붉게 피어나고 산등성이에는 온갖 나물이 돋아나서 사람들을 유혹한다. 그렇게 산나물 냄새 물씬물씬 풍기는 봄이 오면 노루나 고라니도 기운이 나서 산등성이를 넘어 뛰어다닌다. 그렇게 만물이 생동하는 봄에는 자신도 산에 대한 두려움을 잊고 복작노루를 따라 뛰었다는 것이다.

이렇게 보면, 1연은 사람들이 하는 어처구니없는 농담으로 산에 흥미를 갖게 하고, 2연에서는 산에 대한 무서운 이야기를 열거하여 거리감을 갖게 한 다음, 3연에서 그렇게 무서운 산이지만 봄이 되면 모든 두려움을 잊고 산과 하나가 된다는 변화의 시상이 전개된 것으로 읽을 수 있다. 그러한 해석의 단서를 제공해 주는 것이 3연 서두에 놓인 "그래도"라는 시어다. 수염을 뻗치고 바라보는 큰 살쾡이 같은 바윗돌이 자리 잡은 산이지만 봄이 되면 그것은 아름다운 꽃바위로 변하고 그 주변에는 향기로운 나물판이 벌어지며 순하디순한 복작노루가 뛰어다니는 평화와 축제의 공간이 되는 것이다.

적막강산

오이밭에 벌배채 통이 지는 때는
산에 오면 산 소리
벌로 오면 벌 소리

산에 오면
큰솔밭에 뻐꾸기 소리
잔솔밭에 덜거기 소리

벌로 오면
논두렁에 물닭의 소리
갈밭에 갈새 소리

산으로 오면 산이 들썩 산 소리 속에 나 홀로
벌로 오면 벌이 들썩 벌 소리 속에 나 홀로

정주 동림 구십여 리 긴긴 하룻길에
산에 오면 산 소리 벌에 오면 벌 소리
적막강산에 나는 있노라

이 원고는 내가 이전에 가지고 있던 것이다. …… 허준

—『신천지』2권 10호, 1947. 12.

———

- **벌배채:** 막 자란 배추. '벌'은 '일정한 테두리를 벗어난'의 뜻을 더하는 접두사. '배채'는 '배추'의 방언.
- **통이 지는 때:** 배추의 속살이 충실히 들어차는 때.
- **덜거기:** '수펑'의 방언. 「월림장」에도 나오는 시어이다.
- **갈새:** 개개비. 「늙은 갈대의 독백」에도 나오는 시어이다.
- **동림:** 평안북도 선천군 심천면에 있는 마을. 지금은 동림군 동림읍으로 편제되어 있다. 정주와 동림의 거리가 90여 리라고 했으니 40킬로미터쯤 떨어진 곳이다.

———

이 시는 참으로 묘한 시다. 처음에는 민요의 가락을 연상시키는 흥겨운 율동감으로 시상을 이끌어 가다가 뒤에 가서 갑자기 외로움을 토로하면서 적막강산에 놓여 있다고 말하는 것으로 끝을 낸다. "오이 밭에 벌배채"가 자란다고 했으니 이 배추는 여름에 오이를 수확할 때쯤 씨를 뿌려 재배한 것이다. 거의 야생에 가깝게 막 자란 배추인데 그래도 가을빛이 짙어지면 속살이 충실히 들어차게 된다. 그런 계절적 상황을 이야기한 다음에 백석은 "소리"라는 시어를 반복하며 자연의 여러 가지 소리를 흥겹게 전달한다. 산에는 산에 맞는 소리가 끊임

없이 들려오고 들에는 들에 맞는 소리가 연속해서 들려온다고 그의 장기인 열거의 대구의 방법으로 재미있게 소리를 열거했다.

백석이 소개한 소리는 뻐꾸기 소리, 장끼(덜거기) 소리, 물닭의 소리, 개개비 소리 등이다. 이러한 여러 가지 소리가 들리기 때문에 "산으로 오면 산이 들썩" 하고 "벌로 오면 벌이 들썩"할 정도라고 했다. 이렇게 천지를 들썩거리는 갖가지 자연의 소리가 들리지만 자신은 그 소리에 동화되지 못하고 적막강산에 홀로 있다고 했다. 그 이유는 무엇일까? 그 단서로 제시된 것이 "정주 동림 구십여 리 긴긴 하룻길"이라는 한 시행이다. 이 시행에 무슨 사연이 있는 것일까?

이전에 가지고 있던 원고를 발표한다는 허준의 말에서 그 '전'이 어느 시점을 말하는지는 분명치 않다. 류순태는 "동림"이 신의주와 정주 사이에 있는 지명이라는 점에 착안하여 백석이 해방을 맞아 신의주에서 정주로 돌아가던 1945년 후반의 작품으로 추정했다.[*] 물론 그렇게 볼 수도 있을 것이다. 그런데 1948년 5월에 발표된 「마을은 맨천 구신이 돼서」의 작품 끝에는 "이 시는 전쟁 전부터 시인이 하나둘 써 놓았던 작품들 중의 하나로 우연히도 내가 보관하여 두었던 것이다"라는 단서가 붙어 있다. 여기서의 '전쟁'은 1941년 12월 일본이 미국의 진주만을 기습함으로써 일어난 태평양전쟁을 가리킨다. 이것으로 미루어 보면 이 시도 해방 전 잠시 귀국하여 정주에서 동림을 향해 갈 때의 심회를 써 둔 작품일 수 있다.

어떤 경우든 정주와 동림 사이 90여 리 길을 혼자 가면서 산과 들

---

[*] 최동호 외, 『백석 시 읽기의 즐거움』, 서정시학, 2006, 322쪽.

을 거칠 때 온갖 자연물의 소리를 듣고 산천이 들썩 들리는 듯한 느낌을 받았지만, 자신은 홀로 있고 자신을 둘러싼 자연은 적막강산에 해당한다고 단언했다. "적막강산에 나는 있노라"라는 마지막 시행은 더 이상의 수식이나 부연을 허락하지 않는 냉정한 선언처럼 들린다. 이 시구가 인상적이어서 그런지 이 구절은 이병주의 소설에 세 차례 인용되기도 했다.* 이 시기에 어떠한 사정이 있었던 것인지는 알 수 없으나 백석은 세상과의 거리감을 느끼고 자신의 소외감을 단적으로 표현했다. "정주 동림 구십여 리"라는 구체적 장소의 현실감 속에서도 그 소외감은 변함이 없었다.

---

* 정호웅, 「한국 현대소설에서의 백석 수용」, 『구보학보』 31집, 2022. 8, 395~399쪽.

마을은 맨천 귀신이 돼서

나는 이 마을에 태어나기가 잘못이다

마을은 맨천 귀신이 돼서

나는 무서워 오력을 펼 수 없다

자 방안에는 성주님

나는 성주님이 무서워 토방으로 나오면 토방에는 지운귀신

나는 무서워 부엌으로 들어가면 부엌에는 부뚜막에 조왕님

나는 뛰쳐나와 얼른 고방으로 숨어 버리면 고방에는 또 시렁에
제석님

나는 이번에는 굴통 모퉁이로 달아 가는데 굴통에는 굴때장군

얼혼이 나서 뒤울안으로 가면 뒤울안에는 곱새녕 아래 철릉귀신

나는 이제는 할 수 없이 대문을 열고 나가려는데 대문간에는 근
력 세인 수문장

나는 겨우 대문을 삐쳐나 바깥으로 나와서

밭 마당귀 연자간 앞을 지나가는데 연자간에는 또 연자망귀신

나는 고만 기겁을 하여 큰 행길로 나서서 마음 놓고 화리서리 걸
어가다 보니

아아 말 마라 내 발뒤축에는 오나가나 묻어다니는 달걀귀신
마을은 온 데 간 데 귀신이 돼서 나는 아무 데도 갈 수 없다

(이 시는 전쟁 전부터 시인이 하나둘 써 놓았던 작품들 중의
하나로, 우연히도 내가 보관하여 두었던 것이다. ─ 허준)

─『신세대』 3권 3호, 1948. 5.

─

- **맨천**: 사방四方. 이곳저곳 가릴 것 없이 모든 곳.
- **오력**: 오금. 무릎의 구부러지는 오목한 안쪽 부분.
- **성주님**: 가정에서 모시는 신의 하나. 집의 건물을 수호하며, 가신家神 가운데 맨 윗자리를 차지한다.
- **지운귀신**: 땅의 운수를 맡아본다는 민간의 속신.
- **조왕님**: 부엌을 맡은 신. 부엌에 있으며 모든 길흉을 판단한다.
- **제석님**: 제석신帝釋神. 민간신앙에서 무당이 모시는 열두 명의 신. 집안 사람들의 수명, 곡물, 의류, 화복 등에 관한 일을 맡아본다. 「목구」에도 나오는 시어다.
- **굴통**: 굴뚝.
- **굴때장군**: 굴뚝을 주관하는 신. 그래서 키가 크고 살갗이 검은 사람이나 옷이 시커멓게 된 사람을 놀림조로 '굴때장군'이라고 했다.
- **얼혼이 나서**: 얼이 빠져서.
- **곱새녕**: '곱새'는 "초가의 지붕마루에 덮는 'ㅅ' 자형으로 엮은 이엉"을 말하고, '녕'은 '지붕'의 방언이다. 이엉을 얹은 지붕이니 초가 지붕을 말한다.
- **철룽귀신**: 철륭귀신. 집터와 장독대를 관장하는 신.
- **근력 세인**: 힘이 센.
- **연자망귀신**: 연자간을 맡아 다스리는 귀신. '연자망'은 '연자매'의 방언.
- **화리서리**: 팔을 흔들며 바쁘게 걸어가는 모습.

• **달걀귀신**: 눈, 코, 입이 없고 달걀 모양으로 생겼다는 귀신.

—

　이 시에 나오는 신격에 해당하는 대상을 열거하면 성주님, 지운귀신, 조왕님, 제석님, 굴때장군, 철룽귀신, 연자망귀신, 달걀귀신 등이다. 이 신들은 맡은 바 임무가 각기 다르기 때문에 민간신앙에서는 각각의 신을 따로 모시고 치성을 드린다. 우리의 민간신앙에는 이들 신말고도 변소에 있는 측간신, 소를 보호하는 쇠구영신(외양간신), 조상을 모시는 조상신, 우물에 있는 우물신, 아기를 점지하고 산모와 아이를 보호하는 삼신三神, 북두칠성을 신격화한 칠성신, 산을 관장하는 산신 등이 있다. 백석은 현재의 우리들은 잘 알지도 못하는 귀신을 열거하며 마을이 온통 귀신으로 가득 차 있어서, 무서워 오금을 펼 수 없을 정도라고 말한다.

　이 시의 첫 행 "나는 이 마을에 태어나기가 잘못이다"라는 말은 이중적이다. 우선 이 말은 백석의 시에 반복해서 나오는 세상과의 거리감, 위화감을 나타내는 뜻으로 읽힌다. 그렇게 보면 뒤에 나오는 무서운 귀신에 대한 열거는 세상과의 위화감을 합리화하기 위한 구실에 해당하는 것으로 해석된다. 또 하나의 의미는 뒤에 숨어 있는 것 같다. 내가 이 마을에서 무서워 오력을 펼 수 없듯 다른 사람도 이 마을에 쉽게 침범하지는 못할 것이라는 생각이다. 이렇게 보면 이 시는 귀신으로 무장한 마을의 견고한 독자성을 선언한 것으로 해석된다.

　이 시의 화자의 움직임을 따라가 보자. 방안에 모셔 놓은 성주님이 무서워 토방으로 나오니 토방에는 토지신이 있고, 다시 그것을 피해 부엌으로 들어가니 부엌 부뚜막에는 조왕신이 있고, 고방에 숨었더니 고방 시렁에 제석신을 모셔 놓았다는 것이다. 다시 굴뚝 모퉁이로 달아나자 굴뚝을 주관하는 검고 큰 모습의 굴때장군이 있고, 뒤울안에는 곱새지붕 아래 장독신의 역할을 하는 철륭귀신이 있다. 대문간에는 힘이 센 수문장이 있고, 대문 바깥 연자간에는 연자방아를 주관하는 연자망귀신이 있다. 집을 완전히 벗어나 큰 거리로 나선다 해도 귀신에게서 벗어날 수가 없다. 발뒤축에 달걀귀신이 묻어다니기 때문이다.

이 많은 신들의 존재를 낱낱이 인식한다면 백석의 말대로 마을은 온통 귀신이 돼서 오력을 펼 수 없을 정도이고 아무리 발버둥 쳐도 귀신의 손아귀에서 벗어나지 못할 것이다. 백석은 속신들의 세계에 묻혀 있는 토속적 삶의 단면을 말놀음하듯이 반복과 연쇄의 기법으로* 늘어놓았다. 겉으로 드러난 경쾌한 리듬은 화자의 무섭다는 발언과 배치된다. 백석이 말하고자 한 진정한 의미는 무엇일까? 또 백석이 이러한 민간신앙의 세계에 관심을 보인 이유는 무엇일까?

이 작품은 어법이나 내용으로 볼 때 해방 전에 백석이 써 두었던 작품으로 보인다. 앞의 「목구」나 「국수」 등의 시에 나타난 가문과 민족 혈통의 유구함에 대한 표현이 당시의 시대 상황과 무관하지 않음을 알 수 있듯이 「마을은 맨천 구신이 돼서」에서 가신신앙의 신격들을 열거하는 것 역시 당시의 시대 상황과 연결되어 있을 것이다. 이

---

* 고형진, 『백석 시 바로 읽기』(현대문학, 2006), 167쪽에서 이 시가 판소리의 구어체 어조를 빌려 유년 화자의 모습을 율동감 있게 표현하고 있다고 분석했다.

시의 요점은 마을 전체를 여러 귀신들이 장악하고 있다는 것이다. 겉으로는 귀신 때문에 오력을 펼 수 없고 어디를 가도 귀신들에게서 벗어날 수 없다고 말하고 있는데, 그 과장된 어법 내면에 어떤 저의가 숨어 있다고 볼 수는 없을까? 즉 이렇게 귀신으로 둘러싸인 마을을 누가 건드릴 수 있겠느냐는 속뜻이 내포되어 있다고 볼 수도 있을 것이다. 말하자면 겉으로는 자신과 자신이 몸담고 있는 마을의 불화 관계를 이야기하면서, 내면적으로는 귀신으로 무장한 마을의 독자성을 강조함으로써 마을에 힘을 행사하는 외부의 모든 것을 거부하는, 그런 이중적 심리가 이 시에 깔려 있는 것 같다.

칠월 백중

마을에서는 세벌 김을 다 매고 들에서

개장취념을 서너 번 하고 나면

백중 좋은 날이 슬그머니 오는데

백중날에는 새악시들이

생모시치마 천진포치마의 물팩치기 껑추렁한 치마에

소주포적삼 항라적삼의 자지고름이 기드렁한 적삼에

한끝나게 상 나들이옷을 있는 대로 다 내 입고

머리는 다리를 서너 켤레씩 들여서

시뻘건 꼬둘채 댕기를 삐뚜룩하니 해 꽂고

네날배기 따배기신을 맨발에 바꿔 신고

고개를 몇이라도 넘어서 약물터로 가는데

무썩무썩 더운 날에도 벌길에는

건들건들 씨연한 바람이 불어오고

허리에 찬 남갑사 주머니에는 오랜만에 돈푼이 들어 즈벅이고

광지보에서 나온 은장도에 바늘집에 원앙에 바둑에

번들번들 하는 노리개는 스르럭스르럭 소리가 나고

고개를 몇이라도 넘어서 약물터로 오면

약물터엔 사람들이 백재일 치듯 하였는데

본갓집에서 온 사람들도 만나 반가워하고

깨죽이며 문추며 섶가락 앞에 송기떡을 사서 권하거니 먹거니 하고

그러다는 백중물을 내는 소나기를 함뿍 맞고

호주를 하니 젖어서 달아나는데

이번에는 꿈에도 못 잊는 본갓집에 가는 것이다

본갓집을 가면서도 칠월 그믐 초가을을 할 때까지

평안하니 집살이를 할 것을 생각하고

아끼는 옷을 다 적시어도 비는 씨원만 하다고 생각한다

(이 시는 전쟁 전부터 내가 간직하여 두었던 것을
시인에겐 묻지 않고 감히 발표한다. ― 허준)

―『문장』속간호, 1948. 10.

———

- **세벌 김**: 세 번 김을 매었다는 뜻이다.
- **개장취념**: 각자가 얼마씩의 돈을 내어 개장국을 끓여 먹는 것. 취념은 추렴[出斂]에서 온 말.
- **백중**: 음력 칠월 보름. 승려들이 부처를 공양하는 재齋를 올리는 날로, 고려시대까지 큰 명절로 삼았다. 민간에서는 여러 과실과 음식을 마련하여 먹고 논다.
- **천진포치마**: 중국 천진天津에서 생산된 가는 베로 짠 치마.
- **물팩치기**: 무릎까지 오는.
- **껑추렁한**: 껑충한. 짧은 치마를 입어 다리가 길어 보이는 어색한 모양.

- **소주포적삼**: 소주蘇州에서 생산된 베로 짠 적삼.
- **항라적삼**: 명주나 모시로 성글게 짠 적삼.
- **자지고름**: 자줏빛 옷고름.
- **기드렁한**: 기다란.
- **한끝나게**: 한껏. 할 수 있는 데까지.
- **상 나들이옷**: 가장 좋은 나들이옷.
- **다리**: 예전에 여자들의 머리숱이 많아 보이라고 덧넣었던 딴머리.
- **꼬둘채 댕기**: 머리의 다리를 얹는 데 쓰이는 빨간 댕기.
- **네날배기**: 세로줄을 네 가닥 날로 짠.
- **따배기신**: 곱게 삼은 짚신.
- **무썩무썩**: 땀이 나는 모습을 나타낸 의태어.
- **남갑사**: 남빛의 품질 좋은 비단. 얇고 성겨서 여름 옷감으로 많이 쓴다.
- **즈벅이고**: 저벅이고. 묵직한 소리가 나고.
- **광지보**: 광지('바구니'의 평안도 방언)를 싸 둔 보褓.
- **백재일 치듯**: 백차일白遮日 치듯. 백차일은 햇볕을 가리려고 치는 커다란 흰 천
  막을 말하는데, 7월 백중날 흰옷 입은 사람이 많이 모인 것을 비유한 것이다.
- **본갓집**: 고형진의 풀이를 따라 '본가집', 친정집으로 본다.
- **문추**: '부꾸미'의 방언. 찹쌀가루, 밀가루, 수숫가루 따위를 반죽하여 둥글고
  넓게 하여 번철에 지진 떡.
- **섶가락**: 나무 가락. 송기떡을 올려놓은 나무틀이 아닐까?
- **호주를 하니 젖어서**: 호졸근하게 젖어서. 옷이 물기에 젖어 늘어진 상태.
- **초가을**: 초가을걷이. 가을에 익은 곡식을 거두어들이는 것.
- **집살이**: 집에서 생활하는 것. 농사를 일단 끝냈으므로 여름 한철은 집에서 편
  안히 지낼 수 있다고 생각하는 것.

———

칠월 백중은 고려 시대까지 절에서 주관하던 매우 큰 명절이었는
데 조선 시대 이후에는 민간에서 여러 가지 음식을 마련하여 먹고 노
는 풍속으로 전승되었다. 김매기가 끝나면 농가의 일은 일단 마무리

되어 가을걷이를 할 때까지는 이 시에 나오는 대로 "평안하니 집살이"를 할 수 있는 데다가 칠월 보름부터는 더위도 한풀 꺾이기 때문에 농사일에서의 해방감과 계절의 변화감을 함께 즐기며 여러 가지 음식을 먹고 놀이를 벌였다. 음력 칠월 말이 되면 초가을 걷이로 추수를 시작하고 팔월대보름 추석 맞을 준비를 하게 된다.

이 시는 백중날의 정겨운 풍속을 백석 특유의 열거의 기법으로 표현한 작품으로 해방 전 작품의 전형적인 모습을 그대로 보여 주고 있다. 김매기를 끝내고 여름 더위를 이기기 위해 여럿이 모여 개장국도 서너 번 끓여 먹고 나면 "백중 좋은 날이 슬그머니" 온다고 했다. 이 표현은 백석의 많은 시에서 이미 여러 번 보았던 것으로 시간의 흐름과 그것에서 맛보는 일상의 즐거움을 지극히 자연스럽게 전해 주는 방법이다. 이런 구절을 읽으면 우리도 농촌의 한가운데 들어가 그들의 즐거움에 동참하는 것 같은 느낌이 든다. 여기서부터 백석은 그의 다른 시와는 달리 여성의 풍물을 중심에 놓고 백중놀이와 관련된 세세한 부분들을 정교하게 묘사해 간다. 우리는 백석의 이 시를 통하여 그 시대에 농촌의 여성들이 백중날을 어떻게 보냈는지 추체험할 수 있다. 이제는 우리의 시야에서 아예 사라져 버린 그 즐거운 민간 풍속의 현장으로 우리를 이끌어 가는 것이다.

그는 우선 여성의 치마와 적삼에 대해 이야기했다. 남성인 백석이 어떻게 여성의 의상과 외모에 대해서 이렇게 세세히 묘사할 수 있었는지 경탄스러울 정도다. 백중날이므로 여인들은 가장 좋은 감으로 지은 치마와 적삼을 꺼내 입는데, 해마다 입던 오래된 것이어서 길이는 줄어서 다리가 껑충하게 보이고 고름은 길게 늘어져 보인다. 그래도 한껏 멋을 내 머리에 다리를 틀어 올리고 시뻘건 댕기까지 비뚜름하게 달고 신도 가장 좋은 신을 꺼내 신고 사람들이 많이 모이는 약수터로 간다. 백중놀이를 위해 남갑사 주머니에 돈도 두둑이 준비하고 여러 가지 장식물도 패용하고서 "고개를 몇이라도 넘어서" 약수터로 가는 것이다. 이 말을 백석은 두 번 반복했는데 거기에는 더운 여름날 고개를 몇이라도 넘어가는 먼 길이지만 그 정도의 고생은 백중날의 기쁨에 비하면 아무 것도 아니라는 뜻이 담겨 있다.

약수터에는 이미 사람들이 많이 와서 마치 흰 차일을 두른 듯 모여 있는데, 준비해 온 여러 가지 음식을 나누어 먹고 거기서 파는 음식을 사 먹기도 한다. 무엇보다 반가운 것은 친정집에서 온 사람들을 만나게 된 것이다. 명절 때에도 시집살이를 하느라 친정에 가지 못하던 여인들은 약수터에서 모처럼 친정집 사람들을 만나 음식을 나누어 먹으며 기뻐한다. 그러다 갑자기 소나기가 내려 사람들이 흩어지게 되고 친정 식구들을 만난 여인들은 친정집으로 향하게 된다. 시집간 여인에게는 "꿈에도 못 잊는 본갓집"으로 향하는 기쁜 마음에 아끼는 옷이 소나기에 다 젖어도 아무렇지가 않다. 이제 당분간 급한 일도 없으니 마음 놓고 친정집에 가서 즐거운 시간을 보내려 하는 것이다. 다시 또 고개를 몇이라도 넘어서 갈 길이지만 그래도 발걸음은 가볍고 옷을 적시는 비는 시원하기만 하다.

이 마지막 장면에서 백석은 마치 여성 화자가 된 듯 여성의 심리 속으로 들어가 흥겹고 설레는 마음을 율동적인 언어로 표현했다. 이러한 백중날의 풍속을 그 외형에서부터 그것을 즐기는 사람의 마음에 이르기까지 세세히 묘사한, 그래서 우리 민간 풍속의 귀중한 부분을 시로 보존한 백석 시인에게 마음 깊은 곳에서 우러나는 고마움을 전한다. 아울러 이 좋은 시를 잘 간직했다가 발표해 준 허준에게도 고마운 마음을 전한다.

남신의주 유동 박시봉방 南新義州 柳洞 朴時逢方[*]

어느 사이에 나는 아내도 없고, 또,

아내와 같이 살던 집도 없어지고,

그리고 살뜰한 부모며 동생들과도 멀리 떨어져서,

그 어느 바람 세인 쓸쓸한 거리 끝에 헤매이었다.

바로 날도 저물어서,

바람은 더욱 세게 불고, 추위는 점점 더해 오는데,

나는 어느 목수네 집 헌 삿을 깐,

한 방에 들어서 쥔을 붙이었다.

이리하여 나는 이 습내 나는 춥고, 누긋한 방에서,

낮이나 밤이나 나는 나 혼자도 너무 많은 것같이 생각하며,

질옹배기에 북덕불이라도 담겨 오면,

이것을 안고 손을 쬐며 재 위에 뜻없이 글자를 쓰기도 하며,

또 문밖에 나가지도 않고 자리에 누워서,

머리에 손깍지베개를 하고 굴기도 하면서,

나는 내 슬픔이며 어리석음이며를 소처럼 연하여 쌔김질하는 것
이었다.

* 원본에 이렇게 띄어쓰기가 되어 있으므로 이 시의 제목은 이렇게 띄어 써야 한다.

내 가슴이 꽉 메어 올 적이며,

내 눈에 뜨거운 것이 핑 괴일 적이며,

또 내 스스로 화끈 낯이 붉도록 부끄러울 적이며,

나는 내 슬픔과 어리석음에 눌리어 죽을 수밖에 없는 것을 느끼는 것이었다.

그러나 잠시 뒤에 나는 고개를 들어,

허연 문창을 바라보든가 또 눈을 떠서 높은 천정을 쳐다보는 것인데,

이 때 나는 내 뜻이며 힘으로, 나를 이끌어가는 것이 힘든 일인 것을 생각하고,

이것들보다 더 크고, 높은 것이 있어서, 나를 마음대로 굴려 가는 것을 생각하는 것인데,

이렇게 하여 여러 날이 지나는 동안에,

내 어지러운 마음에는 슬픔이며, 한탄이며, 가라앉을 것은 차츰 앙금이 되어 가라앉고,

외로운 생각만이 드는 때쯤 해서는,

더러 나줏손에 쌀랑쌀랑 싸락눈이 와서 문창을 치기도 하는 때도 있는데,

나는 이런 저녁에는 화로를 더욱 다가끼며, 무릎을 꿇어 보며,

어느 먼 산 뒷옆에 바위 섶에 따로 외로이 서서,

어두워 오는데 하이야니 눈을 맞을, 그 마른 잎새에는,

쌀랑쌀랑 소리도 나며 눈을 맞을,

그 드물다는 굳고 정한 갈매나무라는 나무를 생각하는 것이었다.

—

- **샷**: 삿자리. 갈대를 엮어서 만든 자리. 왕골로 짠 돗자리보다 거칠다.
- **쥔을 붙이었다**: 잠시 머물러 잘 수 있는 집을 정했다. 사전에는 '주인 잡다'라는 말이 나온다.
- **누굿한**: 메마르지 않고 눅눅한.
- **질옹배기**: 질흙으로 빚은 옹배기(둥글넓적하고 아가리가 벌어진 작은 그릇).
- **북덕불**: 북데기(짚이나 풀, 나무 부스러기 등이 뒤섞여 엉클어진 뭉텅이)로 피운 불.
- **쌔김질**: 새김질. 반추.
- **나줏손**: 저녁 무렵.
- **섶**: '옆'의 방언.
- **갈매나무**: 갈매나뭇과의 낙엽 활엽 관목. 높이는 2~5미터이며, 가지에 가시가 있고 껍질은 암회색이다. 이 시에서는 시적 화자의 외로움과 상실감을 이겨내게 하는 상징적 사물로 설정되어 있다.

—

이 시는 1948년 10월 『학풍』 창간호에 게재되었는데 해방 공간에 발표된 백석의 마지막 작품이다. 『학풍』은 주로 학술적인 내용의 글을 싣는 월간 종합지였다. 발행처는 을유문화사로 되어 있고, 편집 주간은 조풍연이 맡았다. 책 뒤의 출판부 소식란을 보면 "서정시인 백석의 백석시집이 출간된다. 밤하늘의 별처럼 많은 시인들은 과연 얼마나 이 고고孤高한 시인에 육박할 수 있으며, 또 얼마나 능가할 수 있었더냐. 흥미있는 일이다"라는 구절이 있다. 이것은 발행처인 을유문화사에서 백석의 시집을 간행하기 위해 어떤 준비를 하고 있었다는 사실을 알려 준다. 또 조풍연의 편집 후기를 보면 신석초와 백석의 해방 후 신작을 얻었다고 적어 놓았는데, 창간호에는 백석의 작품만 실리고 신석초의 작품은 다음 호에 실렸다. 조풍연은 해방 전에 이미 『삼사문학』 동인으로 활동했고 『문장』과 『인문평론』 등을 편집하여 문인들과 교류가 있던 사람이기 때문에 어떤 경로를 통하여 백석의 시집을 내기로 했을지 모른다. 만일 백석의 친구인 소설가 허준이 지니고 있던 작품을 발표한 것이라면 편집 후기에 그 사실이 언급되었을 텐데, 그런 언급은 없다. 특히 이 시가 보여 주는 형식적 안정감과 유장한 호흡, 원숙한 짜임새는 그 이전의 시와는 다른 느낌을 전달하고 있다. 따라서 이 작품은 해방 후의 작품으로 보는 것이 합리적이다. 전후의 사정을 고려하면, 만주 안동에 거주하던 백석이 해방을 맞아 신의주를 거쳐 고향인 정주로 넘어오던 시기에 지은 것으로 추측된다. 만주 생활을 청산하고 새로운 세계로 넘어오는 상황이기 때문에 착잡한 심정이 강하게 표현되었을 것이다.

"남신의주"와 "유동"은 지명이고 "박시봉"은 사람의 이름이다. '方'은 편지를 보낼 때 세대주 이름 아래 붙여, 그 집에 거처하고 있음을 나타내는 말이다. 그러니까 이 시의 제목은 '남신의주 유동에 있는 박시봉 집에서'라는 뜻이다. 제목의 평범한 뜻과는 달리, 이 시는 소중한 것을 모두 잃어버리고 외로운 떠돌이가 되어 바람 센 거리를 헤매는 화자의 가련한 처지를 고백하는 것으로 출발한다. 첫머리에 나오는 "어느 사이에"라는 말은 화자의 가혹한 운명을 압축적으로 드러낸다. 자신도 지각하지 못한 사이에 운명의 소용돌이에 휘말려 상실의 끝판으로 내몰린 자의 뼈저린 탄식이 이 말에 응축되어 있다.

모든 것을 잃고 처절한 고립에 빠진 한 남자가 자기가 살아온 내력을 돌이켜 볼 때, 도대체 무엇 때문에 이렇게 되었는지 알 수 없고, 어떤 운명의 곡절에 의해 이 지경에 이르렀는지 스스로도 감당할 수 없을 때, 그때 터져 나오는 발성이 "어느 사이에"일 것이다. 한때는 웨이브 진 머리를 휘날리며 광화문통 네거리를 활보하던 신문기자였으며 또 한때는 더블브레스트 연둣빛 양복을 입고 유창한 발음으로 학생들을 가르치던 영어 교사였는데, 어느 사이에 이런 낙척落拓의 떠돌이가 되었는가. 어떻게 하다가 모든 것을 잃고 자신의 몸을 누일 지상의 방 한 칸을 찾아 헤매는 초라한 처지가 되었는가.

그는 가정의 구성 요소인 아내, 집, 부모, 동생들과 떨어져 "바람 센 쓸쓸한 거리 끝을 헤메이었다"라고 말했다. 이 말은 단순한 것 같으면서도 의미심장하다. "바람 센"은 고초가 많았음을 나타내고 "쓸쓸한"은 외로움을 말하는 것이리라. 그러면 "쓸쓸한 거리"라 하지 않고 굳이 "거리 끝"이라고 한 이유는 무엇일까? 이것은 어디에도 동화되지 못한 채 국외자로 떠돌았던 자신의 처지를 암시하는 표현이다. 그는 바람 센 쓸쓸한 거리나마 그곳을 당당히 걸어간 것이 아니라 그 거리의 한 끝을 서성이며 막막한 방황의 나날을 보낸 것이다.

상황은 더욱 악화되어 바람은 더 세게 불고 추위도 심해지는데, 거처를 잃은 화자는 어느 목수네 집 문간방을 하나 얻어 더부살이를 하게 된다. 물론 그 방은 제대로 된 방이 아니라 헌 삿자리를 깐 임시 거주용 방으로 음습한 냄새도 나고 냉기가 감돈다. "질옹배기"에 담긴 "북덕불"은 제대로 된 화로가 아니라 임시방편으로 마련된 보온 수단이니, 화자가 처한 처지가 어떠한가를 우리에게 알려 준다. 모든 의욕을 상실하고 무위의 시간을 보내는 화자는 조그만 화로의 재 위에 무의미한 글자를 써 보기도 하고 방 안을 뒹굴며 자신의 슬픔과 어리석음을 되씹어 보기도 한다.

사람이 절망의 극한에 몰리면 누구든 죽음을 생각하기 마련인데 이 시의 화자 역시 지나온 일을 생각할수록 슬픔과 회한이 사무쳐 종국에는 죽음을 떠올리게 된다. 이 위기의 순간에 화자는 "고개를 들어,/허연 문창을 바라보든가 또 눈을 떠서 높은 천장을 쳐다보는" 행동을 취한다. 이것은 상실의 끝판에서 마지막 희망을 찾으려는 몸짓이다. 화자는 결국 나보다 더 크고 높은 어떤 것, 예컨대 자신에게 주어진 운명과 같은 것이 자신을 마음대로 끌어가는 것이라고 생각하기에 이른다. 이를 운명론적 체념이라고 말할 수 있을 터인데, 자신의 의지에 의해 절망을 극복하는 것이 아니라 모든 것을 운명에 맡겨 버린다는 점에서 소극적인 방법이라고 할 수 있겠으나, 이것이 절망의 고통을 치유하는 효과적인 방법인 것은 사실이다.

이렇게 며칠을 보내자 마음이 정리되면서 자신을 죽음으로 내몰던 슬픔과 회한도 앙금처럼 가라앉아, 외롭다는 생각만 남게 된다. 절망의 나락에서 벗어나 어느 정도 마음의 안정을 찾은 화자의 방 문창에 싸락눈이 부딪친다. 외부 상황의 변화는 언제 또 다시 그의 외로움을 처절한 상실감으로 바꾸어 버릴지 모른다. 싸락눈이 문창을 치는 스산한 저녁이면 그는 마음을 다잡고 생의 의욕을 가져 보려 한다. "화로를 더욱 다가끼며, 무릎을 꿇어 보며"는 그러한 태도의 간접적 표현이다. 절망에서 벗어나기 위해서는 자신에게 의미를 주는 구체적 상징물이 필요할 때가 있다. 백석의 경우 그것은 "굳고 정한 갈매나무"로 표상되었다. 갈매나무는 "먼 산 뒷옆에 바위 섶에 따로 외로이 서" 있다고 했는데 이것은 갈매나무가 세속의 굴레를 벗어나 고고한 지평에 놓여 있음을 의미한다. 이 고고한 갈매나무는 어두워 가는 하늘 밑에 하얗게 눈을 맞으면서도 자신의 의연한 모습을 그대로 지키고 있다. 시인은 그 갈매나무를 떠올리며 자신의 신산한 삶을 견뎌 내려 하는 것이다.

이 시는 평이한 언어와 표현으로 인간 누구나가 겪을 수 있는 상실의 체험과 극복의 과정을 담담하게 그려 냈다. 여기 담긴 감정의 추이 과정은 인간 체험의 보편성을 그대로 반영한다. 그렇기에 이 시는 상실의 아픔을 지닌 사람들에게 공감을 주고, 그들의 마음을 위안할 수 있었다. 그뿐 아니라 이 시는 추상의 차원에서 벗어나 구체적 정황을 열거하면서 절망의 상태에서 벗어나고자 하는 자신의 의지를 갈매나무라는 구체적인 이미지를 통해 형상화하려 했다. 또한 추상적 사유를 구체적 이미지로 바꾸어 표현한다는 점에서 백석 시의 또 다른 변화를 암시하는 분기점에 놓인 작품이라고 판단할 수 있다. 민족 분단으로 백석의 백석다운 시가 여기서 중단된 것은 참으로 안타까운 일이다.

백석 시 이해를 위한 참고문헌

고형진,『백석 시의 물명고』, 고려대학교출판문화원, 2015.

_____,『백석 정본』, 문학동네, 2022.

김기림,「『사슴』을 안고」,『조선일보』, 1936. 1. 29.

김문주,「백석 문학 연구의 현황과 문학사적 균열의 지점」,『비평문학』45
　　　호, 2012. 9.

김영배,「백석 시의 방언에 대하여」,『한실이상보박사회갑기념논총』, 형
　　　설출판사, 1987.

김자야,『내 사랑 백석』, 문학동네, 1995.

김재용 편,『백석전집』, 실천문학사, 1997.

박순원,「백석 시의 시어 연구」, 고려대 박사논문, 2007. 8.

박태일,『한국 근대문학의 실증과 방법』, 소명출판, 2004.

손진은,「백석 시의 '옛것' 모티프와 상상력」,『한국문학이론과 비평』24,
　　　2004. 9.

송　준,『시인 백석 1, 2, 3』, 흰당나귀, 2012.

_____,『백석 시 전집』, 흰당나귀, 2012.

안도현,『백석 평전』, 다산책방, 2014.

오성호,『백서 시 꼼꼼하게 읽기』, 겨진출판, 2021.

유성호,「백석 시의 세 가지 영향」,『한국근대문학연구』17호, 한국근대문
　　　학회, 2008. 4.

유종호,『비순수의 선언』, 신구문화사, 1962.

_____,『다시 읽는 한국시인』, 문학동네, 2002.

이경수,『백석 시를 읽는 시간』, 소명출판, 2021.

이동석,「백석 편―밀게, 따디기, 나줏손, 낫대」,『딩아돌하』2, 2007. 봄
　　　호.

_____,「백석 편―산멍에, 산녑, 은댕이, 예데가리밭」,『딩아돌하』3,
　　　2007. 여름호.

이동석, 「고어를 이용한 백석 시의 어휘 몇 가지에 대한 검토」, 『우리어문연구』 29, 2007. 9.

이동순, 『백석시전집』, 창작과비평사, 1987.

_____, 『잃어버린 문학사의 복원과 현장』, 소명출판, 2005.

이명찬, 「원본과 정본, 그리고 그 너머」, 『문학동네』, 2007. 여름호.

이상숙, 『가난한 그대의 빛나는 마음』, 삼인, 2020.

이숭원 주해, 이지나 편, 『원본 백석 시집』, 깊은샘, 2006.

이숭원, 『백석 시의 심층적 탐구』, 태학사, 2006.

_____, 「백석 시 연구의 현황과 전망」, 『한국시학연구』 34, 2012. 8.

_____, 「백석의 시적 지향과 표현방법」, 『비평문학』 25, 2012. 9. 30.

_____, 『한국 현대시 연구의 맥락』, 태학사, 2014.

_____, 「백석 시 연구의 유의점과 과제」, 『어문연구』 170, 2016. 6.

이지나, 『백석 시의 원전비평』, 깊은샘, 2006.

이혜원, 「백석 시의 동심 지향성과 그 의미」, 『한국문학연구』 3, 2002. 12.

_____, 「백석 시의 에코페미니즘적 고찰」, 『한국문학이론과 비평』 28, 2005. 9.

장석원, 「백석 시의 리듬」, 『어문논집』 55, 2007. 4.

전정구, 「백석 시작품의 원전비평적 고찰」, 『비평문학』 38, 2010. 12.

_____, 「백석의 '寂境' 본문 연구」, 『현대문학이론연구』 58, 2014. 9.

정철훈, 『백석을 찾아서』, 삼인, 2019.

정호웅, 「한국 현대소설에서의 백석 수용」, 『구보학보』 31집, 2022. 8.

최두석, 『시와 리얼리즘』, 창작과비평사, 1996.

최정례, 『백석 시어의 힘』, 서정시학, 2008.

한경희, 『한국 현대시의 내면화 경향』, 역락, 2005.

현대시비평연구회, 『다시 읽는 백석 시』, 소명출판, 2014.

백석 연보

1912년 7월 1일	평안북도 정주군 갈산면 익성동 1031번지에서 백시박과 이봉우 사이에서 3남 1녀의 장남으로 태어남. 본명은 백기행白蘷行.
1918년(6세)	오산소학교 입학.
1924년(12세)	오산소학교를 졸업하고 오산학교에 입학. 1926년 학제 개편으로 5년제 오산고등보통학교가 됨.
1929년(17세)	오산고보 졸업.
1930년(18세)	1월 『조선일보』 신년현상문예에 「그 母와 아들」로 당선. 방응모가 설립한 춘해장학회의 장학금으로 4월에 일본 도쿄 아오야마 학원青山學院 영어사범과에 입학.
1934년(22세)	3월 아오야마 학원 졸업. 귀국 후 조선일보사에 근무하며 『조광』지 편집을 맡음.
1935년(23세)	7월에 친구 허준의 결혼식 피로연에서 박경련을 만남. 7월에 「마을의 유화」, 8월에 「닭을 채인 이야기」 등 소설 형식의 글을 발표. 8월 30일에 시 「정주성」을 발표하여 시인으로 등단.
1936년(24세)	1월 20일, 시집 『사슴』 출판. 3월에 조선일보사를 사직하고 함흥의 영생고등보통학교 영어 교사로 부임.
1937년(25세)	이해 4월 이후 김자야를 만난 것으로 추정됨.
1938년(26세)	12월 영생고보 교사직을 사임하고 서울로 와서 김자야를 만남.
1939년(27세)	1월 26일부로 조선일보에 재입사하고 10월 21일에 사임.
1940년(28세)	1월경 만주의 신찡新京으로 감. 이후 농사도 짓고 안동 세관에서 공무도 보면서 5년의 세월을 보냄.
1945년(33세)	해방 이후 신의주를 거쳐 고향으로 돌아옴. 평양에서 조만식의 러시아어 통역을 맡음.
1947년(35세)	10월 문학예술총동맹 제4차 중앙위원회의에 참여하여

외국문학 분과위원이 됨. 시모노프의 『낮과 밤』, 숄로호
프의 『그들은 조국을 위해 싸웠다』 번역 출간.

1949년(37세)　　9월 숄로호프의 『고요한 돈강』 번역 출간. 이후 시는 쓰
지 않고 번역에 집중.

1954년(42세)　　중국 길림성에서 백석의 주도로 번역한 『이싸꼽프스키
시초』 출간.

1956년(44세)　　1월에 동화시 발표. 5월에 「동화문학의 발전을 위하여」
라는 산문을 발표한 이후 아동문학에 대한 관심을 적극
적으로 표명.

1957년(45세)　　4월 동화시집 『집게네 네 형제』 출판. 6월에 「아동문학
의 협소화를 반대하는 입장에서」를 발표하여 논쟁 촉발.

1958년(46세)　　8월 「사회주의적 도덕에 대한 단상」을 발표. 북한의 이
데올로기적 노선과 어긋나 비판받음.

1959년(47세)　　1월 양강도 삼수군 관평리에 있는 국영협동조합으로
내려가 농사짓는 일을 함. 그동안 거의 발표하지 않았
던 시를 쓰기 시작함.

1962년(50세)　　10월 북한의 문화계 전반에 내려진 복고주의에 대한 비
판과 연관되어 일체의 창작활동이 중단됨.

1996년(83세)　　1월 양강도 삼수군 관평리에서 사망한 것으로 알려짐.